서술형에 더 강해지는 중학 영문법

LEVEL 1

How to Study 이렇게 공부하자!

STEP 1 문법으로 기본기 쌓기

문법 개념 다지기/바로 개념 확인하기

문법을 알아야 정확한 쓰기가 가능하니 꼭 출제되는 문법 항목을 빠짐없이 콕콕 짚어서 정리하고 개념까지 확인하자!

STEP 2 문법으로 서술형 쓰기

서술형 기본 유형 익히기

문법과 서술형 쓰기는 별개가 아니야! 배운 문법으로 서술형에 자주 출제되는 기본 유형 문제들을 풀다 보면 문법부터 서술형 쓰기까지 한 번에 연습할 수 있어!

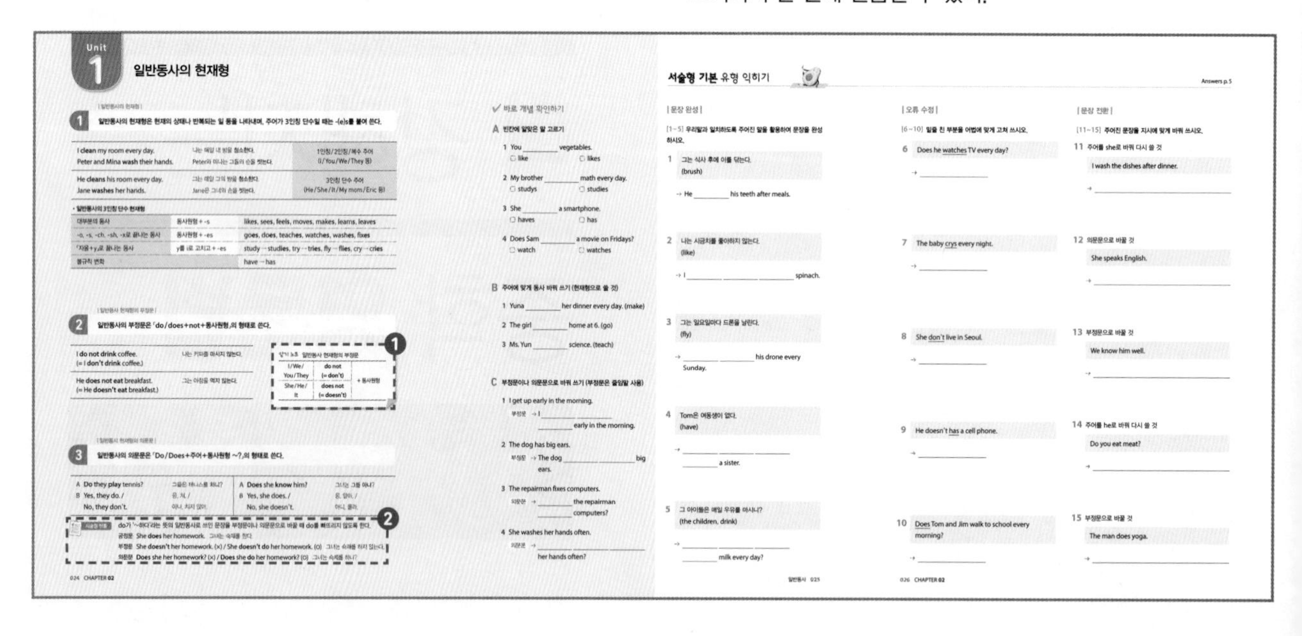
Unit 1 일반동사의 현재형

1 일반동사의 현재형은 현재의 상태나 반복되는 일 등을 나타내며, 주어가 3인칭 단수일 때는 -(e)s를 붙여 쓴다.

I clean my room every day.
Peter and Mina wash their hands.
He cleans his room every day.
Jane washes her hands.

2 일반동사의 부정문은 'do/does+not+동사원형'의 형태로 쓴다.

I do not drink coffee. (= I don't drink coffee.)
He does not eat breakfast. (= He doesn't eat breakfast.)

3 일반동사의 의문문은 'Do/Does+주어+동사원형 ~?'의 형태로 쓴다.

A Do they play tennis?
B Yes, they do. / No, they don't.
A Does she know him?
B Yes, she does. / No, she doesn't.

서술형 기본 유형 익히기

암기 노트 ❶

암기해 두면 유용한 표현이니 꼭 머릿속에 저장하자!

❷

어느 학교에서나 꼭 출제되는 서술형 포인트는 한번 더 확인하자!!

아직 자신이 없니? 걱정하지 마. 쓰기에 기본이 되는 문장 구조 이해와 기본적으로 알아야 할 단어의 변화형 등을 잘 알고 있는지 WORKBOOK을 통해 한 번 더 연습할 수 있어!

CHAPTER 02 일반동사

Unit 1 일반동사의 현재형

A 주어진 동사의 현재형 쓰기

1 My uncle ________ a lot of old CDs. (have)
2 My cats ________ cheese and milk. (like)
3 The moon ________ around the earth. (go)
4 My little sister ________ a lot. (cry)
5 Jiho ________ in the library after school. (study)
6 She ________ her hair every morning. (brush)
7 Mr. Park ________ winter sports. (enjoy)
8 Kelly and I ________ cello lessons on Fridays. (take)

B 일반동사의 부정문과 의문문 써 보기

1 I have brown hair.
2 Susan practices the guitar.
3 Mary and Jake like horror movies.
4 John teaches English.
5 Our winter vacation starts in November.
6 They need new notebooks.

04 CHAPTER 02

STEP 3 서술형 실력 쌓기

기출에서 뽑은 난이도별 서술형 문제

학교 시험에서 가장 많이 출제되는 문제를 뽑아 기본에서 심화까지 순차적으로 풀다 보면 서술형, 이제 어렵지 않아!

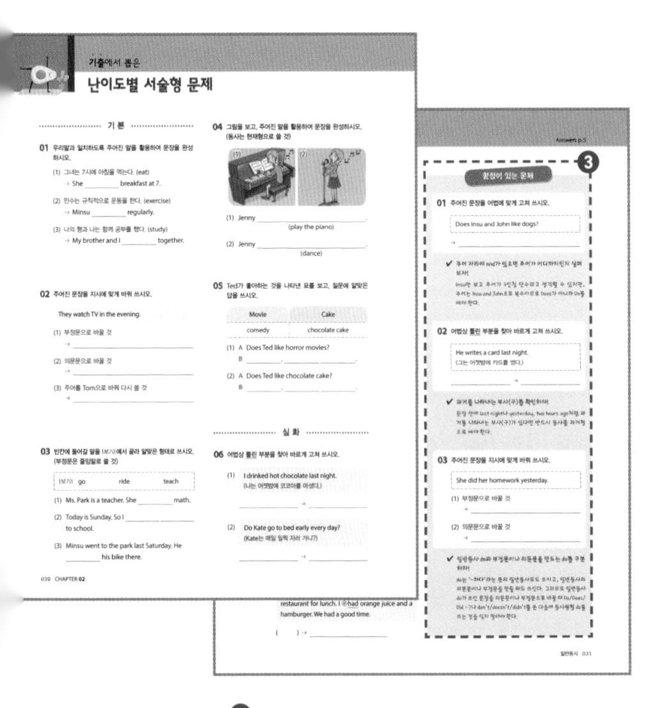

STEP 4 진짜 실력 키우기

시험에 강해지는 실전 TEST

자, 이제 진짜 시험 시간! 객관식과 서술형 모두 풀어보면서 실전처럼 진짜 실력을 확인해 보자!

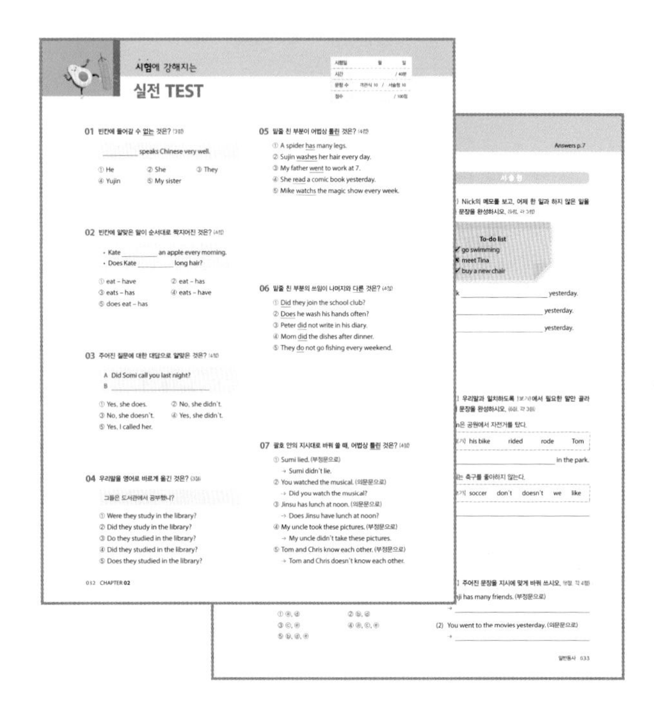

함정이 있는 문제 ③

알고 있었는데 답을 쓸 때 실수해서 감점되거나 틀린 적 있지?
'아차!' 해서 틀리는 함정들을 미리 파악하여 새는 점수를 방지하자고!

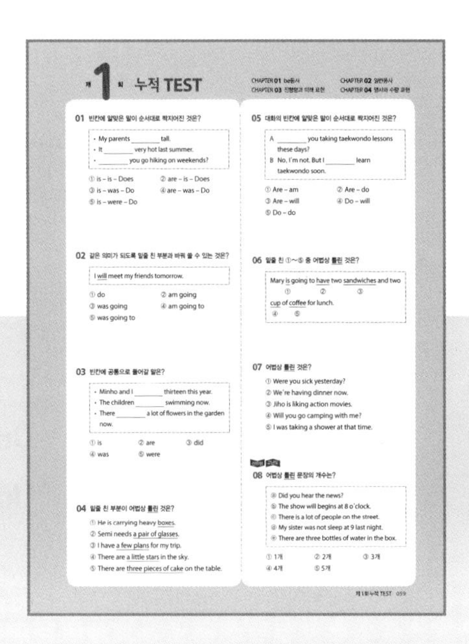

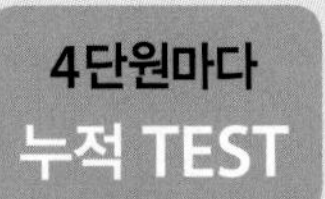

4단원마다 누적 TEST

끝난 줄 알았지?
앞 단원에서 배웠던 내용을 모두 모아 진짜 영어 실력을 키워 보자!

Contents

배울 내용을 살펴보자!

I 단어의 종류 – 품사

품사란 단어가 가진 특정한 성격에 따라 단어를 나눠 놓은 것을 말해요.

명사

'고양이', '소파', '공원'처럼

사람이나 사물의 이름을 나타내는 말

예 **cat, mouse, sofa, park, Jane, Minsu** 등

대명사

'그', '그녀', '그들'처럼

앞에 나온 명사를 대신해서 쓰는 말

예 **I, you, he, she, we, they, my, our** 등

동사

'놀다', '뛰다', '원하다'처럼

동작이나 상태를 나타내는 말

예 **play, run, want, walk, swim, like** 등

형용사

'배고픈', '귀여운', '키가 큰'처럼

색깔이나 모양, 특징 등을 나타내는 말

예 **hungry, cute, tall, happy, red** 등

My cat is very angry.

부사

'매우', '행복하게'처럼 명사 외의 동사, 형용사, 부사, 또는 문장 전체를 꾸며 주는 말

예 **very, happily, slowly, carefully** 등

My cat is on the table.

전치사

'~에', '~ 아래에'처럼 명사나 대명사와 함께 쓰여 시간, 장소, 위치, 수단 등을 나타내는 말

예 **in, on, under, over, with, for, to** 등

My cat wants chicken and eggs.

접속사

단어와 단어, 구와 구, 문장과 문장을 연결해 주는 말

예 **and, but, or, because, if** 등

감탄사

말하는 사람의 놀람이나 느낌 등의 감정을 나타낼 때 하는 말

예 **wow, oh, oops, hey** 등

II 문장의 요소(문장 성분)

문장 성분이란 한 문장을 구성하는 요소를 말해요. 영어 문장을 만들 때 필요한 문장 성분에는 주어, 동사, 목적어, 보어가 있어요.

주어와 동사로만 이루어진 문장

Peter는 노래 부른다.

주어 동작이나 상태의 **주체**가 되는 말로, 우리말의 '누가' 또는 '무엇이'에 해당해요.

동사 **동작**이나 **상태**를 나타내는 말로, 우리말의 '~하다, ~이다'예요.

목적어가 필요한 문장

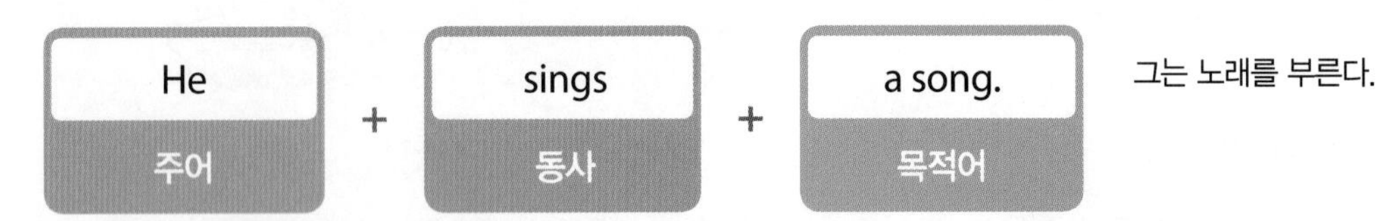

그는 노래를 부른다.

목적어 동사가 나타내는 **동작의 대상**이 되는 말로, 우리말의 '~을(를)'에 해당해요.

보어가 필요한 문장

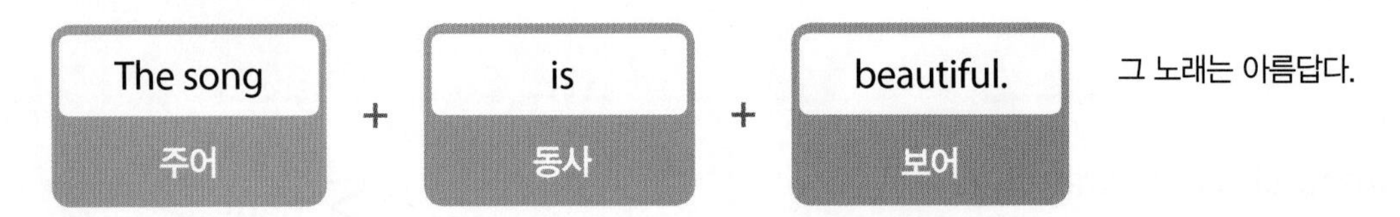

그 노래는 아름답다.

보어 주어와 동사만으로 뜻이 불완전할 때 **보충 설명**해주는 말이에요.

tips **목적어와 보어의 차이는 무엇인가요?**

I	read	a book.
주어	동사	목적어

I ≠ a book
a book은 주어인 I가 하는 동작의 대상이므로 **목적어**로 쓰였어요.

The book	is	fun.
주어	동사	보어

The book = fun
fun은 주어인 The book을 보충 설명해주고 있으므로 **보어**로 쓰였어요.

III 품사와 문장 성분의 관계

각 문장 성분에는 특정한 품사들만 올 수 있어요. 어떤 품사들이 올 수 있는지 알아볼까요?

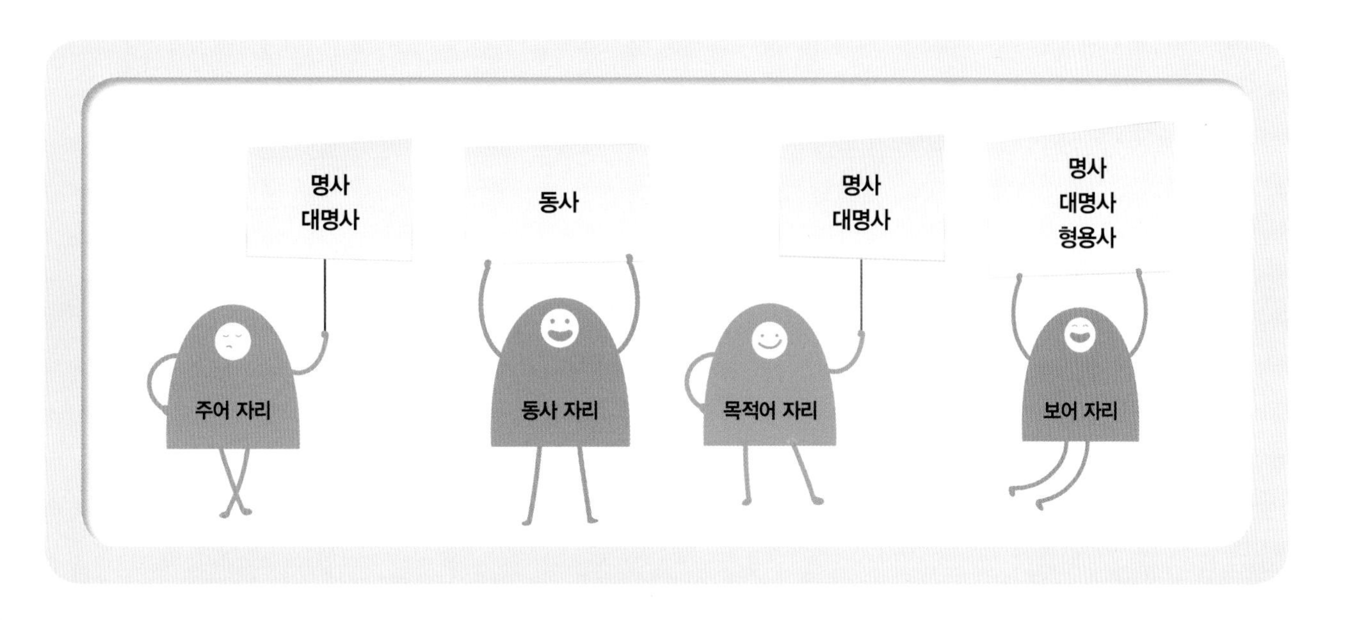

실제 문장에서 문장 성분과 품사가 어떻게 쓰였는지 확인해 보세요.

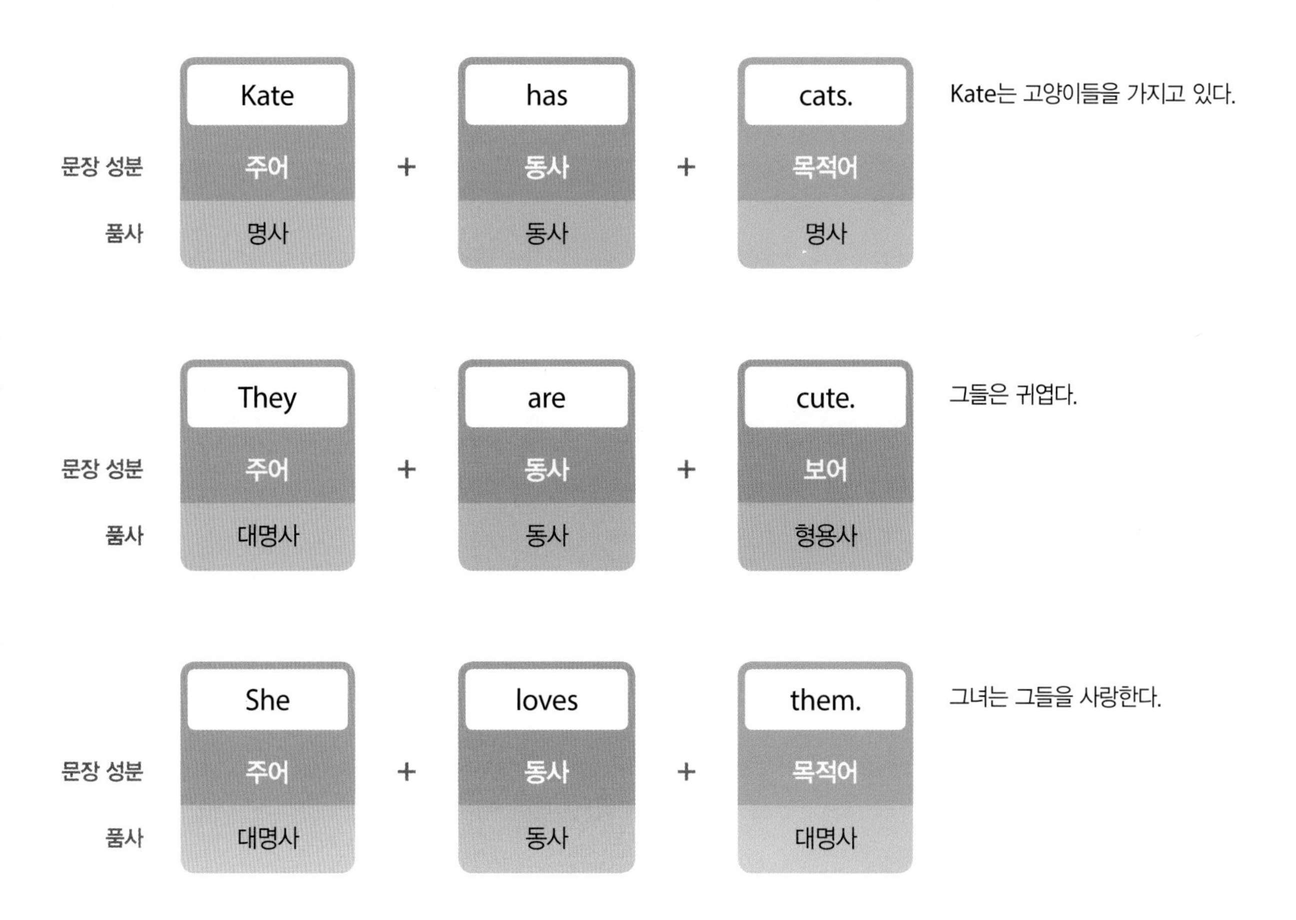

CHAPTER

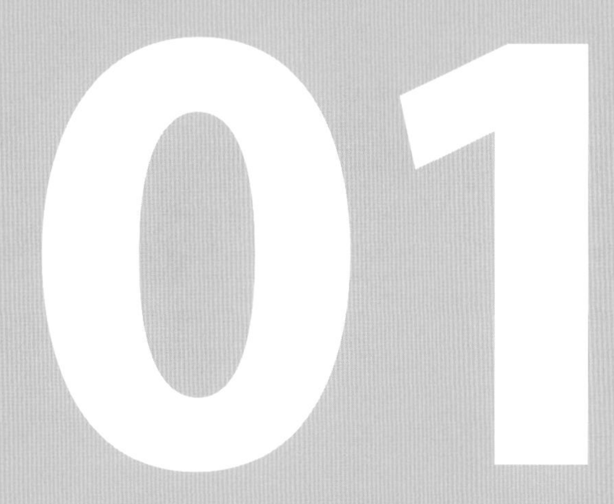

be동사

Unit 1 be동사의 현재형

Unit 2 be동사의 과거형

be동사는 '~이다, (~에) 있다'라는 뜻으로 주어와 시제에 따라 형태를 달리 쓴다.

현재형 — I **am** a middle school student. 나는 중학생**이다**.

과거형 — I **was** an elementary school student a year ago.
나는 일 년 전에 초등학생이**었다**.

Unit 1

be동사의 현재형

| be동사의 현재형 |

1 be동사의 현재형에는 am, are, is가 있으며, '~이다, (~에) 있다'라는 뜻을 갖는다.

I **am** a singer.	나는 가수**이다**.	be동사 + 명사
She **is** happy.	그녀는 행복**하다**.	be동사 + 형용사
They **are** in the room.	그들은 방에 **있다**.	be동사 + 장소의 부사(구)

서술형 빈출 「*A* and *B*」 형태의 주어가 자주 출제되므로 be동사의 형태에 주의해야 한다.
Jane and I am in the library. (×)
Jane and I **are** in the library. (○) Jane과 나는 도서관에 있다.

암기 노트 be동사의 현재형

주어	be동사	줄임말
I	**am**	I'm
She He It	**is**	She's He's It's
We You They	**are**	We're You're They're

| be동사 현재형의 부정문 |

2 be동사 현재형의 부정문은 be동사 뒤에 not을 써서 나타낸다.

I **am not** a nurse. 나는 간호사가 **아니다**.
The books **are not** funny. 그 책들은 재미있**지 않다**.
(= The books **aren't** funny.)
She **is not** at home. 그녀는 집에 **있지 않다**.
(= She **isn't** at home.)

주의 am not은 줄여 쓰지 않는다.
I amn't sick. (×) I'**m not** sick. (○) 나는 아프지 않다.

암기 노트 be동사 현재형의 부정문

주어	be동사+not
I	**am not**
She / He / It	**is not** **(= isn't)**
We / You / They	**are not** **(= aren't)**

| be동사 현재형의 의문문 |

3 be동사 현재형의 의문문은 be동사를 주어 앞에 써서 나타낸다.

A **Is** he a scientist? 그는 과학자**니**?
B Yes, he is. / No, he isn't. 응, 그래. / 아니, 그렇지 않아.

A **Are** you a soccer fan? 너는 축구 팬이**니**?
B Yes, I am. / No, I'm not. 응, 그래. / 아니, 그렇지 않아.

주의 의문문에 대답할 때는 의문문의 주어를 알맞은 인칭대명사로 바꿔 답해야 한다.
A Is **Jane** your sister? Jane은 네 여동생이니?
B No, **she** isn't. 아니, 그렇지 않아.

A Are **Joe and Sue** from the USA? Joe와 Sue는 미국 출신이니?
B Yes, **they** are. 응, 그래.

✔ 바로 개념 확인하기

A 빈칸에 알맞은 be동사 고르기

1 The cat __________ very cute.
☐ am ☐ are ☐ is

2 Sally and I __________ students.
☐ am ☐ are ☐ is

3 The weather __________ good.
☐ am not ☐ are not ☐ is not

4 The boy and the girl __________ at the park.
☐ am not ☐ aren't ☐ isn't

B 밑줄 친 be동사의 알맞은 의미 고르기

1 You are smart.
☐ ~이다 ☐ (~에) 있다

2 Jake is at the concert.
☐ ~이다 ☐ (~에) 있다

3 My parents are doctors.
☐ ~이다 ☐ (~에) 있다

C 부정문이나 의문문으로 바꿔 쓰기 (부정문은 줄임말 사용)

1 Jenny is kind.
부정문 → Jenny __________ kind.

2 People are in the hall.
부정문 → People __________ in the hall.

3 This is your bag.
의문문 → __________ this your bag?

4 You're a writer.
의문문 → __________ you a writer?

서술형 기본 유형 익히기

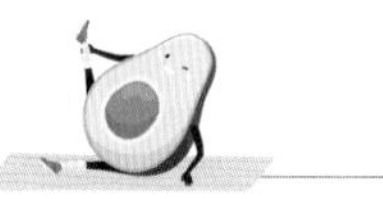

| 문장 완성 |

[1~5] 우리말과 일치하도록 주어진 말과 be동사를 사용하여 문장을 완성하시오.

1 그 여자아이들은 영국 출신이다.
(the girls)

→ __________ __________ __________ from England.

2 지나와 나는 오늘 바쁘지 않다.
(Jina and I)

→ __________ __________ __________ __________ __________ busy today.

3 내 가방은 책상 위에 있지 않다.
(my bag)

→ __________ __________ __________ __________ on the desk.

4 Jane은 화가 났니?
(Jane)

→ __________ __________ angry?

5 너는 화장실에 있니?
(you)

→ __________ __________ in the bathroom?

| 오류 수정 |

[6~10] 어법상 틀린 부분을 찾아 바르게 고쳐 쓰시오.

6 Sam and I am in the same classroom.
(Sam과 나는 같은 교실에 있다.)

______ → ______

7 I amn't happy now.
(나는 지금 기분이 좋지 않다.)

______ → ______

8 Is your sisters tall?
(너의 여동생들은 키가 크니?)

______ → ______

9 China and Japan is in Asia.
(중국과 일본은 아시아에 있다.)

______ → ______

10 Is Tom and Jane your friends?
(Tom과 Jane은 네 친구들이니?)

______ → ______

| 문장 전환 |

[11~15] 주어진 문장을 지시에 맞게 바꿔 쓰시오.

11 의문문으로 바꿀 것

Gina and David are sad.

→ ______

12 줄임말을 사용할 것

They are twin brothers.

→ ______

13 부정문으로 바꿀 것 (줄임말 사용)

We are in Seoul.

→ ______

14 주어를 they로 바꿔 다시 쓸 것

I'm from Germany.

→ ______

15 주어를 the caps로 바꿔 다시 쓸 것

The cap isn't expensive.

→ ______

Unit 2

be동사의 과거형

| be동사의 과거형 |

1 be동사의 과거형은 was나 were로 나타내며, '~이었다, (~에) 있었다'라는 뜻을 갖는다.

I **was** busy yesterday. 나는 어제 바**빴다**.
She **was** a famous swimmer. 그녀는 유명한 수영 선수**였다**.
We **were** in London in 2019. 우리는 2019년에 런던에 **있었다**.
Your cell phone **was** on the table. 네 휴대 전화는 탁자 위에 **있었다**.

암기 노트 be동사의 과거형

주어	현재형	과거형
I	am	**was**
She / He / It	is	**was**
We / You / They	are	**were**

tips 과거형은 yesterday, last week, in 2019, two days ago 등의 과거를 나타내는 부사(구)와 함께 자주 쓰인다.

주의 인칭대명사와 be동사의 과거형은 줄여 쓰지 않는다.
He is a pianist. → **He's** a pianist. (○) 그는 피아니스트이다.
He was a pianist. → He's a pianist. (×) 그는 피아니스트였다.

| be동사 과거형의 부정문 |

2 be동사 과거형의 부정문은 was, were 뒤에 not을 써서 나타낸다.

I **was not** tired. 나는 피곤하**지 않았다**.
(= I **wasn't** tired.)
He **was not** at home at 6. 그는 6시에 집에 **있지 않았다**.
(= He **wasn't** at home at 6.)
They **were not** expensive. 그것들은 비싸**지 않았다**.
(= They **weren't** expensive.)

암기 노트 be동사 과거형의 부정문

주어	be동사+not
I / She / He / It	**was not** (= **wasn't**)
We / You / They	**were not** (= **weren't**)

| be동사 과거형의 의문문 |

3 be동사 과거형의 의문문은 was, were를 주어 앞에 써서 나타낸다.

A **Was** he a cook? 그는 요리사**였니**?
B Yes, he was. / 응, 그랬어. /
No, he wasn't. 아니, 그렇지 않았어.

A **Were** they in the park? 그들은 공원에 **있었니**?
B Yes, they were. / 응, 그랬어. /
No, they weren't. 아니, 그렇지 않았어.

✔ 바로 개념 확인하기

A 빈칸에 알맞은 be동사 고르기

1 I __________ at home last night.
☐ am ☐ was

2 They __________ twelve years old last year.
☐ are ☐ were

3 Yesterday __________ Friday.
☐ was ☐ were

4 Brad and I __________ in France last week.
☐ was ☐ were

B 빈칸에 was, were 중 알맞은 것 쓰기

1 The salad __________ fresh.

2 It __________ cloudy yesterday.

3 The girls __________ at the bus stop.

4 Mike and his friends __________ in the yard.

C 부정문이나 의문문으로 바꿔 쓰기 (부정문은 줄임말 사용)

1 She was a good writer.
부정문 → She __________ a good writer.

2 The sneakers were dirty.
부정문 → The sneakers __________ dirty.

3 The cat was on the sofa.
의문문 → __________ the cat on the sofa?

4 You were late for school.
의문문 → __________ you late for school?

서술형 기본 유형 익히기

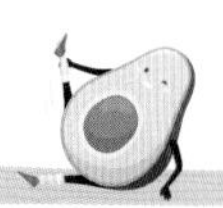

| 문장 완성 |

[1~5] 우리말과 일치하도록 주어진 말과 be동사를 사용하여 문장을 완성하시오.

1 Tom은 어제 그의 사무실에 있었다.
(Tom)

→ __________ __________ in his office yesterday.

2 그 샌드위치들은 맛이 없었다.
(the sandwiches)

→ __________ __________ __________ __________ delicious.

3 네 아빠는 작년에 파리에 계셨니?
(your dad)

→ __________ __________ __________ in Paris last year?

4 그 신발은 싸지 않았다.
(the shoes)

→ __________ __________ __________ __________ cheap.

5 Jane과 나는 지난주에 한가했다.
(Jane and I)

→ __________ __________ __________ __________ free last week.

| 오류 수정 |

[6~10] 어법상 또는 의미상 틀린 부분을 찾아 바르게 고쳐 쓰시오.

6 They are angry last night.
(그들은 어젯밤에 화가 났었다.)

__________ → __________

7 Was James and his friend at the library?
(James와 그의 친구는 도서관에 있었니?)

__________ → __________

8 My mom isn't busy yesterday.
(나의 엄마는 어제 바쁘지 않으셨다.)

__________ → __________

9 David and I wasn't at the beach.
(David와 나는 해변에 있지 않았다.)

__________ → __________

10 Were the boy a basketball fan?
(그 남자아이는 농구 팬이었니?)

__________ → __________

| 문장 전환 |

[11~15] 주어진 문장을 지시에 맞게 바꿔 쓰시오.

11 과거형을 사용할 것

Jane and Sam are not hungry.

→ ____________________

12 의문문으로 바꿀 것

The bookstore was in the mall.

→ ____________________

13 부정문으로 바꿀 것

They were at the party last Friday.

→ ____________________

14 주어를 Wendy and I로 바꿔 다시 쓸 것

Was Wendy late?

→ ____________________

15 주어를 the songs로 바꿔 다시 쓸 것

The song was popular in 2002.

→ ____________________

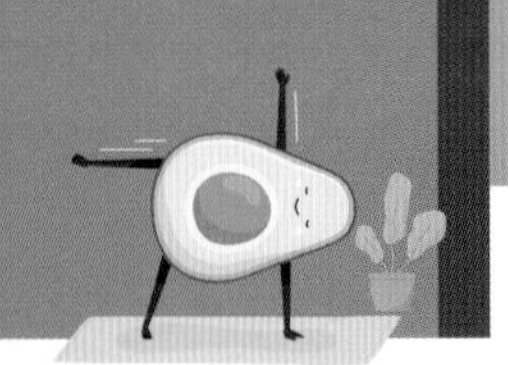

기출에서 뽑은

난이도별 서술형 문제

기 본

01 우리말과 일치하도록 be동사와 주어진 말을 사용하여 문장을 완성하시오.

(1) 준호와 지나는 같은 나이이다. (the same age)
→ Junho and Gina ______________.

(2) Tina는 박물관에 있었다. (in the museum)
→ Tina ______________.

(3) 코끼리의 코는 길다. (long)
→ An elephant's nose ______________.

02 빈칸에 알맞은 말을 be동사를 사용하여 쓰시오.

(1) My friend and I __________ in the shopping mall last Sunday.

(2) A __________ Eric angry now?
B Yes, __________ __________.

03 그림을 보고, be동사를 사용하여 문장을 완성하시오. (부정문은 줄임말로 쓸 것)

(1) It __________ sunny yesterday. Kevin and Jia __________ at the beach. They __________ at home.

(2) It __________ sunny today. Now, Kevin and Jia __________ at home.

04 어법상 또는 의미상 틀린 부분을 찾아 바르게 고쳐 쓰시오.

(1) I wasn't a cook.
(나는 요리사가 아니다.)

__________ → __________

(2) Ben and I was at the gym yesterday.
(Ben과 나는 어제 체육관에 있었다.)

__________ → __________

05 밑줄 친 부분을 주어진 말로 바꿔 문장을 다시 쓰시오.

(1) It is windy today. (yesterday)
→ ______________________

(2) They aren't busy now. (last week)
→ ______________________

심 화

06 지윤이에 관한 표를 보고, 대화를 완성하시오.

	Last Year	This Year
좋아하는 과목	math	science
같은 반 친구들	Jun, Yejin	Yuri, Mina

(1) A __________ Jiyun's favorite subject science this year?
B __________, __________ __________.

(2) A __________ Yuri and Mina her classmates last year?
B __________, __________ __________. Jun and Yejin were her classmates last year.

07 빈칸에 알맞은 말을 써서 대화를 완성하시오.

(1) A ________ you at school yesterday?
B ________, ________ ________.
I was sick, so I was at home.

(2) A Is Mina your sister?
B Yes, ________ ________. She ________ my younger sister.

고난도

08 밑줄 친 부분이 어법상 틀린 문장 두 개를 골라 기호를 쓰고, 바르게 고쳐 문장을 다시 쓰시오.

ⓐ Jack and I are not tired.
ⓑ Is Jane and Mary your friends?
ⓒ We are in China in 2010.
ⓓ Was the cake sweet?
ⓔ Sam and Peter were here two hours ago.

(　　) → ________________

(　　) → ________________

신유형

09 |보기|에서 필요한 말만 골라 배열하여 대화를 완성하시오.

|보기| he　she　is　was　your father

A ________________?
B No, he isn't. He is my uncle.

10 밑줄 친 ⓐ~ⓓ 중, 어법상 틀린 것을 찾아 기호를 쓰고, 바르게 고쳐 쓰시오.

Pandas ⓐare bears. They ⓑare black and white. They ⓒare big and fat. Their favorite food ⓓare bamboo.

(　　) → ________

함정이 있는 문제

01 어법상 틀린 부분을 찾아 바르게 고쳐 문장을 다시 쓰시오.

Their dog are on the bed.
(그들의 개는 침대 위에 있다.)

→ ________________

✔ 소유격의 인칭과 수는 be동사의 형태와 관계없다!

3인칭 복수 they의 소유격인 their는 dog를 꾸며 주는 말이므로 be동사의 형태와 관계가 없다. their 뒤에 오는 단수 명사 dog가 be동사의 형태를 결정하므로 is를 써야 한다.

02 밑줄 친 부분을 어법에 맞게 고쳐 쓰시오.

John and I wasn't in the same class now.

→ ________

✔ 주어의 수뿐만 아니라 시제도 확인하자!

주어가 복수형일 경우, 동사의 수에만 신경 쓰기 쉬우므로 시간을 나타내는 부사(구)도 반드시 확인하여 시제에 맞는 동사형을 쓰도록 한다.

03 밑줄 친 ⓐ~ⓓ 중 어법상 틀린 문장 두 개를 골라 기호를 쓰고, 바르게 고쳐 문장을 다시 쓰시오.

I have a brother. ⓐHis name is Yuchan. ⓑHis six years old. ⓒHe's favorite toy is a teddy bear. ⓓWe're good friends.

(　　) → ________________

(　　) → ________________

✔ He's와 His는 완전히 다르다!

He's와 His는 발음이 같지만, He's는 He is의 줄임말이고 His는 He의 소유격으로 '그의'라는 뜻이다. 비슷한 예로 it's와 its도 헷갈리기 쉬우니 주의한다.

시험에 강해지는

실전 TEST

시험일	월 일
시간	/ 40분
문항 수	객관식 10 / 서술형 10
점수	/ 100점

01 빈칸에 알맞은 말이 순서대로 짝지어진 것은? (3점)

- That girl ________ Sumi's sister.
- I ________ very tired yesterday.

① is – are ② is – were
③ are – was ④ is – was
⑤ was – were

02 대화의 빈칸에 알맞은 말이 순서대로 짝지어진 것은? (3점)

A ________ the math test difficult?
B No, it ________. It was easy.

① Is – isn't ② Is – wasn't
③ Was – is ④ Was – isn't
⑤ Was – wasn't

03 |보기|의 밑줄 친 부분과 의미가 같은 것은? (4점)

|보기| John is in the kitchen.

① It is my backpack.
② Kate is a famous actress.
③ Pizza is my favorite food.
④ The cat is under the sofa.
⑤ This book is very interesting.

04 대화의 빈칸에 알맞은 것은? (4점)

A Is your English teacher from England?
B ________________ She is from Canada.

① Yes, she is. ② No, she isn't.
③ Yes, she was. ④ No, she wasn't.
⑤ Yes, she are.

05 우리말을 영어로 바르게 옮긴 것은? (3점)

너와 수진이는 작년에 부산에 있었니?

① Is you and Sujin in Busan last year?
② Am you and Sujin in Busan last year?
③ Are you and Sujin in Busan last year?
④ Was you and Sujin in Busan last year?
⑤ Were you and Sujin in Busan last year?

06 빈칸에 들어갈 be동사의 형태가 나머지와 다른 것은? (4점)

① They ________ sick last week.
② ________ you a soccer player last year?
③ Their son ________ not busy last month.
④ The keys ________ in my bag yesterday.
⑤ Jisu and Taeho ________ in the library two hours ago.

07 밑줄 친 부분이 어법상 올바른 것은? (4점)

① Is the kids honest?
② Are the movie scary?
③ It was rainy this morning.
④ She is a fashion model last year.
⑤ Jihun and I was not at the amusement park last Sunday.

08 괄호 안의 지시대로 바꿔 쓸 때, 어법상 틀린 것은? (4점)

① This is his bike. (의문문으로)
→ Is this his bike?
② Your room is clean. (부정문으로)
→ Your room isn't clean.
③ I am strong. (주어를 James and I로)
→ James and I am strong.
④ We were late for the meeting. (의문문으로)
→ Were we late for the meeting?
⑤ They were at the movie theater. (부정문으로)
→ They weren't at the movie theater.

고난도

09 어법상 틀린 것을 모두 고르면? (5점)

① Was it windy yesterday?
② Those socks is very small.
③ My father is there last night.
④ Baseball is my favorite sport.
⑤ Your smartphone is on the bed.

신유형 고난도

10 어법상 올바른 문장의 개수는? (6점)

ⓐ They aren't her pets.
ⓑ These apples is sweet.
ⓒ Are the backpack heavy?
ⓓ I was so sleepy two hours ago.
ⓔ The weather is not good today.

① 1개 ② 2개 ③ 3개
④ 4개 ⑤ 5개

서술형

[서술형 1] 그림을 보고, 조건에 맞게 문장을 완성하시오. (6점, 각 3점)

(1) 

(2) 

조건 1. 동사는 현재형으로 쓸 것
2. 부정문은 줄임말로 쓸 것

(1) Mina ________ a good dancer.

(2) Tom ________ a soccer player. He ________ a basketball player.

[서술형 2] 주어진 문장을 지시에 맞게 바꿔 쓰시오. (6점, 각 3점)

(1) The night sky was beautiful. (의문문으로)
→ ____________________

(2) My grandparents are in the garden. (부정문으로)
→ ____________________

[서술형 3] 우리말과 일치하도록 주어진 말을 사용하여 문장을 쓰시오. (8점, 각 4점)

(1) 네 펜들은 네 책상 위에 있다. (on your desk)
→ ____________________

(2) 이 책은 재미있지 않았다. (interesting)
→ ____________________

[서술형 4] 빈칸에 알맞은 말을 써서 대화를 완성하시오. (4점)

A Are you busy now?
B ________, ________ ________. I'm free now.

[서술형 5] 어법상 또는 의미상 틀린 부분을 찾아 바르게 고쳐 쓰시오. (4점, 각 2점)

(1) She and her friend isn't at the party last Sunday.
(그녀와 그녀의 친구는 지난 일요일에 파티에 없었다.)

__________ → __________

(2) Sujin's parents is not in Korea now.
(수진이의 부모님은 지금 한국에 계시지 않는다.)

__________ → __________

[서술형 6] 표를 보고, |예시|와 같이 조건에 맞게 문장을 쓰시오. (6점, 각 3점)

Name	Susan
Favorite food	bulgogi
Favorite subjects	math and science

조건 1. be동사의 현재형을 사용할 것
2. 어법에 맞게 완전한 문장으로 쓸 것

|예시| My name is Susan.

(1) __________

(2) __________

신유형

[서술형 7] 주어진 문장을 지시에 맞게 바꿔 쓰시오. (8점, 각 4점)

I am at the festival now. I am excited.

(1) 주어를 Amy and I로 바꿔 다시 쓸 것
→ __________
____

(2) now를 yesterday로 바꿔 다시 쓸 것
→ __________
____

[서술형 8] 주어진 조건에 맞게 우리말과 일치하도록 대화를 완성하시오. (9점, 각 3점)

조건 1. be동사를 사용할 것
2. (2)에서 줄임말을 사용할 것
3. (3)에서 at the park를 사용할 것

A (1) ______ ______ ______ ______ at the zoo now?
(Jack과 Kate는 지금 동물원에 있니?)
B No, (2) ______ ______. (3) ______ ______ ______ ______ ______.
(아니, 그렇지 않아. 그들은 공원에 있어.)

[서술형 9~10] 다음 글을 읽고, 물음에 답하시오.

Yuna ⓐis my best friend. She ⓑis smart and kind. Her favorite subject ⓒis music. (A)우리는 작년에 같은 반이 아니었다. Now, ⓓwe're classmates. Also, she and I ⓔam in the school band now.

[서술형 9] 윗글의 밑줄 친 ⓐ~ⓔ 중 어법상 틀린 것을 찾아 기호를 쓰고, 바르게 고쳐 쓰시오. (4점)

(   ) → __________

고난도

[서술형 10] 윗글의 밑줄 친 우리말 (A)와 일치하도록 조건에 맞게 문장을 완성하시오. (5점)

조건 1. in the same class를 사용할 것
2. 줄임말을 사용하여 6단어로 쓸 것

→ __________ last year.

CHAPTER

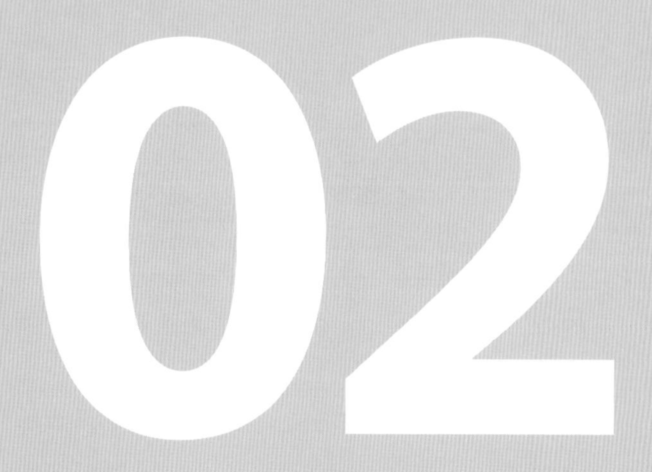

일반동사

일반동사는 주어의 상태나 동작을 나타낼 때 쓴다.

현재형 She **lives** in Korea now. 그녀는 지금 한국에 **산다**.

과거형 She **lived** in France last year. 그녀는 작년에 프랑스에 **살았다**.

Unit 1

일반동사의 현재형

| 일반동사의 현재형 |

1 일반동사의 현재형은 현재의 상태나 반복되는 일 등을 나타내며, 주어가 3인칭 단수일 때는 -(e)s를 붙여 쓴다.

I **clean** my room every day. Peter and Mina **wash** their hands.	나는 매일 내 방을 **청소한다.** Peter와 미나는 그들의 손을 **씻는다.**	1인칭/2인칭/복수 주어 (I/You/We/They 등)
He **cleans** his room every day. Jane **washes** her hands.	그는 매일 그의 방을 **청소한다.** Jane은 그녀의 손을 **씻는다.**	3인칭 단수 주어 (He/She/It/My mom/Eric 등)

• **일반동사의 3인칭 단수 현재형**

대부분의 동사	동사원형 + -s	likes, sees, feels, moves, makes, learns, leaves
-o, -s, -ch, -sh, -x로 끝나는 동사	동사원형 + -es	goes, does, teaches, watches, washes, fixes
「자음+y」로 끝나는 동사	y를 i로 고치고 + -es	study → studies, try → tries, fly → flies, cry → cries
불규칙 변화		have → has

| 일반동사 현재형의 부정문 |

2 일반동사의 부정문은 「do/does+not+동사원형」의 형태로 쓴다.

I **do not drink** coffee. (= I **don't drink** coffee.)	나는 커피를 **마시지 않는다.**
He **does not eat** breakfast. (= He **doesn't eat** breakfast.)	그는 아침을 **먹지 않는다.**

암기 노트 일반동사 현재형의 부정문

I/We/ You/They	**do not** **(= don't)**	+ 동사원형
She/He/ It	**does not** **(= doesn't)**	

| 일반동사 현재형의 의문문 |

3 일반동사의 의문문은 「Do/Does+주어+동사원형 ~?」의 형태로 쓴다.

A **Do** they **play** tennis?	그들은 테니스를 **치니?**	A **Does** she **know** him?	그녀는 그를 **아니?**
B Yes, they do. / No, they don't.	응, 쳐. / 아니, 치지 않아.	B Yes, she does. / No, she doesn't.	응, 알아. / 아니, 몰라.

서술형 빈출 do가 '~하다'라는 뜻의 일반동사로 쓰인 문장을 부정문이나 의문문으로 바꿀 때 do를 빠뜨리지 않도록 한다.

긍정문 She **does** her homework. 그녀는 숙제를 한다.

부정문 She **doesn't** her homework. (×) / She **doesn't do** her homework. (○) 그녀는 숙제를 하지 않는다.

의문문 **Does** she her homework? (×) / **Does** she **do** her homework? (○) 그녀는 숙제를 하니?

✔ 바로 개념 확인하기

A 빈칸에 알맞은 말 고르기

1 You ________ vegetables.
☐ like ☐ likes

2 My brother ________ math every day.
☐ studys ☐ studies

3 She ________ a smartphone.
☐ haves ☐ has

4 Does Sam ________ a movie on Fridays?
☐ watch ☐ watches

B 주어에 맞게 동사 바꿔 쓰기 (현재형으로 쓸 것)

1 Yuna ________ her dinner every day. (make)

2 The girl ________ home at 6. (go)

3 Ms. Yun ________ science. (teach)

C 부정문이나 의문문으로 바꿔 쓰기 (부정문은 줄임말 사용)

1 I get up early in the morning.
부정문 → I ________ ________ ________ early in the morning.

2 The dog has big ears.
부정문 → The dog ________ ________ big ears.

3 The repairman fixes computers.
의문문 → ________ the repairman ________ computers?

4 She washes her hands often.
의문문 → ________ ________ ________ her hands often?

서술형 기본 유형 익히기

| 문장 완성 |

[1~5] 우리말과 일치하도록 주어진 말을 활용하여 문장을 완성하시오.

1 그는 식사 후에 이를 닦는다.
(brush)

→ He ________ his teeth after meals.

2 나는 시금치를 좋아하지 않는다.
(like)

→ I ________ ________ ________ spinach.

3 그는 일요일마다 드론을 날린다.
(fly)

→ ________ ________ his drone every Sunday.

4 Tom은 여동생이 없다.
(have)

→ ________ ________ ________ ________ a sister.

5 그 아이들은 매일 우유를 마시니?
(the children, drink)

→ ________ ________ ________ ________ milk every day?

| 오류 수정 |

[6~10] 밑줄 친 부분을 어법에 맞게 고쳐 쓰시오.

6 Does he watches TV every day?

→ ____________

7 The baby crys every night.

→ ____________

8 She don't live in Seoul.

→ ____________

9 He doesn't has a cell phone.

→ ____________

10 Does Tom and Jim walk to school every morning?

→ ____________

| 문장 전환 |

[11~15] 주어진 문장을 지시에 맞게 바꿔 쓰시오.

11 주어를 she로 바꿔 다시 쓸 것

I wash the dishes after dinner.

→ ____________

12 의문문으로 바꿀 것

She speaks English.

→ ____________

13 부정문으로 바꿀 것

We know him well.

→ ____________

14 주어를 he로 바꿔 다시 쓸 것

Do you eat meat?

→ ____________

15 부정문으로 바꿀 것

The man does yoga.

→ ____________

Unit 2

일반동사의 과거형

| 일반동사의 과거형 |

1 일반동사의 과거형은 과거에 이미 끝난 동작이나 상태 등을 나타내며, 규칙 변화와 불규칙 변화가 있다.

We **talked** about our dreams. 우리는 우리의 꿈에 관해 **이야기했다**.
She **drank** milk last night. 그녀는 어젯밤에 우유를 **마셨다**.

• **일반동사의 과거형** ➜ 부록 p.161

대부분의 동사	동사원형 + -ed	talk → **talked**	want → **wanted**	play → **played**	
-e로 끝나는 동사	동사원형 + -d	like → **liked**	move → **moved**	live → **lived**	
「자음+y」로 끝나는 동사	y를 i로 고치고 + -ed	try → **tried**	cry → **cried**	study → **studied**	
「단모음+단자음」으로 끝나는 동사	자음 한 번 더 쓰고 + -ed	plan → **planned**	stop → **stopped**	drop → **dropped**	
불규칙 변화	형태가 같은 동사	read[riːd] → **read**[red]	cut → **cut**	put → **put**	hit → **hit**
	형태가 바뀌는 동사	do → **did**	eat → **ate**	have → **had**	go → **went**
		tell → **told**	give → **gave**	write → **wrote**	sleep → **slept**
		buy → **bought**	see → **saw**	teach → **taught**	make → **made**
		drink → **drank**	take → **took**	catch → **caught**	run → **ran**

주의 일반동사의 과거형은 주어의 인칭이나 수에 상관없이 형태가 변하지 않는다.
She **ate** sandwiches for lunch. 그녀는 점심으로 샌드위치를 먹었다.
└ ates (×)

| 일반동사 과거형의 부정문 |

2 일반동사 과거형의 부정문은 「did not(didn't)+동사원형」의 형태로 쓴다.

I **did not watch** TV. 나는 TV를 **보지 않았다**.
(= I **didn't watch** TV.)

He **did not meet** Amy. 그는 Amy를 **만나지 않았다**.
(= He **didn't meet** Amy.)

| 일반동사 과거형의 의문문 |

3 일반동사 과거형의 의문문은 「Did+주어+동사원형 ~?」의 형태로 쓴다.

A **Did** you **eat** lunch? 너는 점심을 **먹었니**?
B Yes, I did. / No, I didn't. 응, 먹었어. / 아니, 먹지 않았어.

A **Did** Sam **go** to the library? Sam은 도서관에 **갔니**?
B Yes, he did. / No, he didn't. 응, 갔어. / 아니, 가지 않았어.

일반동사의 과거형 문장을 부정문이나 의문문으로 바꿀 때 동사를 과거형으로 그대로 쓰지 않도록 주의한다.
He **didn't** finished his work. (×) / He **didn't finish** his work. (○) 그는 일을 끝내지 못했다.
Did he finished his work? (×) / **Did** he **finish** his work? (○) 그는 일을 끝냈니?

✔ 바로 개념 확인하기

A 빈칸에 알맞은 형태 고르기

1 He __________ to the museum.
□ goed □ went

2 The dog __________ the ball.
□ catched □ caught

3 I __________ a book last night.
□ read □ readed

4 David __________ science last night.
□ studyed □ studied

B 주어진 동사를 과거형으로 바꿔 쓰기

1 I __________ breakfast yesterday. (eat)

2 She __________ her birthday cake. (cut)

3 Tony __________ in Busan last year. (live)

4 We __________ the news to Jake. (tell)

C 부정문이나 의문문으로 바꿔 쓰기 (부정문은 줄임말 사용)

1 The baby cried.
부정문 → The baby __________ __________.

2 She drank tea.
부정문 → She __________ __________ tea.

3 The boy took pictures of his dog.
의문문 → __________ the boy __________ pictures of his dog?

4 The rain stopped this morning.
의문문 → __________ the rain __________ this morning?

서술형 기본 유형 익히기

| 문장 완성 |

[1~5] 우리말과 일치하도록 주어진 말을 활용하여 문장을 완성하시오.

1 내 남동생은 그 노래를 좋아했다.
(like)

→ My brother __________ the song.

2 그는 어제 일찍 집에 갔다.
(go, home)

→ He __________ __________ early yesterday.

3 나는 어제 숙제를 하지 않았다.
(do)

→ __________ __________ __________ __________ my homework yesterday.

4 Gina는 어젯밤에 나에게 전화하지 않았다.
(call)

→ __________ __________ __________ __________ me last night.

5 너는 어제 네 방을 청소했니?
(clean, your room)

→ __________ __________ __________ __________ __________ yesterday?

| 오류 수정 |

[6~10] 어법상 또는 의미상 틀린 부분을 찾아 바르게 고쳐 쓰시오.

6 I droped my glass.
(나는 내 유리잔을 떨어뜨렸다.)

_______________ → _______________

7 Do Mary meet him last Friday?
(Mary는 지난 금요일에 그를 만났니?)

_______________ → _______________

8 We don't see Sam at school.
(우리는 학교에서 Sam을 못 봤다.)

_______________ → _______________

9 I didn't did the dishes last night.
(나는 어젯밤에 설거지를 하지 않았다.)

_______________ → _______________

10 Did Jane went to the store yesterday?
(Jane은 어제 그 가게에 갔니?)

_______________ → _______________

| 문장 전환 |

[11~15] 주어진 문장을 지시에 맞게 바꿔 쓰시오.

11 동사를 과거형으로 바꿀 것

Judy drinks orange juice.

→ _______________________________

12 동사를 과거형으로 바꿀 것

He writes interesting stories.

→ _______________________________

13 부정문으로 바꿀 것

Mark rode his bike yesterday.

→ _______________________________

14 의문문으로 바꿀 것

Sally bought a new cell phone.

→ _______________________________

15 의문문으로 바꿀 것

They saw many animals at the zoo.

→ _______________________________

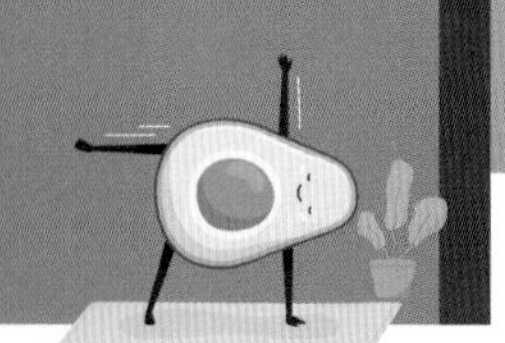

기출에서 뽑은

난이도별 서술형 문제

기 본

01 우리말과 일치하도록 주어진 말을 활용하여 문장을 완성하시오.

(1) 그녀는 7시에 아침을 먹는다. (eat)
→ She __________ breakfast at 7.

(2) 민수는 규칙적으로 운동을 한다. (exercise)
→ Minsu __________ regularly.

(3) 나의 형과 나는 함께 공부를 했다. (study)
→ My brother and I __________ together.

02 주어진 문장을 지시에 맞게 바꿔 쓰시오.

They watch TV in the evening.

(1) 부정문으로 바꿀 것
→ ______________________________

(2) 의문문으로 바꿀 것
→ ______________________________

(3) 주어를 Tom으로 바꿔 다시 쓸 것
→ ______________________________

03 빈칸에 들어갈 말을 |보기|에서 골라 알맞은 형태로 쓰시오. (부정문은 줄임말로 쓸 것)

|보기| go　　ride　　teach

(1) Ms. Park is a teacher. She __________ math.

(2) Today is Sunday. So I __________ __________ to school.

(3) Minsu went to the park last Saturday. He __________ his bike there.

04 그림을 보고, 주어진 말을 활용하여 문장을 완성하시오. (동사는 현재형으로 쓸 것)

(1)　(2)

(1) Jenny ______________________________.
(play the piano)

(2) Jenny ______________________________.
(dance)

05 Ted가 좋아하는 것을 나타낸 표를 보고, 질문에 알맞은 답을 쓰시오.

Movie	Cake
comedy	chocolate cake

(1) A Does Ted like horror movies?
B __________, __________ __________.

(2) A Does Ted like chocolate cake?
B __________, __________ __________.

심 화

06 어법상 틀린 부분을 찾아 바르게 고쳐 쓰시오.

(1) I drinked hot chocolate last night.
(나는 어젯밤에 코코아를 마셨다.)

__________ → __________

(2) Do Kate go to bed early every day?
(Kate는 매일 일찍 자러 가니?)

__________ → __________

신유형

07 |보기|에서 필요한 말만 골라 써서 대화를 완성하시오. (중복 사용 가능)

|보기| do does did go went

A ________ you ________ to Jennifer's birthday party last Saturday?
B Yes, I ________. I ________ to the party with Henry.

08 밑줄 친 부분을 주어진 말로 바꿔 문장을 다시 쓰시오.

(1) They do the dishes after dinner. (my mom)
→ ________________

(2) We run at the park every Sunday. (last Sunday)
→ ________________

09 빈칸에 들어갈 말을 |보기|에서 골라 알맞은 형태로 써서 대화를 완성하시오. (중복 사용 가능)

|보기| buy like

A Do you ________ the boy band DTS?
B Yes, I do.
A Did you ________ their new CD?
B No, but my sister ________ it. We listen to it every day.

10 밑줄 친 ⓐ~ⓔ 중 어법상 틀린 것을 찾아 기호를 쓰고, 바르게 고쳐 쓰시오.

Today, I ⓐwent hiking with my sister. We ⓑsaw many trees and flowers. But we ⓒweren't see any animals. After hiking, we ⓓwent to a restaurant for lunch. I ⓔhad orange juice and a hamburger. We had a good time.

(   ) → ________________

함정이 있는 문제

01 주어진 문장을 어법에 맞게 고쳐 쓰시오.

Does Insu and John like dogs?

→ ________________

✔ 주어 자리에 and가 있으면 주어가 어디까지인지 살펴 보자!

Insu만 보고 주어가 3인칭 단수라고 생각할 수 있지만, 주어는 Insu and John으로 복수이므로 Does가 아니라 Do를 써야 한다.

02 어법상 틀린 부분을 찾아 바르게 고쳐 쓰시오.

He writes a card last night.
(그는 어젯밤에 카드를 썼다.)

________ → ________

✔ 과거를 나타내는 부사(구)를 확인하자!

문장 안에 last night나 yesterday, two hours ago처럼 과거를 나타내는 부사(구)가 있다면 반드시 동사를 과거형으로 써야 한다.

03 주어진 문장을 지시에 맞게 바꿔 쓰시오.

She did her homework yesterday.

(1) 부정문으로 바꿀 것
→ ________________

(2) 의문문으로 바꿀 것
→ ________________

✔ 일반동사 do와 부정문이나 의문문을 만드는 do를 구분하자!

do는 '~하다'라는 뜻의 일반동사로도 쓰이고, 일반동사의 의문문이나 부정문을 만들 때도 쓰인다. 그러므로 일반동사 do가 쓰인 문장을 의문문이나 부정문으로 바꿀 때 Do/Does/Did ~?나 don't/doesn't/didn't를 쓴 다음에 동사원형 do를 쓰는 것을 잊지 말아야 한다.

시험에 강해지는

실전 TEST

시험일	월 일
시간	/ 40분
문항 수	객관식 10 / 서술형 10
점수	/ 100점

01 빈칸에 들어갈 수 없는 것은? (3점)

_________ speaks Chinese very well.

① He ② She ③ They
④ Yujin ⑤ My sister

02 빈칸에 알맞은 말이 순서대로 짝지어진 것은? (4점)

• Kate _________ an apple every morning.
• Does Kate _________ long hair?

① eat – have ② eat – has
③ eats – has ④ eats – have
⑤ does eat – has

03 주어진 질문에 대한 대답으로 알맞은 것은? (4점)

A Did Somi call you last night?
B _______________________

① Yes, she does. ② No, she didn't.
③ No, she doesn't. ④ Yes, she didn't.
⑤ Yes, I called her.

04 우리말을 영어로 바르게 옮긴 것은? (3점)

그들은 도서관에서 공부했니?

① Were they study in the library?
② Did they study in the library?
③ Do they studied in the library?
④ Did they studied in the library?
⑤ Does they studied in the library?

05 밑줄 친 부분이 어법상 틀린 것은? (4점)

① A spider has many legs.
② Sujin washes her hair every day.
③ My father went to work at 7.
④ She read a comic book yesterday.
⑤ Mike watchs the magic show every week.

06 밑줄 친 부분의 쓰임이 나머지와 다른 것은? (4점)

① Did they join the school club?
② Does he wash his hands often?
③ Peter did not write in his diary.
④ Mom did the dishes after dinner.
⑤ They do not go fishing every weekend.

07 괄호 안의 지시대로 바꿔 쓸 때, 어법상 틀린 것은? (4점)

① Sumi lied. (부정문으로)
→ Sumi didn't lie.
② You watched the musical. (의문문으로)
→ Did you watch the musical?
③ Jinsu has lunch at noon. (의문문으로)
→ Does Jinsu have lunch at noon?
④ My uncle took these pictures. (부정문으로)
→ My uncle didn't take these pictures.
⑤ Tom and Chris know each other. (부정문으로)
→ Tom and Chris doesn't know each other.

신유형

08 우리말을 영어로 바르게 옮긴 사람은? (4점)

① Jane은 지난주에 은행에 갔니?
예지: Did Jane go to the bank last week?
② 나는 어제 콜라를 마시지 않았다.
도진: I didn't drank coke yesterday.
③ 그들은 그 가수를 좋아했니?
연우: Did they liked the singer?
④ 그 버스는 버스 정류장에 멈추었다.
윤아: The bus stoped at the bus stop.
⑤ 우리는 함께 야구를 하지 않았다.
효찬: We don't played baseball together.

09 어법상 틀린 문장은? (4점)

① Mr. Kim doesn't smile at all.
② Sora listens to classical music.
③ I go to bed at 11 o'clock.
④ Did you get a good grade on the test?
⑤ My brother sleeps for ten hours yesterday.

신유형 고난도

10 어법상 올바른 것끼리 묶인 것은? (6점)

ⓐ Suho droped the vase.
ⓑ I bought an umbrella.
ⓒ The baby cryed all night.
ⓓ Mina takes a shower every day.
ⓔ Does your math teacher wears glasses?

① ⓐ, ⓓ
② ⓑ, ⓓ
③ ⓒ, ⓔ
④ ⓐ, ⓒ, ⓔ
⑤ ⓑ, ⓓ, ⓔ

서술형

[서술형 1] Nick의 메모를 보고, 어제 한 일과 하지 않은 일을 나타내는 문장을 완성하시오. (9점, 각 3점)

To-do list
(1) ☑ go swimming
(2) ☒ meet Tina
(3) ☑ buy a new chair

(1) Nick ______________ yesterday.

(2) He ______________ yesterday.

(3) He ______________ yesterday.

신유형

[서술형 2] 우리말과 일치하도록 |보기|에서 필요한 말만 골라 배열하여 문장을 완성하시오. (6점, 각 3점)

(1) Tom은 공원에서 자전거를 탔다.

|보기| his bike　rided　rode　Tom

→ ______________ in the park.

(2) 우리는 축구를 좋아하지 않는다.

|보기| soccer　don't　doesn't　we　like

→ ______________

[서술형 3] 주어진 문장을 지시에 맞게 바꿔 쓰시오. (8점, 각 4점)

(1) Minji has many friends. (부정문으로)
→ ______________

(2) You went to the movies yesterday. (의문문으로)
→ ______________

[서술형 4] 밑줄 친 우리말과 일치하도록 주어진 말을 활용하여 문장을 완성하시오. (줄임말을 사용할 것) (4점)

I have a math test today. I was worried about the test yesterday. 나는 어젯밤에 잠을 푹 못 잤다.

→ ______________________ last night.
(sleep well)

신유형

[서술형 7] 한 학생이 수업 시간에 발표한 내용을 보고, 학생이 영작한 문장에서 틀린 부분을 찾아 바르게 고쳐 쓰시오. (4점)

'그녀는 어제 영어를 공부하지 않았다.'를 영작하면, 일반동사 과거형의 부정문이므로 didn't를 사용하여 "She didn't studied English yesterday."가 됩니다.

______________ → ______________

고난도

[서술형 5] 어법상 틀린 부분을 찾아 바르게 고쳐 쓰시오. (9점, 각 3점)

Today, I meeted Jihun at the park. We saw many people there. Some children played baseball. A girl readed a book on a bench, and a man sleeped under a tree. It was a peaceful afternoon.

(1) ______________ → ______________

(2) ______________ → ______________

(3) ______________ → ______________

[서술형 6] 나와 유나의 일과표를 보고, 표에 나온 말을 활용하여 문장을 완성하시오. (현재형으로 쓸 것) (9점, 각 3점)

	I	Yuna
Morning	go jogging	do yoga
Afternoon	play soccer	play soccer
Evening	watch TV	draw a picture

(1) In the morning, I ______________ and Yuna ______________.

(2) In the afternoon, Yuna and I ______________.

(3) In the evening, I ______________ and Yuna ______________.

[서술형 8] 대화의 빈칸에 알맞은 말을 조건에 맞게 쓰시오. (4점)

A Did you stay at home yesterday?
B No, I didn't. I went to the supermarket.
A What did you buy? Did you buy fruit?
B No, I didn't. ______________________

조건 1. some bread를 사용할 것
2. 총 4단어로 쓸 것

[서술형 9~10] 다음 글을 읽고, 물음에 답하시오.

The ostrich lives in Africa. It is a bird. ⓐ But it doesn't flies. ⓑ 그것은 긴 다리들을 가지고 있다. So, it is very tall and runs very fast. *ostrich 타조

[서술형 9] 밑줄 친 ⓐ를 어법에 맞게 다시 쓰시오. (2점)

→ But ______________________.

[서술형 10] 밑줄 친 우리말 ⓑ와 일치하도록 조건에 맞게 문장을 쓰시오. (5점)

조건 1. legs를 사용할 것
2. 총 4단어의 완전한 문장으로 쓸 것

→ ______________________

CHAPTER 03

진행형과 미래 표현

Unit 1 현재진행형과 과거진행형

Unit 2 미래를 나타내는 will과 be going to

어떤 시점에 **진행** 중인 일을 나타낼 때는 「be동사 + 동사원형-ing」로 표현하며, **미래**의 일을 나타낼 때는 will이나 be going to를 사용한다.

현재진행형

He **is running** at the park.
그는 공원에서 **달리고 있다.**

미래 표현

He **will run** at the park tomorrow.
= He **is going to run** at the park tomorrow.
그는 내일 공원에서 **달릴 것이다.**

Unit 1

현재진행형과 과거진행형

| 현재진행형과 과거진행형 |

1 진행형은 현재 또는 과거의 특정 시점에 진행 중인 일이나 동작을 나타내며, 「be동사+동사원형-ing」로 쓴다.

현재진행형	am/is/are+동사원형-ing	I **am watching** TV now.	나는 지금 TV를 **보고 있다.**
과거진행형	was/were+동사원형-ing	I **was watching** TV at 7 yesterday.	나는 어제 7시에 TV를 **보고 있었다.**

• **일반동사의 -ing형**

➜ 부록 p.161

대부분의 동사	동사원형+-ing	look → look**ing**	wash → wash**ing**	play → play**ing**
-e로 끝나는 동사	e를 없애고+-ing	come → com**ing**	take → tak**ing**	make → mak**ing**
-ie로 끝나는 동사	ie를 y로 바꾸고+-ing	tie → t**ying**	die → d**ying**	lie → l**ying**
「단모음+단자음」으로 끝나는 동사	자음을 한 번 더 쓰고+-ing	stop → stop**ping** plan → plan**ning**	run → run**ning** cut → cut**ting**	swim → swim**ming** sit → sit**ting**

주의 have, know, like, hate처럼 소유, 상태, 감정을 나타내는 동사는 진행형으로 쓸 수 없다. 하지만 have가 '먹다'의 의미를 나타낼 때는 진행형으로 쓸 수 있다.

She is having a pretty doll. (×) → She **has** a pretty doll. (○) 그녀는 예쁜 인형을 가지고 있다.

She **is having** lunch now. (○) 그녀는 지금 점심을 먹고 있다.

| 진행형의 부정문 |

2 진행형의 부정문은 「be동사+not+동사원형-ing」의 형태로 쓴다.

현재진행형	am/is/are+not+동사원형-ing	They **are not sleeping.** (= They **aren't sleeping.**)	그들은 **자고 있지 않다.**
과거진행형	was/were+not+동사원형-ing	She **was not sleeping.** (= She **wasn't sleeping.**)	그녀는 **자고 있지 않았다.**

| 진행형의 의문문 |

3 진행형의 의문문은 「Be동사+주어+동사원형-ing ~?」의 형태로 쓴다.

현재진행형	Am/Is/Are+주어+동사원형-ing ~?	A **Are** you **reading** a book? B Yes, I am. / No, I'm not.	너는 책을 **읽고 있니?** 응, 읽고 있어. / 아니, 읽고 있지 않아.
과거진행형	Was/Were+주어+동사원형-ing ~?	A **Was** he **reading** a book? B Yes, he was. / No, he wasn't.	그는 책을 **읽고 있었니?** 응, 읽고 있었어. / 아니, 읽고 있지 않았어.

✔ 바로 개념 확인하기

A 빈칸에 알맞은 말 고르기

1 I ________ eating a sandwich.
☐ do ☐ am

2 A duck ________ swimming in the river.
☐ was ☐ were

3 He ________ driving a car now.
☐ is ☐ was

B 밑줄 친 동사를 진행형으로 바꿔 쓰기

1 She washes her hands.
→ She ________ ________ her hands.

2 Minho looked at the moon.
→ Minho ________ ________ at the moon.

3 Tom and I played soccer.
→ Tom and I ________ ________ soccer.

C 부정문이나 의문문으로 바꿔 쓰기 (부정문은 줄임말 사용)

1 They are sitting on the bench.
부정문 → They ________ ________ on the bench.

2 People are crossing the street.
의문문 → ________ people ________ the street?

3 You were taking a picture.
의문문 → ________ you ________ a picture?

서술형 기본 유형 익히기

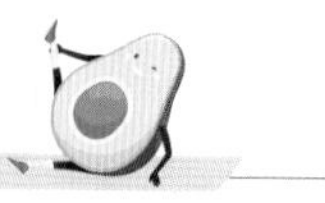

| 문장 완성 |

[1~5] 우리말과 일치하도록 주어진 말을 활용하여 문장을 완성하시오.

1 그는 지금 이메일을 쓰고 있다.
(write)

→ He ________ ________ an email now.

2 그녀는 차를 마시고 있었니?
(drink)

→ ________ ________ ________ tea?

3 너는 그를 기다리고 있니?
(wait)

→ ________ ________ ________ for him?

4 그들은 소파에 누워 있지 않다.
(lie)

→ ________ ________ ________
________ on the sofa.

5 나는 그때 영어를 공부하고 있지 않았다.
(study, English)

→ ________ ________ ________
________ ________ at that time.

| 오류 수정 |

[6~10] 어법상 또는 의미상 틀린 부분을 찾아 바르게 고쳐 쓰시오.

6 He is swiming in the pool.
(그는 수영장에서 수영하고 있다.)

______ → ______

7 She isn't watching the movie last night.
(그녀는 어젯밤에 그 영화를 보고 있지 않았다.)

______ → ______

8 Do they playing baseball now?
(그들은 지금 야구를 하고 있니?)

______ → ______

9 Daniel sleeping in his room.
(Daniel은 그의 방에서 자고 있다.)

______ → ______

10 Was Wendy and Jack having lunch?
(Wendy와 Jack은 점심을 먹고 있었니?)

______ → ______

| 문장 전환 |

[11~15] 주어진 문장을 지시에 맞게 바꿔 쓰시오.

11 과거진행형으로 바꿀 것

She is cutting melons.

→ ______

12 현재진행형으로 바꿀 것

Ben uses this computer.

→ ______

13 과거진행형으로 바꿀 것

I made a table.

→ ______

14 의문문으로 바꿀 것

They were running at the gym.

→ ______

15 부정문으로 바꿀 것

My dad was cooking breakfast.

→ ______

Unit 2

미래를 나타내는 will과 be going to

| 미래 표현 |

1 미래에 일어날 일이나 미래의 계획은 「will+동사원형」이나 「be동사+going to+동사원형」으로 나타낸다.

will	I **will go** shopping this weekend. It **will be** cloudy tomorrow. ↳ 주어가 3인칭 단수여도 will에는 -(e)s를 붙이지 않는다.	나는 이번 주말에 쇼핑하러 **갈 것이다.** 내일은 날씨가 흐**릴 것이다.**
be going to	I **am going to go** shopping this weekend. It **is going to be** cloudy tomorrow.	나는 이번 주말에 쇼핑하러 **갈 것이다.** 내일은 날씨가 흐**릴 것이다.**

서술형 빈출 미래 표현은 tomorrow, next month, this weekend 등의 미래를 나타내는 부사(구)와 함께 자주 쓰인다.
I **will** go camping this weekend. 나는 이번 주말에 캠핑하러 갈 것이다.
We **are going to** visit Seoul next month. 우리는 다음 달에 서울을 방문할 것이다.

tips **will *vs.* be going to**
A Do you have any plans for this weekend? 너는 이번 주말에 어떤 계획이 있니?
B I don't have any plans. I **will** watch TV at home. / Yes, **I'm going to** watch a movie at home.
나는 계획이 없어. 집에서 TV를 볼 거야. (막 결정한 일) 응, 나는 집에서 영화를 볼 거야. (이미 계획한 일)

| 미래 표현의 부정문 |

2 미래 표현의 부정문은 「will not+동사원형」 또는 「be동사+not going to+동사원형」으로 쓴다.

will not+동사원형	He **will not visit** the museum.	그는 박물관을 **방문하지 않을 것이다.**
be동사+not going to+동사원형	He **is not going to visit** the museum.	

tips will not은 won't로 줄여 쓸 수 있다.
He **won't** visit the museum.

| 미래 표현의 의문문 |

3 미래 표현의 의문문은 「Will+주어+동사원형 ~?」 또는 「Be동사+주어+going to+동사원형 ~?」으로 쓴다.

Will+주어+동사원형 ~?	A **Will** she **join** the club? B Yes, she will. / No, she won't.	그녀는 그 동아리에 **가입할 거니?** 응, 가입할 거야. / 아니, 가입하지 않을 거야.
Be동사+주어+going to+동사원형 ~?	A **Is** she **going to join** the club? B Yes, she is. / No, she isn't.	그녀는 그 동아리에 **가입할 거니?** 응, 가입할 거야. / 아니, 가입하지 않을 거야.

✔ 바로 개념 확인하기

A 빈칸에 알맞은 말 고르기

1 It will __________ tomorrow.
☐ rain ☐ rains

2 We will __________ at the beach.
☐ are ☐ be

3 Jinho __________ to travel to Rome soon.
☐ be going ☐ is going

B 두 문장의 의미가 같도록 문장 완성하기

1 I am going to take an exam tomorrow.
= I __________ __________ an exam tomorrow.

2 Tom will go to school next year.
= Tom __________ __________ __________ __________ to school next year.

3 Kelly won't read comic books.
= Kelly __________ __________ __________ __________ __________ comic books.

C 부정문이나 의문문으로 바꿔 쓰기 (부정문은 줄임말 사용)

1 Tom will meet Jane next week.
부정문 → Tom __________ __________ Jane next week.

2 The store is going to open tomorrow.
부정문 → The store __________ __________ __________ __________ tomorrow.

3 She is going to come home early.
의문문 → __________ __________ __________ __________ __________ home early?

서술형 기본 유형 익히기

| 배열 영작 |

[1~5] 우리말과 일치하도록 주어진 말을 배열하여 문장을 완성하시오.

1 그 기차는 7시에 떠날 것이다.
(leave, the train, will)

→ ______________________________ at 7.

2 그들은 내일 수영하러 가지 않을 것이다.
(not, will, they, go swimming)

→ ______________________________ tomorrow.

3 너는 내일 아침에 내게 전화할 거니?
(you, call, me, will)

→ ______________________________ tomorrow morning?

4 나는 내일 축구를 하지 않을 것이다.
(not, going to, am, play, I)

→ ______________________________ soccer tomorrow.

5 그녀는 우리와 함께 할 거니?
(going to, she, is, join)

→ ______________________________ us?

| 오류 수정 |

[6~10] 어법상 틀린 부분을 찾아 바르게 고쳐 쓰시오.

6 It will is hot this summer.
(올 여름은 더울 것이다.)

_______________ → _______________

7 Lily and I am going to go camping next week.
(Lily와 나는 다음 주에 캠핑을 갈 것이다.)

_______________ → _______________

8 He wills ride his bike this weekend.
(그는 이번 주말에 자전거를 탈 것이다.)

_______________ → _______________

9 Will she does yoga tomorrow?
(그녀는 내일 요가를 할 거니?)

_______________ → _______________

10 Is we going to start the work at 10?
(우리는 10시에 그 일을 시작할 거니?)

_______________ → _______________

| 문장 전환 |

[11~15] 주어진 문장을 지시에 맞게 바꿔 쓰시오.

11 be going to를 사용하여 의미가 같도록 바꿔 쓸 것

Gina will visit London soon.

→ ______________________________

12 부정문으로 바꿀 것

Dad is going to climb Mt. Surak next week.

→ ______________________________

13 의문문으로 바꿀 것

He will like this present.

→ ______________________________

14 의문문으로 바꿀 것

They are going to make an apple pie.

→ ______________________________

15 주어를 they로 바꿔 다시 쓸 것

I am going to take a bus.

→ ______________________________

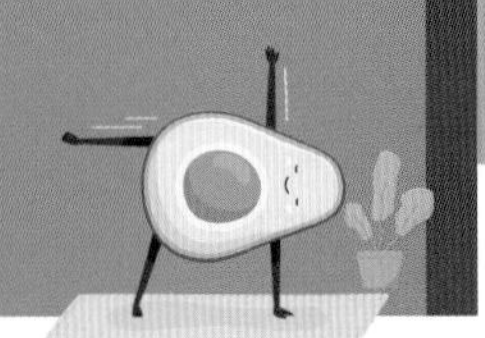

기출에서 뽑은

난이도별 서술형 문제

기 본

01 |보기|에서 알맞은 말을 골라 진행형 문장을 완성하시오.

|보기| run take read

(1) I __________ a magazine now.

(2) He __________ a shower last night.

(3) We __________ on the playground now.

02 우리말과 일치하도록 주어진 말을 배열하여 문장을 완성하시오.

(1) Linda는 슈퍼마켓에서 달걀 몇 개를 살 것이다.
(buy, is, to, Linda, some eggs, going)
→ ______________________________ at the supermarket.

(2) Eric은 한 시간 전에 자전거를 타고 있지 않았다.
(was, his bike, not, Eric, riding)
→ ______________________________ an hour ago.

03 그림을 보고, 주어진 말을 활용하여 질문에 알맞은 대답을 완성하시오.

Yesterday
Now

(1) A What was he doing yesterday?
B He __________ his room. (clean)

(2) A What is he doing now?
B He __________ the guitar. (play)

04 밑줄 친 부분을 어법에 맞게 고쳐 쓰시오.

(1) She doesn't driving now.
(그녀는 지금 운전하고 있지 않다.)
→ __________

(2) I'm going visit my aunt tomorrow.
(나는 내일 고모 댁을 방문할 것이다.)
→ __________

05 빈칸에 알맞은 말을 써서 대화를 완성하시오.

A Will you have pizza for dinner?
B __________, __________ __________. I will have spaghetti.

심 화

06 주어진 문장을 조건에 맞게 바꿔 쓰시오.

(1) Mom makes cookies on Sundays.

조건 1. 밑줄 친 부분을 tomorrow로 바꿀 것
2. be going to를 사용하여 총 7단어로 쓸 것

→ ______________________________

(2) Jake doesn't jog in the morning.

조건 1. 밑줄 친 부분을 next week으로 바꿀 것
2. will을 사용하여 총 6단어로 쓸 것

→ ______________________________

07 밑줄 친 우리말과 일치하도록 조건에 맞게 문장을 쓰시오.

A What are you going to do this summer?
B 나는 스페인어를 배울 거야. (learn Spanish)

조건 괄호 안의 말과 be going to를 사용할 것

→ ______________________

신유형
08 |보기|에서 필요한 말만 골라 써서 대화를 완성하시오.

|보기| will going I am go

A Where are you going now?
B ______________ to the bookstore.

신유형 고난도
09 우리말과 일치하도록 주어진 말을 활용하여 문장을 쓴 후, 조건에 맞게 바꿔 쓰시오.

(1) 그녀는 감자를 자르고 있다. (cut potatoes)
→ ______________________

(2) 조건 1. (1)의 마지막에 an hour ago를 추가하여 문장을 다시 쓸 것
2. 진행형으로 쓸 것

→ ______________________

고난도
10 밑줄 친 부분이 어법상 틀린 문장을 찾아 기호를 쓰고, 밑줄 친 부분을 바르게 고쳐 쓰시오.

ⓐ Is she going to watch TV?
ⓑ We won't go on a camping trip.
ⓒ He is not using the computer now.
ⓓ Did you sleeping at 10 last night?

(   ) → ______________

함정이 있는 문제

01 어법상 틀린 부분을 찾아 바르게 고쳐 쓰시오.

Is a boy and a dog swimming in the lake?
(남자아이와 개가 호수에서 수영하고 있니?)

______________ → ______________

✔ 의문문에서 주어가 어디까지인지 꼭 확인하자!
진행형의 의문문은 be동사가 주어의 앞에 오므로 주어가 어디까지인지 확인한 후 be동사의 형태를 결정해야 한다. a boy만 보고 Is가 맞다고 생각할 수 있지만 주어는 a boy and a dog로 복수이므로 Are가 알맞다.

02 주어진 조건에 맞게 문장을 바꿔 쓰시오.

조건 1. 의문문으로 바꿀 것
2. will을 사용할 것

It is windy and cold.

→ ______________________

✔ am, is, are의 원형은 be이다!
be동사가 쓰인 현재형 문장을 will을 사용한 미래 표현으로 바꿀 때는 am, is, are를 'be'로 바꿔 써야 한다.

03 주어진 문장과 의미가 같도록 빈칸에 알맞은 말을 써서 문장을 완성하시오.

I will go camping with my family next week.
= I am ______________________
with my family next week.

✔ 「be going to+동사원형」의 going은 동사 go의 -ing형이 아니다!
'가다'라는 뜻의 동사 go가 쓰인 문장에 be going to를 사용할 때 be going to 뒤에 동사원형 go를 빠뜨리지 않도록 주의한다.

시험에 강해지는

실전 TEST

시험일	월 일
시간	/ 40분
문항 수	객관식 10 / 서술형 10
점수	/ 100점

01 빈칸에 들어갈 수 <u>없는</u> 것은? (3점)

I will move to Busan ________.

① soon ② tomorrow
③ last Sunday ④ next month
⑤ this weekend

02 대화의 빈칸에 알맞은 말이 순서대로 짝지어진 것은? (3점)

A ________ you go to the concert tomorrow?
B No, I ________. I will go shopping.

① Are – do ② Do – don't
③ Do – won't ④ Will – will
⑤ Will – won't

신유형
03 우리말과 일치하도록 주어진 말을 배열할 때, 다섯 번째로 오는 단어는? (4점)

나는 산책을 하지 않을 것이다.
(not, I, a, take, going, am, to, walk)

① to ② not ③ take
④ walk ⑤ going

04 주어진 문장과 의미가 같은 것은? (4점)

Our school will hold a festival.

① Our school held a festival.
② Our school holds a festival.
③ Our school is holding a festival.
④ Our school was holding a festival.
⑤ Our school is going to hold a festival.

05 우리말을 영어로 바르게 옮긴 것은? (3점)

민호는 지금 자전거를 타고 학교에 가고 있니?

① Is Minho ride his bike to school now?
② Is Minho riding his bike to school now?
③ Will Minho ride his bike to school now?
④ Was Minho riding his bike to school now?
⑤ Is Minho going to ride his bike to school now?

06 밑줄 친 부분의 형태가 <u>틀린</u> 것은? (4점)

① Mom is <u>baking</u> cookies.
② Paul is <u>lieing</u> to his mom.
③ Mina was <u>flying</u> the drone.
④ I'm not <u>making</u> dinner now.
⑤ They are <u>running</u> to the subway station.

07 대화가 자연스럽지 <u>않은</u> 것은? (4점)

① A Were you taking pictures then?
B No, I wasn't.
② A Is Alice listening to music now?
B Yes, she is.
③ A Will you send a text message to him?
B Yes, I will.
④ A Are the children playing in the garden?
B Yes, they will.
⑤ A Is Tony going to leave Seoul next week?
B No, he isn't.

08 밑줄 친 부분의 쓰임이 나머지와 다른 것은? (5점)

① The girl is wearing a hat.
② They are doing a science project.
③ My father is working in his office.
④ The students are talking to each other.
⑤ The children are going to have a party.

09 어법상 틀린 문장은? (4점)

① We are eating lunch now.
② It was snowing a lot that night.
③ My sister is having many hair bands.
④ I am going to meet her at 3.
⑤ Were you cleaning the windows?

10 밑줄 친 부분을 잘못 고친 것은? (6점)

① David and I am playing tennis.
→ are
② Kate is knowing a lot about Korea.
→ know
③ Junho won't joins the school band.
→ join
④ Was you talking on the phone?
→ Were
⑤ The musical is going to starts at 7.
→ start

서술형

[서술형 1] 주어진 문장과 의미가 같도록 빈칸에 알맞은 말을 쓰시오. (6점, 각 3점)

(1) Olivia will call him tomorrow.
= Olivia ________ ________ ________ ________ him tomorrow.

(2) Sujin is not going to tell my secret to my friends.
= Sujin ________ ________ ________ my secret to my friends.

[서술형 2] 그림을 보고, 주어진 말을 활용하여 대화를 완성하시오. (6점, 각 3점)

(1) 
(2) 

(1) A What is she doing?
B She ________ ________ in the pool. (swim)

(2) A Was he playing computer games?
B No, he ________. He ________ ________ a letter. (write)

[서술형 3] 주어진 문장을 지시에 맞게 바꿔 쓰시오. (6점, 각 3점)

(1) James fixes the roof.
(be going to를 사용하여 미래 표현으로 바꿀 것)
→ ________________________________

(2) I will invite Bora to the party. (부정문으로 바꿀 것)
→ ________________________________

[서술형 4] 우리말과 일치하도록 주어진 말을 활용하여 문장을 쓰시오. (6점, 각 3점)

(1) 그녀는 손을 씻고 있니? (wash her hands)

→ ______________________

(2) 나는 샤워를 하고 있지 않았다. (take a shower)

→ ______________________

[서술형 5] 그림을 보고, |보기|에서 알맞은 말을 골라 현재진행형으로 쓰시오. (9점, 각 3점)

|보기| watch talk lie

Mina (1) ______________ TV. Dad (2) ______________ on the sofa. Mom (3) ______________ on the phone.

[서술형 6] 나의 오후 일정표를 보고, |예시|와 같이 질문에 알맞은 대답을 완전한 문장으로 쓰시오. (8점, 각 4점)

Yesterday	do my homework
Now	draw a picture
Tomorrow	swim

|예시| What were you doing yesterday?
→ I was doing my homework.

(1) What are you doing now?

→ ______________________

(2) What are you going to do tomorrow?

→ ______________________

신유형

[서술형 7] 한 학생이 수업 시간에 발표한 내용을 보고, 학생이 영작한 문장에서 틀린 부분을 찾아 바르게 고쳐 쓰시오. (4점)

'내일은 맑을 것이다.'를 영작하면, 미래를 나타내는 표현이므로 be going to를 사용하여 "It's going to is sunny tomorrow."가 됩니다.

______________ → ______________

고난도

[서술형 8] 대화를 읽고, 요약문을 완성하시오. (6점)

A What are you doing, Sujin?
B Hi, Juho. I'm preparing for Mira's birthday party.
A Oh, today is her birthday. Can I help you?
B Sure. Will you make a birthday card?
A Sure. No problem.

→ Sujin ______________ for Mira's birthday party. Juho is going to help Sujin. He is going to ______________.

[서술형 9~10] 다음 글을 읽고, 물음에 답하시오.

My uncle is ⓐ live in China now. He has a big farm there. I'm going ⓑ visit him next month. (A) 나는 만리장성에 갈 것이다. I will eat a lot of Chinese food, too!

[서술형 9] 윗글의 밑줄 친 ⓐ와 ⓑ를 어법에 맞게 고쳐 쓰시오. (4점, 각 2점)

ⓐ → ______________ ⓑ → ______________

고난도

[서술형 10] 윗글의 밑줄 친 우리말 (A)와 일치하도록 조건에 맞게 문장을 쓰시오. (5점)

조건 1. will과 the Great Wall을 포함할 것
2. 어법에 맞게 완전한 문장으로 쓸 것

→ ______________________

CHAPTER 04

명사와 수량 표현

Unit 1 셀 수 있는 명사와 셀 수 없는 명사

Unit 2 명사의 수량 표현, There is/are

명사는 한 개, 두 개 등으로 **셀 수 있는 명사**와 일정한 모양이 없거나 세기 힘들어 개수를 **셀 수 없는 명사**로 나뉜다.

셀 수 있는 명사

I ate an **apple** and two **peaches** for breakfast.
나는 아침으로 **사과** 한 개와 **복숭아** 두 개를 먹었다.

셀 수 없는 명사

He ate two bowls of **soup** for breakfast.
그는 아침으로 **수프** 두 그릇을 먹었다.

Unit 1

셀 수 있는 명사와 셀 수 없는 명사

| 셀 수 있는 명사 |

1 셀 수 있는 명사는 단수일 때 앞에 a/an을 쓰고, 둘 이상일 때는 복수형으로 쓴다.

I ate	**an apple.**	나는 **사과 한 개**를 먹었다.	단수일 때: a/an+명사
	two **apples.**	나는 **사과** 두 개를 먹었다.	복수일 때: 명사+-(e)s

• 셀 수 있는 명사의 복수형

➜ 부록 p.163

대부분의 명사	명사+-s	book → **books**	ball → **balls**	dog → **dogs**
-s, -x, -sh, -ch, -o로 끝나는 명사	명사+-es	bus → **buses** 〈예외〉 photo → photos	box → **boxes** piano → pianos	dish → **dishes**
「자음+y」로 끝나는 명사	y를 i로 고치고+-es	baby → **babies**	city → **cities**	party → **parties**
-f, -fe로 끝나는 명사	f, fe를 v로 고치고 +-es	leaf → **leaves** 〈예외〉 roof → roofs	knife → **knives**	wife → **wives**
불규칙 변화	형태가 다른 경우	man → **men** foot → **feet**	woman → **women** tooth → **teeth**	child → **children** mouse → **mice**
	형태가 같은 경우	deer → **deer**	fish → **fish**	sheep → **sheep**

| 셀 수 없는 명사 |

2 셀 수 없는 명사는 항상 단수형으로 쓰고, 앞에 a/an을 쓰지 않는다.

물질을 나타내는 명사	sugar, salt, water, milk, paper, money, air 등
사람이나 지역의 이름	John, Alice, Paris, Spain, Korea, Seoul 등 *첫 글자를 항상 대문자로 쓴다.
추상적인 개념	health, love, success, beauty, hope 등

주의 셀 수 없는 명사는 단수 취급하여 3인칭 단수 동사와 함께 쓰인다.
Korea **has** a long history. 한국은 긴 역사를 가지고 있다.

| 물질명사의 수량 표현 |

3 물질명사의 수량은 담는 용기나 단위를 사용하여 표현할 수 있다.

She drank **a cup of** coffee. 그녀는 **커피 한 잔**을 마셨다.
I need **three bottles of** water. 나는 **물 세 병**이 필요하다.
→ 복수일 때는 단위 명사를 복수형으로 쓰고 셀 수 없는 명사는 복수형으로 쓰지 않는다.

tips 짝으로 이루어진 명사 glasses(안경), jeans(청바지), scissors(가위) 등은 항상 복수형으로 쓰며, 셀 때는 a pair of를 사용한다.
a pair of jeans 청바지 한 벌 **two pairs of** jeans 청바지 두 벌

암기 노트 단위 명사

a **cup** of (한 컵의)	coffee, tea
a **glass** of (한 잔의)	milk, water
a **bottle** of (한 병의)	milk, water
a **piece** of (한 장/조각의)	paper, cake
a **slice** of (한 조각의)	pizza, cheese
a **bowl** of (한 사발의)	soup, rice

✔ 바로 개념 확인하기

A 셀 수 있는 명사와 셀 수 없는 명사 구분하기

보기	knife	Seoul	sand
	doctor	peace	leaf

1 셀 수 있는 명사

→ ______________________

2 셀 수 없는 명사

→ ______________________

B 빈칸에 알맞은 복수형 고르기

1 These shoes are good for your ________.
☐ foots ☐ feet

2 Linda has three ________.
☐ childs ☐ children

3 The cat caught two ________.
☐ mice ☐ mouses

4 Danny is moving the ________.
☐ boxs ☐ boxes

5 We traveled to many big ________.
☐ citys ☐ cities

C |보기| 에서 알맞은 단위 명사 골라 쓰기

보기	bowl	bottle	cup	slice

1 피자 한 조각 → a ________ of pizza

2 물 한 병 → a ________ of water

3 수프 세 그릇 → three ________ of soup

4 차 네 잔 → four ________ of tea

서술형 기본 유형 익히기

| 문장 완성 |

[1~5] 우리말과 일치하도록 주어진 말을 활용하여 문장을 완성하시오.

1 그녀는 강아지 세 마리와 물고기 두 마리를 그렸다.
(puppy, fish)

→ She drew three ________ and two ________.

2 우리는 우유와 사과 두 개가 필요하다.
(milk, apple)

→ We need ________ and two ________.

3 너는 신발 한 켤레를 샀니?
(pair, shoes)

→ Did you buy ________ ________ ________ ________?

4 내 아기 여동생은 이가 두 개 있다.
(has, tooth)

→ My baby sister ________ ________ ________.

5 Henry는 케이크 세 조각을 먹었다.
(ate, piece, cake)

→ Henry ________ ________ ________ ________ ________.

Answers p.12

| 오류 수정 |

[6~10] 어법상 틀린 부분을 찾아 바르게 고쳐 쓰시오.

6 Three deers live in the woods.
(사슴 세 마리가 숲에서 산다.)

_______________ → _______________

7 Add a sugar to the dough.
(반죽에 설탕을 추가해라.)

_______________ → _______________

8 Two womans are waiting here.
(두 명의 여자가 여기에서 기다리고 있다.)

_______________ → _______________

9 He wants two bowl of cereal.
(그는 시리얼 두 그릇을 원한다.)

_______________ → _______________

10 She drinks three glasses of waters in the morning.
(그녀는 아침에 물 세 잔을 마신다.)

_______________ → _______________

| 문장 전환 |

[11~15] 밑줄 친 부분을 주어진 말로 바꿔 문장을 다시 쓰시오.

11 He bought a knife and a potato.
(two, two)

→ _______________________________

12 Sam ate a slice of pizza for lunch.
(three)

→ _______________________________

13 He washed a pair of jeans.
(three)

→ _______________________________

14 A child played in the snow.
(five)

→ _______________________________

15 Jenny needs a bottle of juice.
(two)

→ _______________________________

Unit 2

명사의 수량 표현, There is/are

| 수량 형용사 |

1 수와 양을 나타내는 형용사는 셀 수 있는 명사인지 셀 수 없는 명사인지에 따라 다르게 쓰인다.

many (많은)	+ 셀 수 있는 명사	I have	**many**	books. *복수형을 쓴다.	나는 **많은** 책을 가지고 있다.
a few (조금 있는)			**a few**		나는 책을 **몇 권** 가지고 있다.
few (거의 없는)			**few**		나는 책을 **거의** 가지고 있지 **않다**.
much (많은)	+ 셀 수 없는 명사	He puts	**much**	salt in his soup. *복수형을 쓰지 않는다.	그는 수프에 소금을 **많이** 넣는다.
a little (조금 있는)			**a little**		그는 수프에 소금을 **조금** 넣는다.
little (거의 없는)			**little**		그는 수프에 소금을 **거의** 넣지 **않는다**.

주의 few와 little은 '거의 없는'의 의미이므로 not이 없어도 부정의 의미로 해석된다.
We have **little** milk. 우리는 우유를 **거의** 가지고 있지 **않다**.

서술형 빈출 a lot of와 lots of는 '많은'이라는 의미로 셀 수 있는 명사와 셀 수 없는 명사 둘 다와 함께 쓸 수 있다.
He has **a lot of(lots of)** friends. 그는 **많은** 친구를 가지고 있다.
He has **a lot of(lots of)** money. 그는 **많은** 돈을 가지고 있다.

| some, any |

2 some과 any는 '약간의'라는 의미로, 셀 수 있는 명사와 셀 수 없는 명사 둘 다와 함께 쓸 수 있다.

some	I have **some** bananas.	나는 **약간의** 바나나를 가지고 있다. 〈긍정문〉
	Do you want **some** bread?	너는 빵을 **좀** 원하니? 〈권유문〉
any	I don't have **any** money.	나는 돈이 **조금도** 없다. 〈부정문〉
	Do you have **any** friends in Canada?	너는 캐나다에 친구가 **좀** 있니? 〈의문문〉

| There is/are |

3 There is/are ~는 '~이 있다'라는 의미로, 뒤에 오는 명사의 수에 따라 is나 are를 쓴다.

There is+단수 명사	**There is** an apple on the table.	탁자 위에 사과 하나가 **있다**.
There are+복수 명사	**There are** many apples on the table.	탁자 위에 사과가 많이 **있다**.

주의 There is/are에 쓰인 There는 '거기에'라고 해석하지 않는다.

서술형 빈출 셀 수 없는 명사는 단수 취급하므로 단수 동사와 함께 쓴다.
There **is** some bread in the basket. 바구니에 약간의 빵이 있다.

✔ 바로 개념 확인하기

A 빈칸에 알맞은 말 고르기

1 My brother didn't save __________ money.
▢ many ▢ much

2 She needs __________ butter.
▢ a few ▢ a little

3 __________ people arrived late.
▢ A few ▢ A little

4 Hajun has __________ books in his room.
▢ few ▢ little

B 빈칸에 some 또는 any 쓰기

1 She didn't eat __________ bread or milk.

2 __________ girls are sitting on the swings.

3 Do you have __________ sisters?

4 Do you want __________ coffee?

C 빈칸에 there is 또는 there are 쓰기

1 __________ __________ some sugar in the jar.

2 __________ __________ two lemons on the plate.

3 __________ __________ many flowers in the garden.

4 __________ __________ a bookstore on the second floor.

서술형 기본 유형 익히기

| 문장 완성 |

[1~5] 우리말과 일치하도록 주어진 말을 활용하여 문장을 완성하시오.

1 달걀 두 개와 우유를 조금 섞어라.
(milk, little)

→ Mix two eggs and __________ __________ __________.

2 우리는 작년에 많은 영화를 봤다.
(saw, movie)

→ We __________ __________ __________ last year.

3 그 우리 안에 토끼 세 마리가 있다.
(there, rabbit)

→ __________ __________ __________ __________ in the cage.

4 그는 단지 책이 몇 권 필요하다.
(book, few)

→ He needs only __________ __________ __________.

5 Sam은 학교에서 어떤 학생도 알지 못했다.
(didn't know, students)

→ Sam __________ __________ __________ __________ at the school.

| 오류 수정 |

[6~10] 어법상 틀린 부분을 찾아 바르게 고쳐 쓰시오.

6 He wanted a little tomatoes.
(그는 토마토를 몇 개 원했다.)

__________ → __________

7 He doesn't have some friends.
(그는 친구가 아무도 없었다.)

__________ → __________

8 There is two chairs in my room.
(내 방에 의자 두 개가 있다.)

__________ → __________

9 Little people came to the party.
(사람들은 그 파티에 거의 오지 않았다.)

__________ → __________

10 There is a lot of kids at the zoo.
(동물원에 많은 아이들이 있다.)

__________ → __________

| 조건 영작 |

[11~15] 우리말과 일치하도록 조건에 맞게 문장을 완성하시오.

11 몇몇 아이들이 길을 건너고 있다.

조건 1. some과 any 중 선택하여 쓸 것
2. child를 활용하여 2단어로 쓸 것

→ __________ are crossing the street.

12 접시에 약간의 치즈가 있다.

조건 1. some과 any 중 선택하여 쓸 것
2. there, cheese를 사용하여 4단어로 쓸 것

→ __________ on the plate.

13 Sarah는 양파를 몇 개 샀다.

조건 1. a few와 a little 중 선택하여 쓸 것
2. onion을 활용하여 3단어로 쓸 것

→ Sarah bought __________.

14 그녀는 오늘 숙제가 조금 있다.

조건 1. a few와 a little 중 선택하여 쓸 것
2. have, homework를 활용하여 5단어로 쓸 것

→ __________ today.

15 체육관에 남자아이 두 명과 여자아이 두 명이 있다.

조건 1. boy, girl, in the gym을 활용할 것
2. 총 10단어로 쓸 것

→ __________

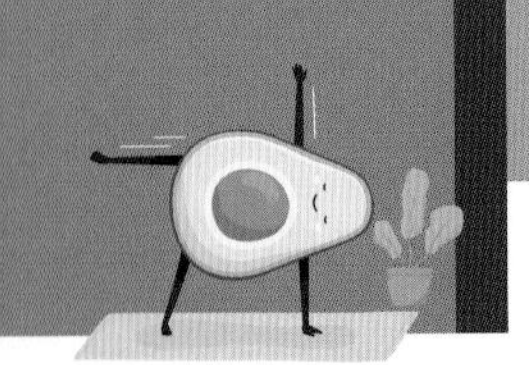

기출에서 뽑은

난이도별 서술형 문제

기 본

01 주어진 말을 알맞은 형태로 바꿔 빈칸에 쓰시오.

(1) The dentist took out two ________. (tooth)

(2) There are many ________ on the roof. (leaf)

02 |보기|에서 알맞은 말을 골라 우리말과 일치하도록 문장을 완성하시오.

|보기| few a few little a little

(1) 빵 위에 버터를 조금 발라라.
→ Put ________ butter on the bread.

(2) 도로에 차들이 거의 없다.
→ There are ________ cars on the road.

03 빈칸에 들어갈 말을 |보기|에서 골라 알맞은 형태로 써서 문장을 완성하시오.

|보기| piece glass

I had a ________ ________ milk and two ________ ________ bread for breakfast.

04 나의 쇼핑 목록을 보고, 주어진 말을 활용하여 |예시|와 같이 문장을 완성하시오.

- ☐ 신발 한 켤레
- ☐ 청바지 두 벌
- ☐ 케이크 세 조각

|예시| I will buy a pair of shoes. (pair, shoes)

(1) I will buy ________ ________ ________ ________. (pair, jeans)

(2) I will buy ________ ________ ________ ________. (piece, cake)

05 어법상 틀린 부분을 찾아 바르게 고쳐 쓰시오.

(1) I have a little questions about the book.
(나는 그 책에 관한 질문이 몇 가지 있다.)

________ → ________

(2) There is few honey in the jar.
(단지 안에 꿀이 거의 없다.)

________ → ________

심 화

06 밑줄 친 부분을 주어진 말로 바꿔 문장을 다시 쓰시오.

(1) There is a bench in the garden. (two)
→ ________

(2) My uncle is carrying a box. (three)
→ ________

(3) He ate a slice of bread. (three)
→ ________

07 그림을 보고, 조건에 맞게 문장을 완성하시오.

egg milk cheese

조건 1. 정확한 수량을 표현할 것
2. (2)에는 cup, (3)에는 slice를 어법에 맞게 사용할 것

I am going to make an omelet. I need (1) ________, (2) ________, and (3) ________.

고난도

08 어법상 틀린 문장 두 개를 골라 기호를 쓰고, 틀린 부분을 바르게 고쳐 쓰시오.

ⓐ Do you have any questions?
ⓑ Two mans are making lunch.
ⓒ There are many fish in the pond.
ⓓ Too much sugar isn't good for your health.
ⓔ There are two glasses of orange juices on the table.

(　　) ________ → ________
(　　) ________ → ________

신유형

09 |보기|에서 알맞은 말을 골라 대화를 완성하시오.

|보기| few　little　many　much

A Jiho, how is your new school?
B Everything is still new to me. And I have ________ friends.
A Don't worry. You will make ________ friends soon.
B Thanks. I hope so.

고난도

10 밑줄 친 ⓐ~ⓔ 중 어법상 틀린 것 두 개를 찾아 바르게 고쳐 쓰시오.

Today, I went to the zoo with my family. I saw many ⓐanimals there. First, I saw ⓑmonkeys. They were eating some ⓒbanana. Then, I saw some ⓓsheep. After the tour, I was very thirsty. So, I drank two ⓔbottle of water.

(　　) → ________
(　　) → ________

함정이 있는 문제

01 어법상 틀린 부분을 찾아 바르게 고쳐 쓰시오.

There is a lot of women in the park.

________ → ________

✔ a만 보고 성급하게 단수라고 판단하지 말자!
a lot of는 '많은'이라는 의미이며, 뒤에 셀 수 있는 명사가 오면 명사를 복수형으로 쓰고, be동사도 복수형으로 써야 한다. 또한, women은 woman의 복수형이므로 -(e)s가 없다고 단수형으로 착각하지 않도록 주의한다.

02 |보기|에서 필요한 말만 골라 배열하여 우리말과 일치하도록 문장을 쓰시오.

|보기| have　money　don't　a　little　I

나는 돈이 거의 없다.
→ ________

✔ little을 쓸 때, not을 함께 쓰지 않도록 주의하자!
little은 '거의 없는'이라는 뜻이므로 이미 부정의 의미를 갖고 있다. 따라서 little이 쓰인 문장에서 not을 쓰지 않는다는 것을 기억하자.

03 우리말과 일치하도록 주어진 말을 사용하여 문장을 완성하시오.

이 탄산음료에는 많은 설탕이 들어 있다.
(sugar, there)
→ ________ in this soft drink.

✔ 셀 수 없는 명사는 항상 단수 취급한다!
sugar는 셀 수 없는 명사이므로 much, some, a lot of 등과 함께 쓰더라도 항상 단수형으로 쓰고, 동사도 단수형으로 써야 한다는 것을 기억하자!

시험에 강해지는

실전 TEST

시험일	월 일
시간	/ 40분
문항 수	객관식 10 / 서술형 10
점수	/ 100점

01 명사의 복수형이 잘못된 것은? (3점)

① city – cities　② foot – foots
③ bus – buses　④ sheep – sheep
⑤ mouse – mice

02 빈칸에 들어갈 수 없는 것을 모두 고르면? (3점)

> There are a few ________ in the refrigerator.

① eggs　② milk　③ meat
④ apples　⑤ tomatoes

03 대화의 빈칸에 알맞은 말이 순서대로 짝지어진 것은? (3점)

> A Do you have ________ plans for this weekend?
> B Yes. I'm going to go shopping and buy ________ clothes.

① any – few　② some – any
③ any – some　④ some – some
⑤ some – little

신유형
04 우리말을 영어로 옮길 때, 쓰이지 않는 단어는? (4점)

> 정원에 장미꽃들이 거의 없다.

① a　② few　③ are
④ garden　⑤ roses

05 우리말을 영어로 바르게 옮긴 것은? (4점)

> 상자 안에 과자들이 조금 있다.

① There is little cookie in the box.
② There is a little cookie in the box.
③ There are few cookies in the box.
④ There are a few cookies in the box.
⑤ There are a lot of cookies in the box.

06 빈칸에 is가 들어갈 수 없는 것은? (4점)

① There ________ a big tree in the yard.
② There ________ a little milk in the glass.
③ There ________ some cheese on the plate.
④ There ________ a lot of snow on the road.
⑤ There ________ a few men at the market.

07 밑줄 친 부분이 어법상 틀린 것은? (4점)

① She is washing some potatos.
② Look at the snow on the roofs.
③ My grandfather has three puppies.
④ A few women are talking in the store.
⑤ There are forks and knives on the table.

08 우리말을 영어로 바르게 옮긴 사람은? (4점)

① 그녀는 치즈 다섯 장을 먹었다.
수지: She had five slice of cheese.
② Sally는 그녀의 음식에 소금을 거의 넣지 않는다.
지호: Sally puts few salt on her food.
③ Jerry는 가위 10개가 필요했다.
민호: Jerry needed ten pairs of scissors.
④ 몇몇 아이들이 마당에서 놀고 있다.
희연: A little kids are playing in the yard.
⑤ 그 방에 여자들이 거의 없었다.
혜리: There were little women in the room.

09 어법상 틀린 것은? (5점)

① Do you have any ideas?
② The boy had a lot of ice cream.
③ Do you want some cheesecake?
④ There are many sugar in the juice.
⑤ There are two slices of pizza in the box.

신유형 고난도

10 어법상 올바른 문장의 개수는? (6점)

ⓐ She bought much books.
ⓑ A few children are in the yard.
ⓒ There are five deers in the zoo.
ⓓ He ate two bowl of rice for dinner.
ⓔ There is a piece of bread in the basket.

① 1개 ② 2개 ③ 3개
④ 4개 ⑤ 5개

서술형

[서술형 1] 그림을 보고, 주어진 말을 사용하여 문장을 완성하시오. (6점, 각 3점)

(1) 
(2) 

(1) There are ________ ________ ________ ________ on the table. (tea)

(2) I bought ________ ________ ________ ________ at the mall. (sunglasses)

[서술형 2] 밑줄 친 부분을 주어진 말로 바꿔 문장을 다시 쓰시오. (8점, 각 4점)

(1) There is a baby in the car. (two)
→ ____________________

(2) There is a leaf on the bench. (a few)
→ ____________________

[서술형 3] 우리말과 일치하도록 조건에 맞게 문장을 쓰시오. (8점, 각 4점)

(1) 냉장고에 버터가 거의 없다.

조건 there, butter, in the refrigerator를 사용할 것

→ ____________________

(2) 나무에 사과가 조금 있다.

조건 there, apples, on the tree를 사용할 것

→ ____________________

[서술형 4] 친구들이 먹은 음식을 보고, 조건에 맞게 문장을 완성하시오. (12점, 각 4점)

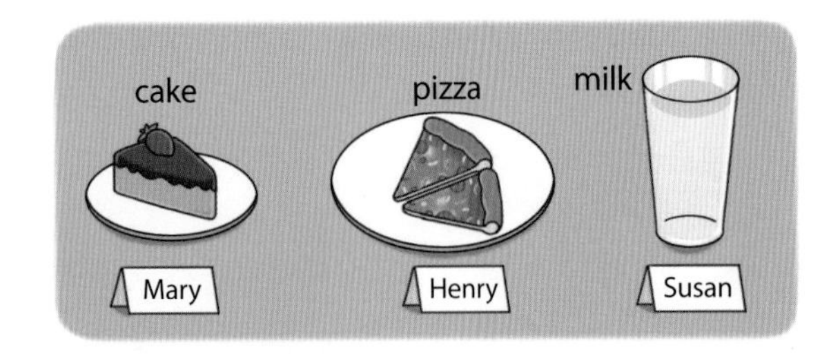

조건 주어진 표현을 사용하여 정확한 수량을 표현할 것

(1) Mary ate ______________________. (piece)

(2) Henry ate ______________________. (slice)

(3) Susan drank ______________________. (glass)

[서술형 5] 주어진 말을 사용하여 대화를 완성하시오. (3점)

A Do you buy many shoes?
B Yes, I buy ______________________ every month.
(two, pair)

[서술형 6] 밑줄 친 ⓐ~ⓔ 중 어법상 틀린 것을 찾아 기호를 쓰고, 바르게 고쳐 쓰시오. (4점)

My grandpa has a big ⓐfarm. He has ten ⓑsheep, five ⓒcows, and three ⓓpuppys on his farm. He wears a pair of ⓔjeans, a hat, and a pair of boots on the farm. I visit him every year.

(　　　) → ______________

[서술형 7] 어법상 틀린 곳을 찾아 바르게 고쳐 문장을 다시 쓰시오. (6점, 각 3점)

(1) He brushes his tooths after breakfast.
(그는 아침 식사 후에 이를 닦는다.)

→ ______________________

(2) She drinks three cup of coffee every day.
(그녀는 매일 커피 세 잔을 마신다.)

→ ______________________

고난도

[서술형 8] 주어진 조건에 맞게 문장을 바꿔 쓰시오. (5점)

조건 1. tomatoes를 cheese로 바꿀 것
2. 어법에 맞게 총 8단어로 쓸 것

There are a few tomatoes on the plate.

→ ______________________

[서술형 9~10] 다음 글을 읽고, 물음에 답하시오.

This is Brad's room. There is a bed in his room. ⓐNext to the bed, 책상이 있다. On the wall, there are two pictures. ⓑ(pair, pairs, there, sneaker, sneakers, is, are, a, two, of) on the floor.

[서술형 9] 윗글의 밑줄 친 우리말 ⓐ와 일치하도록 조건에 맞게 문장을 쓰시오. (4점)

조건 desk를 사용하여 4단어로 쓸 것

→ Next to the bed, ______________________.

신유형

[서술형 10] 그림을 보고, 윗글의 괄호 ⓑ에서 필요한 말만 골라 배열하여 문장을 완성하시오. (6단어로 쓸 것) (4점)

→ ______________________
on the floor.

제 1 회 누적 TEST

01 빈칸에 알맞은 말이 순서대로 짝지어진 것은?

- My parents ________ tall.
- It ________ very hot last summer.
- ________ you go hiking on weekends?

① is – is – Does ② are – is – Does
③ is – was – Do ④ are – was – Do
⑤ is – were – Do

02 같은 의미가 되도록 밑줄 친 부분과 바꿔 쓸 수 있는 것은?

I will meet my friends tomorrow.

① do ② am going
③ was going ④ am going to
⑤ was going to

03 빈칸에 공통으로 들어갈 말은?

- Minho and I ________ thirteen this year.
- The children ________ swimming now.
- There ________ a lot of flowers in the garden now.

① is ② are ③ did
④ was ⑤ were

04 밑줄 친 부분이 어법상 틀린 것은?

① He is carrying heavy boxes.
② Semi needs a pair of glasses.
③ I have a few plans for my trip.
④ There are a little stars in the sky.
⑤ There are three pieces of cake on the table.

05 대화의 빈칸에 알맞은 말이 순서대로 짝지어진 것은?

A ________ you taking taekwondo lessons these days?
B No, I'm not. But I ________ learn taekwondo soon.

① Are – am ② Are – do
③ Are – will ④ Do – will
⑤ Do – do

06 밑줄 친 ①~⑤ 중 어법상 틀린 것은?

Mary is(①) going to have(②) two sandwiches(③) and two cup(④) of coffee(⑤) for lunch.

07 어법상 틀린 것은?

① Were you sick yesterday?
② We're having dinner now.
③ Jiho is liking action movies.
④ Will you go camping with me?
⑤ I was taking a shower at that time.

신유형 고난도

08 어법상 틀린 문장의 개수는?

ⓐ Did you hear the news?
ⓑ The show will begins at 8 o'clock.
ⓒ There is a lot of people on the street.
ⓓ My sister was not sleep at 9 last night.
ⓔ There are three bottles of water in the box.

① 1개 ② 2개 ③ 3개
④ 4개 ⑤ 5개

서술형

09 나의 오후 일정표를 보고, 질문에 알맞은 대답을 쓰시오.

Yesterday	draw a picture
Now	do my homework
Tomorrow	watch a movie

(1) A What did you do yesterday?
B I ______________________ yesterday.

(2) A What are you doing now?
B I ______________________ now.

(3) A What are you going to do tomorrow?
B I ______________________ tomorrow.

신유형

10 우리말과 일치하도록 주어진 말을 활용하여 문장을 완성하고, 조건에 맞게 바꿔 쓰시오.

(1) Kate는 자전거를 타고 학교에 간다. (go to school)
→ ______________________ by bike.

(2) 조건 (1)의 동사를 과거형으로 바꿀 것

→ ______________________

(3) 조건 (1)을 be going to를 사용한 미래 표현으로 바꿔 쓸 것

→ ______________________

고난도

11 대화를 읽고, 내용을 요약한 문장을 완성하시오.

Mary Did you clean your room, Jerry?
Jerry Yes. What are you doing now?
Mary I'm washing the dishes now. I'll feed the dog after that.

→ Jerry ______________ his room. Mary ______________ the dishes now and she ______________ the dog after that.

12 주어진 조건에 맞게 우리말과 일치하도록 문장을 완성하시오.

조건 1. put, salt를 사용할 것
2. 동사는 과거형으로 쓸 것
3. few와 little 중 하나를 반드시 쓸 것

나는 수프에 소금을 거의 넣지 않았다.
→ I ______________________ in the soup.

고난도

13 밑줄 친 부분이 어법상 틀린 문장 두 개를 골라 기호를 쓰고, 틀린 부분을 바르게 고쳐 쓰시오.

ⓐ Do you have any problems?
ⓑ Did she change her hairstyle?
ⓒ Mira is sending a text message last night.
ⓓ He is going to take a walk.
ⓔ There are two bowl of cereals on the table.

(　　) → ______________________
(　　) → ______________________

[14~15] 다음 대화를 읽고, 물음에 답하시오.

A Did you pack your things for the ski camp?
B Yes, Mom. ⓐ I packed a jacket and two pair of gloves. And, I'll take my ski pants, too.
A What about your goggles?
B My goggles are too small now. ⓑ 저는 고글을 진수에게 빌릴 거예요. (going, borrow, goggles)

*pack (짐을) 싸다

14 위 대화의 밑줄 친 ⓐ에서 어법상 틀린 부분을 찾아 바르게 고쳐 쓰시오. (수량은 바꾸지 말 것)

______________ → ______________

15 위 대화의 밑줄 친 우리말 ⓑ와 일치하도록 괄호 안의 말을 사용하여 문장을 완성하시오.

→ ______________________ from Jinsu.

CHAPTER

05

조동사

Unit 1 can, may

Unit 2 must, have to, should

조동사는 동사 앞에 와서 동사에 능력, 허가, 추측, 의무 등의 의미를 더해 주는 역할을 한다.

can	He **can** leave tomorrow. 그는 내일 떠날 **수 있다**.
may	He **may** leave tomorrow. 그는 내일 떠날**지도 모른다**.
must	He **must** leave tomorrow. 그는 내일 떠나**야 한다**.

Unit 1

can, may

| 조동사란? |

1 조동사는 동사에 의미를 더해 주며, 주어에 따라 형태가 변하지 않고 뒤에 항상 동사원형이 온다.

긍정문	조동사 + 동사원형	He **can speak** English.	그는 영어를 **말할 수 있다.**
부정문	조동사 + not + 동사원형	He **cannot(can't) speak** English.	그는 영어를 **말할 수 없다.**
의문문	조동사 + 주어 + 동사원형 ~?	**Can** he **speak** English? Yes, he **can.** / No, he **can't.**	그는 영어를 **말할 수 있니?** – 응, 할 수 있어. / 아니, 못 해.

| can |

2 조동사 can은 능력, 허가, 요청의 의미를 나타낸다.

능력 (~할 수 있다)	She **can** play the piano. I **cannot(can't)** dance well.	그녀는 피아노를 칠 **수 있다.** 나는 춤을 잘 출 **수 없다.**
허가 (~해도 된다)	You **can** use my cell phone. You **cannot(can't)** stay here.	너는 내 휴대 전화를 사용**해도 된다.** 너는 여기에 머무르**면 안 된다.**
요청 (~해 줄래?)	**Can** you pass me the salt? *can 대신 could를 쓰면 더 정중한 표현이 된다.	소금 좀 건네**줄래?**

주의 can의 부정형을 can not으로 띄어 쓰지 않도록 주의한다.

'~할 수 있다'는 의미의 can은 be able to로 바꿔 쓸 수 있으며, 주어와 시제에 따라 be동사를 다르게 쓴다.

I **am able to** swim. 나는 수영을 **할 수 있다.** 〈긍정문〉

He **isn't able to** swim. 그는 수영을 **할 수 없다.** 〈부정문〉

They **were able to** swim. 그들은 수영을 **할 수 있었다.** 〈과거 표현〉
*was/were able to는 could로 바꿔 쓸 수 있다.

We **will be able to** swim. 우리는 수영을 할 수 **있을 것이다.** 〈미래 표현〉
└ will can (×) *조동사 두 개는 나란히 쓸 수 없다.

| may |

3 조동사 may는 허가와 약한 추측의 의미를 나타낸다.

허가 (~해도 된다) = can	You **may** close the window. You **may not** go home now. **May** I use the bathroom?	너는 창문을 닫**아도 된다.** 너는 지금 집에 가**면 안 된다.** 화장실을 사용**해도 될까요?**
약한 추측 (~일지도 모른다)	Mary **may** be sick. It **may not** rain tomorrow.	Mary는 아프**지도 모른다.** 내일은 비가 오지 **않을지도 모른다.**

주의 may not은 줄여 쓰지 않는다.

✔ 바로 개념 확인하기

A 조동사에 밑줄 긋고, 알맞은 의미 고르기

1 You can sit here.
□ 능력 □ 허가 □ 요청

2 Can you take care of my cat?
□ 능력 □ 허가 □ 요청

3 The baby can walk.
□ 능력 □ 허가 □ 요청

4 May I borrow your backpack?
□ 허가 □ 약한 추측

B 밑줄 친 부분의 알맞은 의미 고르기

1 She can make cookies.
□ 만들 수 있다 □ 만들지도 모른다

2 Can you open the window?
□ 열어도 되니? □ 열어 줄래?

3 The doctor may be tired.
□ 피곤해도 된다 □ 피곤할지도 모른다

4 You may ride my bike today.
□ 타도 된다 □ 탈 수 있다

C 의미가 같도록 빈칸에 알맞은 말 쓰기

1 You may watch TV now.
= You ________ watch TV now.

2 Can I use your scissors?
= ________ I use your scissors?

3 The boy can climb a ladder.
= The boy ________ ________ ________ climb a ladder.

서술형 기본 유형 익히기

| 문장 완성 |

[1~5] 우리말과 일치하도록 알맞은 조동사와 주어진 말을 사용하여 문장을 완성하시오.

1 Jerry는 그 문제를 풀 수 있다.
(solve)

→ Jerry ________ ________ the problem.

2 그녀는 가수가 아닐지도 모른다.
(be)

→ She ________ ________ ________ a singer.

3 나는 어제 콘서트 표를 살 수 있었다.
(buy) *시제 주의

→ I ________ ________ ________ ________ a concert ticket yesterday.

4 제가 지금 집에 가도 되나요?
(go)

→ ________ ________ ________ home now?

5 우리는 좋은 식당을 찾을 수 있을 것이다.
(find) *시제 주의

→ We ________ ________ ________ ________ ________ a good restaurant.

| 오류 수정 |

[6~10] 어법상 또는 의미상 틀린 부분을 찾아 바르게 고쳐 쓰시오.

6 Jiho can plays soccer well.
(지호는 축구를 잘 할 수 있다.)

_______________ → _______________

7 The baby doesn't able to walk yet.
(그 아기는 아직 걸을 수 없다.)

_______________ → _______________

8 You will can cook for your friends.
(너는 네 친구들을 위해 요리를 할 수 있을 것이다.)

_______________ → _______________

9 May I opening the window?
(제가 창문을 열어도 될까요?)

_______________ → _______________

10 The child be able to read French.
(그 아이는 프랑스어를 읽을 수 있다.)

_______________ → _______________

| 문장 전환 |

[11~15] 주어진 문장을 지시에 맞게 바꿔 쓰시오.

11 부정문으로 바꿀 것

You may take this umbrella.

→ _______________

12 의문문으로 바꿀 것

She can dance well.

→ _______________

13 may를 사용하여 의미가 같도록 바꿔 쓸 것

You can stay in this room.

→ _______________

14 be able to를 사용하여 의미가 같도록 바꿔 쓸 것

This robot can do many things.

→ _______________

15 will을 추가하여 미래 표현으로 바꿀 것

We can see stars in the sky.

→ _______________

Unit 2

must, have to, should

| must |

1 조동사 must는 의무, 금지, 강한 추측의 의미를 나타낸다.

must	필요, 의무 (~해야 한다)	You **must** follow the rules.	너는 규칙을 따**라야 한다**.
	강한 추측 (~임에 틀림없다)	He **must** be rich.	그는 부자**임에 틀림없다**.
must not	금지 (~하면 안 된다)	You **must not** ride your bike here.	너는 여기에서 자전거를 타**면 안 된다**.

tips '~일 리가 없다'라는 의미로 강한 부정적 추측을 나타낼 때는 must not이 아니라 can't(cannot)를 쓴다.
He **can't** be rich. 그는 부자일 **리가 없다**.

| have to |

2 have to는 의무를 나타내고, don't have to는 불필요를 나타낸다.

have to	의무 (~해야 한다)	We **have to** stop on the red light. He **has to** wear a seat belt.	우리는 빨간불에서 멈춰**야 한다**. 그는 안전띠를 매**야 한다**.
don't have to	불필요 (~할 필요가 없다)	I **don't have to** hurry. He **doesn't have to** get up early.	나는 서두를 **필요가 없다**. 그는 일찍 일어날 **필요가 없다**.

tips have to는 시제에 따라 형태를 바꿔 쓴다.
I **had to** do that. 나는 그것을 해**야 했다**. 〈과거 표현〉
I **will have to** do that. 나는 그것을 **해야 할 것이다**. 〈미래 표현〉
└ will must (×) *조동사 두 개는 나란히 쓸 수 없다.

주의 의무를 나타내는 must는 have to로 바꿔 쓸 수 있지만, 금지를 나타내는 must not은 don't have to로 바꿔 쓸 수 없다.

You **must** go now. 너는 지금 가**야 한다**.
= You **have to** go now.

You **must not** go now. 너는 지금 가**면 안 된다**.
≠ You **don't have to** go now. 너는 지금 갈 **필요가 없다**.

| should |

3 조동사 should는 도덕적 의무를 나타내거나 충고할 때 쓴다.

도덕적 의무 (~해야 한다)	You **should** listen to your parents.	너는 부모님 말씀을 들어**야 한다**.
충고 (~하는 게 좋겠다)	You **should** take this medicine. You **should not(shouldn't)** go there.	너는 이 약을 먹**는 게 좋겠다**. 너는 거기에 가지 **않는 게 좋겠다**.

✔ 바로 개념 확인하기

A 밑줄 친 조동사의 알맞은 의미 고르기

1 I must write a book report.
☐ 의무 ☐ 추측

2 The lion must be hungry.
☐ 금지 ☐ 추측

3 Kate has to wait for her parents.
☐ 의무 ☐ 추측

4 You should drink a lot of water.
☐ 충고 ☐ 추측

5 You must not bring your pet here.
☐ 금지 ☐ 불필요

6 He doesn't have to call his mom now.
☐ 금지 ☐ 불필요

B 밑줄 친 부분의 알맞은 의미 고르기

1 Mia must do her homework.
☐ 할 필요가 없다 ☐ 해야 한다

2 He must be busy this morning.
☐ 바쁜 게 틀림없다 ☐ 바쁜 게 좋겠다

3 She has to exercise every day.
☐ 운동한 것이 틀림없다 ☐ 운동해야 한다

4 You shouldn't run indoors.
☐ 뛰면 안 된다 ☐ 뛸 필요가 없다

5 You must not park here.
☐ 주차하면 안 된다 ☐ 주차할 필요가 없다

6 I don't have to go to school today.
☐ 가면 안 된다 ☐ 갈 필요가 없다

서술형 기본 유형 익히기

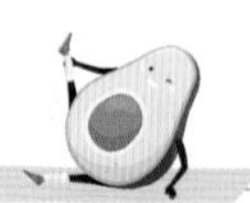

| 문장 완성 |

[1~5] 우리말과 일치하도록 알맞은 조동사와 주어진 말을 사용하여 문장을 완성하시오.

1 우리는 여기에서 줄을 서야 한다.
(stand)

→ We __________ __________ in line here.

2 그녀는 똑똑한 게 틀림없다.
(be)

→ She __________ __________ smart.

3 너는 부모님께 거짓말하면 안 된다.
(lie)

→ You __________ __________ __________ to your parents.

4 그들은 진실을 알 필요가 없다.
(know)

→ They __________ __________ __________ __________ the truth.

5 너는 이번 주말에 캠핑하러 가지 않는 게 좋겠다.
(go camping)

→ You __________ __________ __________ __________ this weekend.

| 배열 영작 |

[6~10] 우리말과 일치하도록 주어진 말을 배열하여 문장을 완성하시오.

6 우리는 도서관에서 조용히 해야 한다.
(must, quiet, be, we)

→ ______________________ in the library.

7 너는 박물관 안에서 사진을 찍으면 안 된다.
(not, you, take pictures, must)

→ ______________________ in the museum.

8 그들은 내일 일찍 떠나야 할 것이다.
(will, have, they, leave, to)

→ ______________________ early tomorrow.

9 그녀는 하루 종일 집에 있어야 했다.
(had, at home, she, stay, to)

→ ______________________ all day long.

10 우리는 그의 충고를 듣는 게 좋겠다.
(should, we, listen to)

→ ______________________ his advice.

| 오류 수정 |

[11~13] 어법상 틀린 부분을 찾아 바르게 고쳐 쓰시오.

11 You don't must cross here.
(너는 여기에서 건너면 안 된다.)

______________ → ______________

12 He have to go now.
(그는 지금 가야 한다.)

______________ → ______________

13 He must is hungry.
(그는 배가 고픈 게 틀림없다.)

______________ → ______________

| 문장 전환 |

[14~15] 주어진 문장을 지시에 맞게 바꿔 쓰시오.

14 have to를 사용하여 의미가 같도록 바꿔 쓸 것

We must study for the exam.

→ ______________________

15 부정문으로 바꿀 것

Sam has to finish his homework today.

→ ______________________

기출에서 뽑은

난이도별 서술형 문제

기 본

01 우리말과 일치하도록 빈칸에 알맞은 조동사를 쓰시오.

(1) 지수는 자전거를 탈 수 있다.
→ Jisu ________ ride a bike.

(2) 너는 오렌지 주스를 마시는 게 좋겠다.
→ You ________ drink orange juice.

(3) 그는 오늘밤에 너에게 전화할지도 모른다.
→ He ________ call you tonight.

02 우리말과 일치하도록 have to와 주어진 말을 사용하여 문장을 완성하시오.

(1) James는 일찍 자야 한다. (go to bed)
→ ____________________ early.

(2) 너는 그것에 대해 걱정할 필요가 없다. (worry)
→ ____________________ about that.

03 두 문장의 의미가 같도록 빈칸에 알맞은 말을 쓰시오.

(1) He must eat healthy food.
= He ________ ________ eat healthy food.

(2) Yuri is able to play the violin.
= Yuri ________ ________ the violin.

04 표지판을 보고, 조건에 맞게 문장을 완성하시오.

(1) (2)

조건 1. may나 must를 한 번씩 사용할 것
2. ride your bike와 take pictures를 쓸 것

(1) You ____________________ here.

(2) You ____________________ here.

05 어법상 또는 의미상 틀린 부분을 찾아 바르게 고쳐 쓰시오.

(1) She must finish her report yesterday.
(그녀는 어제 그녀의 보고서를 끝내야 했다.)

________ → ________

(2) He should be a thief.
(그는 도둑임에 틀림없다.)

________ → ________

심 화

06 밑줄 친 부분을 문맥에 맞게 고쳐 쓰시오.

(1) Today is cool. Jake must turn on the air conditioner.

→ ________

(2) I missed the last bus yesterday. So, I have to walk home.

→ ________

07 감기에 걸렸을 때 해야 할 일을 should를 사용하여 충고하는 말이 되도록 쓰시오.

- Get enough rest.
- Take some medicine.
- Don't drink cold water.

(1) You ____________________.

(2) You ____________________.

(3) You ____________________.

08 밑줄 친 우리말과 일치하도록 알맞은 조동사와 주어진 말을 사용하여 문장을 쓰시오.

Dad It's almost dinnertime. (1) 너는 배가 고픈 게 틀림없어.
Judy I had two hamburgers 10 minutes ago. I'm full.
Dad Really? (2) 그러면 너는 저녁을 먹을 필요가 없네.

(1) ________________ (hungry)

(2) ________________ then. (eat dinner)

신유형
09 각 상자에서 알맞은 말을 하나씩 골라 대화를 완성하시오.

must may	come late be proud

(1) A Why isn't Jenny at this club meeting?
B I don't know. She ________________.

(2) A My sister won the singing contest.
B Congratulations! You ________________ of her.

고난도
10 어법상 틀린 문장 두 개를 골라 기호를 쓰고, 바르게 고쳐 문장을 다시 쓰시오.

ⓐ He has to study math.
ⓑ Mary may wants a teddy bear.
ⓒ She don't have to come early.
ⓓ You may not enter this building now.
ⓔ I will be able to pass the exam.

( ) → ________________

( ) → ________________

함정이 있는 문제

01 주어진 문장을 어법에 맞게 고쳐 다시 쓰시오.

My mom cans make cakes.

→ ________________

✔ 조동사의 형태는 변하지 않는다!
주어가 3인칭 단수이더라도 조동사는 형태가 변하지 않으므로 cans로 쓰지 않는다. 일반동사와 be동사는 주어의 인칭과 수에 따라 형태가 변하지만 조동사는 형태가 변하지 않는다는 것에 주의한다.

02 우리말과 일치하도록 |보기|에서 알맞은 말을 골라 올바른 형태로 쓰시오.

|보기| must have to can should

그는 어제 그 탁자를 옮겨야 했다.
→ He ________________ move the table yesterday.

✔ 조동사의 시제 표현에 주의하자!
'~해야 한다'는 의미로 must와 have to 둘 다 쓸 수 있지만, 과거 또는 미래를 나타낼 때는 have to를 활용하여 had to 또는 will have to로 써야 한다.

03 표지판과 일치하도록 |보기|에서 알맞은 말을 골라 문장을 완성하시오.

|보기| must not don't have to

You ________________ here. (swim)

✔ don't have to는 '금지'를 나타내지 않는다!
have to는 의무를 나타내는 must와 의미가 같지만, 부정형인 don't have to는 '불필요'를 나타내고 must not은 '금지'를 나타낸다. 따라서 문맥에 따라 필요한 표현을 쓸 수 있어야 한다.

시험에 강해지는

실전 TEST

시험일	월 일
시간	/ 40분
문항 수	객관식 10 / 서술형 10
점수	/ 100점

01 같은 의미가 되도록 밑줄 친 부분과 바꿔 쓸 수 있는 것은? (3점)

He is able to speak three languages.

① will ② can ③ may
④ must ⑤ should

02 표지판의 의미로 알맞은 것을 모두 고르면? (4점)

① Use a selfie stick.
② You can't use a selfie stick.
③ You must not use a selfie stick.
④ You should use a selfie stick.
⑤ You don't have to use a selfie stick.

03 빈칸에 공통으로 들어갈 말은? (3점)

• You ________ use this room.
(너는 이 방을 사용해도 된다.)
• They ________ be in the library now.
(그들은 지금 도서관에 있을지도 모른다.)

① can ② may
③ should ④ have to
⑤ are able to

04 밑줄 친 can의 의미가 나머지와 다른 것은? (4점)

① Peter can run fast.
② They can swim well.
③ I can play the drums.
④ My mother can drive.
⑤ You can go out and play.

05 우리말을 영어로 잘못 옮긴 것은? (3점)

① 그것은 사실임이 틀림없다.
→ That must be true.
② 우리는 곧 떠나야 한다.
→ We have to leave soon.
③ 너는 부모님께 거짓말하면 안 된다.
→ You should not lie to your parents.
④ 너는 지금 휴대 전화를 사용하면 안 된다.
→ You can't use your cell phone now.
⑤ 너는 시험에 대해 걱정할 필요가 없다.
→ You must not worry about the test.

06 |보기|의 밑줄 친 부분과 의미가 같은 것은? (4점)

|보기| Something must be wrong.

① They must be doctors.
② We must save the earth.
③ All visitors must leave now.
④ You must follow the traffic rules.
⑤ We must be careful on the beach.

07 어법상 틀린 문장을 모두 고르면? (4점)

① You must do your best.
② She had to tell the truth.
③ It may not be a good idea.
④ The monkey can climbs trees.
⑤ She will must visit her grandparents.

08 대화의 빈칸에 알맞은 것은? (5점)

A Should I buy movie tickets?
B No, you ________. I already bought the tickets.

① will ② can't
③ should ④ must
⑤ don't have to

고난도
09 어법상 올바른 것끼리 묶인 것은? (6점)

ⓐ Andrew can't dance well.
ⓑ Can you able to play *baduk*?
ⓒ She should go to the doctor.
ⓓ It may not rain tomorrow.
ⓔ You have to not leave the room now.

① ⓐ, ⓒ ② ⓐ, ⓓ
③ ⓒ, ⓔ ④ ⓐ, ⓒ, ⓓ
⑤ ⓑ, ⓒ, ⓔ

신유형
10 수영장에서 지켜야 할 규칙을 나타낸 표지판에 대한 설명 중 빈칸 ⓐ~ⓔ에 들어갈 수 없는 것은? (4점)

	You ___ⓐ___ run.
	You ___ⓑ___ dive.
	You ___ⓒ___ wear a swimsuit.
	You ___ⓓ___ eat food.
	You ___ⓔ___ take a shower before entering the pool.

① ⓐ must not ② ⓑ don't have to
③ ⓒ must ④ ⓓ cannot
⑤ ⓔ have to

서술형

[서술형 1] 우리말과 일치하도록 알맞은 조동사와 주어진 말을 사용하여 문장을 완성하시오. (6점, 각 3점)

(1) Jane은 지금 바쁜 게 틀림없다. (be)
→ Jane ________ ________ busy now.

(2) 낙타는 모래 위에서 빨리 달릴 수 있다. (able, run)
→ Camels ________ ________ ________ ________ fast on the sand.

[서술형 2] 괄호 안의 말을 바르게 배열하여 문장을 완성하시오. (4점)

A I'm going to be late for the movie. (to, don't, wait, you, have) for me.
B Okay. I'll meet you inside the theater.

→ ________________________ for me.

[서술형 3] 우리말과 일치하도록 알맞은 조동사와 주어진 말을 사용하여 문장을 쓰시오. (6점, 각 3점)

(1) 너는 컴퓨터 게임을 해도 된다. (play computer games)
→ ________________________

(2) 그는 구명조끼를 입어야 했다. (wear a life vest)
→ ________________________

신유형
[서술형 4] 밑줄 친 조동사를 달라진 상황에 맞게 바꿔 쓰시오. (5점)

You are late. You <u>must</u> take a taxi.
→ You are not late. You ____________ take a taxi.

신유형

[서술형 5] 주어진 문장을 지시에 맞게 바꿔 쓰시오. (6점, 각 3점)

She must return the book.

(1) have to를 사용하여 의미가 같도록 바꿔 쓸 것

→ ______________________

(2) (1)의 문장을 부정문 형태로 바꿀 것

→ ______________________

[서술형 6] |보기|에서 빈칸에 알맞은 조동사를 골라 대화를 완성하시오. (6점, 각 3점)

|보기| may　　must　　should

A Whose coat is this?
B I don't know. It (1) ________ be Amy's.
C No, it (2) ________ be Ann's. She was wearing this coat this morning.

[서술형 7] 지하철 예절을 나타낸 그림을 보고, |보기|에서 알맞은 말을 골라 must를 사용하여 문장을 완성하시오. (12점, 각 3점)

(1) 

(2) 

(3) 

(4) 

|보기| take　　wait　　run　　speak

(1) You ______________ on an escalator.

(2) You ______________ in line.

(3) You ______________ loudly.

(4) You ______________ pictures of other people.

[서술형 8] 어법상 틀린 부분을 찾아 바르게 고쳐 쓰시오. (4점, 각 2점)

(1) Minha don't have to go to the store.
(민하는 그 가게에 갈 필요가 없다.)

__________ → __________

(2) William is able to dances very well.
(William은 춤을 매우 잘 출 수 있다.)

__________ → __________

[서술형 9~10] 다음 대화를 읽고, 물음에 답하시오.

A It's already five o'clock. We ___ⓐ___ be late for the concert. Let's hurry!
B Look. A bus is coming. We ___ⓑ___ take it.
A Wait, Taeho! (A) 우리는 저 버스를 타지 않는 게 좋겠어.
B Why not?
A It's rush hour now. There must be a traffic jam.

*rush hour 혼잡 시간　*a traffic jam 교통 체증

[서술형 9] 위 대화의 빈칸 ⓐ와 ⓑ에 알맞은 조동사를 |보기|에서 골라 쓰시오. (6점, 각 3점)

|보기| should　　may

ⓐ __________　ⓑ __________

고난도

[서술형 10] 위 대화의 밑줄 친 우리말 (A)와 일치하도록 조건에 맞게 쓰시오. (5점)

조건 take that bus를 사용하여 총 6단어로 쓸 것

→ ______________________

CHAPTER

의문사

Unit 1 who, what, which

Unit 2 when, where, why, how

의문사는 '누가', '언제', '어디서', '무엇을', '어떻게', '왜'처럼 구체적인 정보를 물을 때 쓰는 말이다.

who	**Who** saw the dog? **누가** 그 개를 봤니?
when	**When** did you lose your dog? 너는 **언제** 네 개를 잃어버렸니?
where	**Where** did you lose your dog? 너는 **어디서** 네 개를 잃어버렸니?

who, what, which

| 의문사가 있는 의문문 |

1 의문사는 문장 맨 앞에 쓰고, 의문사가 있는 의문문에는 Yes나 No로 대답하지 않는다.

의문사가 없는 의문문	A Is she your sister? B Yes, she is. / No, she isn't.	그녀는 네 여동생이니? 응, 그래. / 아니, 그렇지 않아.
의문사가 있는 의문문	A **Who** is she? B She is my sister.	그녀는 **누구**니? 그녀는 내 여동생이야.

| who, whom, whose |

2 사람에 대해 물을 때는 who, whom을 쓰고, 소유를 물을 때는 whose를 쓴다.

who (누구, 누가)	**Who** is that man? **Who** teaches English?	저 남자는 **누구**니? **누가** 영어를 가르치니?
whom (누구를)	**Who(m)** do you like? *구어체에서는 whom 대신 who를 주로 쓴다.	너는 **누구를** 좋아하니?
whose (누구의)	**Whose** book is this?	이것은 **누구의** 책이니?

주의 일반동사가 있는 의문문에서 의문사가 주어로 쓰일 때는 3인칭 단수 취급한다.

Who **plays** the piano? 누가 피아노를 치니? (play (×))

Who **made** this dress? 누가 이 드레스를 만들었니? (did make (×))

| what, which |

3 사물에 대해 물을 때는 what과 which를 쓴다.

what	무엇	**What** is your favorite color? **What** did you do yesterday?	네가 가장 좋아하는 색깔은 **무엇**이니? 너는 어제 **무엇**을 했니?
	무슨 ~	**What** color is your bag? **What** kind of music do you like?	네 가방은 **무슨** 색깔이니? 너는 **무슨** 종류의 음악을 좋아하니?
which	어느 것	**Which** is your bag? **Which** do you prefer, summer or winter?	네 가방은 **어느 것**이니? 너는 여름과 겨울 중에서 **어느 것**을 더 좋아하니?
	어떤 ~	**Which** season do you like most? **Which** bag did you buy, the red one or the blue one?	너는 **어떤** 계절을 가장 좋아하니? 너는 빨간 것과 파란 것 중에서 **어떤** 가방을 샀니?

tips 정해진 범위 없이 물을 때는 what, 정해진 범위가 있는 선택을 물을 때는 which를 쓴다.

✔ 바로 개념 확인하기

A 알맞은 의문사 고르기

1 ______ is your favorite singer?
☐ Who ☐ Whose

2 ______ kind of sports does Bill like?
☐ Who ☐ What

3 ______ is Semi's umbrella, this one or that one?
☐ Whose ☐ Which

B 우리말과 일치하도록 알맞은 의문사 쓰기

1 너는 영화 축제에서 무엇을 봤니?
→ ______ did you see at the film festival?

2 누가 그 문제를 풀 수 있니?
→ ______ can solve the problem?

3 이것은 누구의 운동화니?
→ ______ sneakers are these?

4 너는 고기와 생선 중에서 어떤 것을 더 좋아하니?
→ ______ do you prefer, meat or fish?

C 밑줄 친 부분을 묻는 알맞은 의문사 쓰기

1 A ______ is your best friend?
B Alice is my best friend.

2 A ______ birthday is today?
B Today is my sister's birthday.

3 A ______ does your brother need?
B He needs a computer.

4 A ______ will she drink, milk or juice?
B She will drink milk.

서술형 기본 유형 익히기

| 문장 완성 |

[1~5] 우리말과 일치하도록 주어진 말을 활용하여 문장을 완성하시오.

1 누가 아이스크림을 원하니?
(want)

→ ______ ______ ice cream?

2 이것은 누구의 연필이니?
(pencil)

→ ______ ______ is this?

3 너는 아침 식사로 무엇을 먹었니?
(have) *시제 주의

→ ______ ______ ______
______ for breakfast?

4 그녀는 무슨 과목을 가르치니?
(subject)

→ ______ ______ ______
______ teach?

5 그는 초록색과 노란색 중에서 어떤 색깔을 더 좋아하니?
(color, prefer)

→ ______ ______ ______
______ ______, green or yellow?

| 배열 영작 |

[6~10] 우리말과 일치하도록 주어진 말을 배열하여 쓰시오.

6 누가 과학을 좋아하니?
(likes, science, who)

→ ______________________

7 이것은 누구의 노트북이니?
(this, laptop, is, whose)

→ ______________________

8 너는 내일 누구를 만날 거니?
(meet, will, tomorrow, whom, you)

→ ______________________

9 너는 무슨 종류의 영화를 더 좋아하니?
(movies, prefer, do, kinds, what, of, you)

→ ______________________

10 그녀는 바이올린과 첼로 중에서 어떤 것을 연주했니?
(or, she, the violin, play, the cello, did, which)

→ ______________________

| 오류 수정 |

[11~15] 어법상 틀린 부분을 찾아 바르게 고쳐 쓰시오.

11 Who know his phone number?
(누가 그의 전화번호를 아니?)

__________ → __________

12 Whom are these girls in this picture?
(이 사진에 있는 이 여자아이들은 누구니?)

__________ → __________

13 Who cell phone is this?
(이것은 누구의 휴대 전화니?)

__________ → __________

14 What did she studied yesterday?
(그녀는 어제 무엇을 공부했니?)

__________ → __________

15 What hat will you wear, this one or that one?
(너는 이것과 저것 중에서 어떤 모자를 쓸 거니?)

__________ → __________

Unit 2

when, where, why, how

| when, where, why, how |

1 when은 시간이나 때, where는 장소, why는 이유, how는 상태나 방법, 수단을 물을 때 쓴다.

when	언제	**When** is your birthday? **When** does the movie start?	네 생일이 **언제**니? 그 영화는 **언제** 시작하니?
where	어디에, 어디서	**Where** do you live? **Where** is she from?	너는 **어디에** 사니? 그녀는 **어디** 출신이니?
why	왜	**Why** are you angry? **Why** did you come home late?	너는 **왜** 화가 나니? 너는 **왜** 늦게 집에 왔니?
how	어떠한, 어떻게	**How** is the weather today? **How** can I get to the museum?	오늘 날씨가 **어떠**니? 박물관에 **어떻게** 가니?

주의 why로 이유를 물을 때는 보통 because로 답한다.
A Why were you late for school? 너는 왜 학교에 늦었니?
B **Because** I got up late. 늦게 일어났기 때문이에요.

tips 구체적인 시각을 물을 때는 when 대신 what time을 쓸 수 있다.
What time does the movie start? 그 영화는 **몇 시에** 시작하니?

| how+형용사/부사 |

2 「How+형용사/부사」는 '얼마나 ~한/하게'라는 의미로 정도나 수치를 물을 때 쓴다.

how old	몇 살의	**How old** are you?	너는 **몇 살**이니?
how tall	얼마나 키가 큰/ 얼마나 높이가 높은	**How tall** is he? **How tall** is the building?	그는 **키가 얼마나** 되니? 그 건물은 **높이가 얼마나** 되니?
how long	얼마나 긴/ 얼마나 오래	**How long** is this river? **How long** will you stay here?	이 강은 **길이가 얼마나** 되니? 너는 **얼마나 오래** 여기에 머물 거니?
how far	얼마나 먼	**How far** is the bakery from here?	빵집은 여기에서 **얼마나 머**니?
how often	얼마나 자주	**How often** do you exercise?	너는 **얼마나 자주** 운동을 하니?
how much	(가격이) 얼마의	**How much** is this skirt?	이 치마는 (가격이) **얼마**니?
how many + 셀 수 있는 명사	얼마나 많은 (수의)	**How many books** are there in your bag?	네 가방에는 책이 **몇** 권 있니?
how much + 셀 수 없는 명사	얼마나 많은 (양의)	**How much sugar** do you need?	너는 설탕이 **얼마나** 필요하니?

✔ 바로 개념 확인하기

A 알맞은 의문사에 동그라미 하기

1 A (When / Where) is her cap?
B It's on the table.

2 A (Why / How) do you like Tony?
B Because he is kind.

3 A How (much / many) legs does an ant have?
B It has six legs.

B 우리말과 일치하도록 알맞은 의문사 쓰기

1 그녀는 학교에 어떻게 가니?
→ ________ does she go to school?

2 너는 왜 슬프니?
→ ________ are you sad?

3 이 바지는 얼마니?
→ ________ ________ are these pants?

4 한강은 길이가 얼마나 되니?
→ ________ ________ is the Han River?

C 밑줄 친 부분을 묻는 알맞은 의문사 쓰기

1 A ________ did you have lunch?
B I had lunch at home.

2 A ________ ________ is Mina?
B She is 13 years old.

3 A ________ does the train leave?
B It leaves at 4 o'clock.

4 A ________ did he go home early?
B Because he had a headache.

서술형 기본 유형 익히기

| 문장 완성 |

[1~5] 우리말과 일치하도록 주어진 말을 활용하여 문장을 완성하시오.

1 너는 그를 언제 봤니?
(see) *시제 주의

→ ________ ________ you ________ him?

2 너는 왜 개를 좋아하니?
(like)

→ ________ ________ ________
________ dogs?

3 너는 그 귀걸이를 어디서 샀니?
(buy) *시제 주의

→ ________ ________ ________
________ those earrings?

4 너의 반에는 학생들이 몇 명 있니?
(student) *복수 명사 주의

→ ________ ________ ________ are there
in your class?

5 공원은 여기에서 얼마나 머니?
(be, the park)

→ ________ ________ ________
________ ________ from here?

| 배열 영작 |

[6~10] 우리말과 일치하도록 주어진 말을 배열하여 쓰시오.

6 그 수업은 언제 끝나니?
(the class, when, end, does)

→ ______________________

7 너는 얼마나 자주 네 방을 청소하니?
(do, how, clean, often, you, your room)

→ ______________________

8 그 기차는 왜 늦게 도착했니?
(did, why, arrive late, the train)

→ ______________________

9 너는 오늘 어디에서 저녁을 먹을 거니?
(you, dinner, will, have, where, today)

→ ______________________

10 이 꽃들은 얼마인가요?
(much, are, these flowers, how)

→ ______________________

| 오류 수정 |

[11~15] 어법상 틀린 부분을 찾아 바르게 고쳐 쓰시오.

11 How you go home?
(너는 집에 어떻게 가니?)

__________ → __________

12 Where they are from?
(그들은 어디 출신이니?)

__________ → __________

13 How is far the store from here?
(그 가게는 여기에서 얼마나 머니?)

__________ → __________

14 How much hours do you study every day?
(너는 매일 몇 시간 공부하니?)

__________ → __________

15 How often does Sam and Jim go to the library?
(Sam과 Jim은 얼마나 자주 도서관에 가니?)

__________ → __________

기출에서 뽑은

난이도별 서술형 문제

기 본

01 우리말과 일치하도록 빈칸에 알맞은 말을 쓰시오.

(1) 네가 가장 좋아하는 계절은 무엇이니?
→ ________ is your favorite season?

(2) 그 영화는 어땠니?
→ ________ was the movie?

(3) 너는 방과 후에 어디에 갈 거니?
→ ________ will you go after school?

02 |보기|에서 알맞은 말을 골라 대화를 완성하시오.

|보기| how often　how much　how old

(1) A ________ ________ water do you drink every day?
B I drink about two bottles.

(2) A ________ ________ is your brother?
B He's ten years old.

(3) A ________ ________ do you visit your grandparents?
B I visit them three times a month.

03 주어진 말을 배열하여 대화를 완성하시오.

A ________________ Son Heungmin?
(tall, how, is)
B He's 183 cm tall.

04 우리말과 일치하도록 주어진 말을 사용하여 문장을 완성하시오.

(1) 너는 무슨 종류의 운동을 하니? (kind, exercise)
→ ________________ do you do?

(2) 너는 얼마나 자주 수영하러 가니? (go)
→ ________________ swimming?

05 어법상 틀린 부분을 찾아 바르게 고쳐 쓰시오.

(1) Whom is that girl?
(저 여자아이는 누구니?)
________ → ________

(2) What are your phone number?
(너의 전화번호는 무엇이니?)
________ → ________

심 화

신유형

06 |보기|에서 필요한 말만 골라 대답에 알맞은 질문을 쓰시오.

(1) |보기| are　is　birthday　when　what　your

A ________________
B It's October 15.

(2) |보기| why　where　the singer　do　like　you　the song

A ________________
B Because he is handsome.

07 입국심사장에서의 대화를 읽고, 빈칸에 알맞은 의문사를 써서 대화를 완성하시오.

A ________ is the purpose of your visit?
B I'm on vacation.
A ________ will you stay?
B I'll stay at Star Hotel.
A ________ ________ will you stay?
B I'll stay for a week.

*purpose 목적

08 Emma에 관한 정보를 보고, 대화를 완성하시오.

- 이름: Emma Martin
- 출신 국가: 프랑스
- 나이: 14세
- 좋아하는 과목: 역사

A ________ ________ her name?
B Her name is Emma Martin.
A ________ ________ she from?
B She's from France.
A ________ ________ ________ she?
B She's 14 years old.
A ________ ________ her favorite subject?
B Her favorite subject is history.

고난도

09 밑줄 친 부분이 어법상 틀린 문장 두 개를 골라 기호를 쓰고, 틀린 부분을 바르게 고쳐 쓰시오.

ⓐ Where is your school?
ⓑ Whom broke the window?
ⓒ What time do you get up?
ⓓ How far will you stay in Seoul?
ⓔ How many rulers do you have?

(　　) → ________________
(　　) → ________________

10 |예시|와 같이 밑줄 친 부분을 묻는 의문문을 완전한 문장으로 쓰시오.

|예시| A Where is her backpack?
B It is under the desk.

(1) A ________________
B Jenny ate the salad.

(2) A ________________
B He went to the museum yesterday.

함정이 있는 문제

01 |보기|에서 필요한 말만 골라 우리말과 일치하도록 문장을 쓰시오.

|보기| made was did make cake this who whom

누가 이 케이크를 만들었니?
→ ________________

✔ 의문사가 주어일 때, 의문사 바로 뒤에 동사를 쓴다!
의문사가 주어일 경우, 의문문을 만들 때 쓰는 do/does/did를 쓰지 않는다. 그러므로 who did make로 쓰지 않도록 주의한다.

02 주어진 말과 알맞은 의문사를 사용하여 문장을 완성하시오.

________________, the cake or the fruit? (dessert, do, want, you)

✔ 정해진 범위 안에서 고를 때는 which를 써야 한다!
정해진 범위 안에서 하나를 선택할 때는 의문사 which를 써야 하며, 정해진 범위가 없으면 의문사 what을 쓴다.

03 대화를 읽고, 밑줄 친 부분이 어법상 틀린 것을 찾아 바르게 고쳐 쓰시오.

A What did you do last Saturday?
B I went to a K-pop concert with Amy.
A What time did the concert start?
B It started at 6 o'clock.
A How long was the concert hall?
B It was not far from here.

________ → ________

✔ How 뒤에 어떤 형용사나 부사가 오는지 확인하자!
how는 뒤에 어떤 형용사나 부사가 오는지에 따라 뜻이 달라지므로, 대답에 맞는 형용사나 부사를 써야 한다. how long은 길이나 기간을 물을 때 쓰고 거리를 물을 때는 how far를 쓴다.

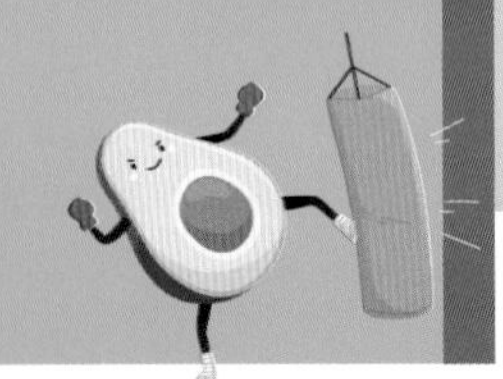

시험에 강해지는

실전 TEST

시험일	월	일
시간		/ 40분
문항 수	객관식 10 / 서술형 10	
점수		/ 100점

01 빈칸에 공통으로 들어갈 말은? (3점)

- ________ are those people?
- ________ did you invite?

① Who ② What ③ Whom
④ Whose ⑤ Which

02 빈칸에 알맞은 말이 순서대로 짝지어진 것은? (4점)

- How ________ do you eat fast food?
- How ________ is the library from here?

① tall – old ② often – far
③ old – far ④ often – long
⑤ old – long

03 그림을 보고, 여자가 할 말로 자연스러운 것을 모두 고르면? (4점)

① What is the subway station?
② Where is the subway station?
③ How can I get to the subway station?
④ Why do you go to the subway station?
⑤ When do you go to the subway station?

04 같은 의미가 되도록 밑줄 친 부분과 바꿔 쓸 수 있는 것은? (3점)

<u>What time</u> did you go to bed last night?

① Whom ② What ③ When
④ Where ⑤ Which

05 주어진 대답에 알맞은 질문은? (4점)

A ______________________
B I bought it at the department store.

① How much was your new bag?
② Where did you buy your new bag?
③ How many bags did you buy?
④ How did you go to the department store?
⑤ What did you buy at the department store?

06 대화가 자연스럽지 <u>않은</u> 것은? (3점)

① A Where does she live?
B She lives in Ulsan.
② A How are your grandparents?
B They're fine.
③ A When should we leave?
B We should leave at 3 o'clock.
④ A How far is the river?
B It's 200 kilometers long.
⑤ A Which season do you prefer, spring or fall?
B I prefer spring.

07 어법상 올바른 문장을 <u>모두</u> 고르면? (4점)

① What are you tired?
② Who is your math teacher?
③ When does the game starts?
④ How do often you exercise?
⑤ Which do you want, milk or water?

08 대화의 빈칸에 알맞은 것은? (4점)

A Listen to this song. What do you think?
B It's great. I like the guitar part. ________ the guitar?
A James Park.

① Who play ② Who plays
③ Whom play ④ Whom plays
⑤ Who does play

신유형
09 밑줄 친 ⓐ~ⓔ를 잘못 고친 것은? (5점)

- Who ⓐteach math?
- Whose dog ⓑare this?
- Why ⓒdid you so angry?
- How ⓓmany butter do you need?
- ⓔWhom is your homeroom teacher?

① ⓐ → teaches ② ⓑ → is
③ ⓒ → do ④ ⓓ → much
⑤ ⓔ → Who

신유형 고난도
10 빈칸에 들어갈 말이 같은 것끼리 묶인 것을 모두 고르면? (6점)

- A ___ⓐ___ will water the flowers today?
  B I'll do it.
- A ___ⓑ___ many tickets do you need?
  B I need two tickets.
- A ___ⓒ___ made these cookies?
  B Sora made them.
- A ___ⓓ___ kind of exercise do you do?
  B I do yoga.
- A ___ⓔ___ does your dad go to work?
  B He takes the bus to work.

*water 물 주다

① ⓐ, ⓒ ② ⓐ, ⓔ ③ ⓑ, ⓒ
④ ⓑ, ⓔ ⑤ ⓒ, ⓓ

서술형

[서술형 1] 그림을 보고, 빈칸에 알맞은 말을 써서 문장을 완성하시오. (6점, 각 3점)

(1) (2)

(1) A ________ ________ is the pencil case?
B It's five dollars.

(2) A ________ ________ does he go to school?
B It's at 8 o'clock.

[서술형 2] 빈칸에 알맞은 말을 써서 대화를 완성하시오. (6점, 각 3점)

(1) A ________ car is that?
B It's my mother's.

(2) A ________ ________ should we wait?
B We should wait for about an hour.

[서술형 3] 우리말과 일치하도록 주어진 말을 활용하여 문장을 완성하시오. (6점, 각 3점)

(1) 누가 그 개에게 먹이를 주니? (feed)
→ ________________ the dog?

(2) 너는 언제 저녁을 먹니? (have)
→ ________________ dinner?

[서술형 4] 우리말과 일치하도록 주어진 말을 배열하여 쓰시오. (6점, 각 3점)

(1) 누가 설거지를 할 거니? (wash, who, the dishes, will)
→ ________________

(2) 너는 파란색과 빨간색 중에서 어느 색을 더 좋아하니? (you, prefer, blue, which, red, do, color, or)
→ ________________

[서술형 5] 주어진 대답의 밑줄 친 부분을 묻는 의문문을 완전한 문장으로 쓰시오. (6점, 각 3점)

(1) A ______________________________
B I will go there tomorrow.

(2) A ______________________________
B I brush my teeth three times a day.

신유형

[서술형 6] 여름 축제에 관한 글을 읽고, 알맞은 말을 써서 대화를 완성하시오. (9점, 각 3점)

Water Fun Festival
You can enjoy water slides and water-gun fighting.
Don't miss it!
Place: Haeundae Beach
Date: July 15
Time: 10 a.m. to 6 p.m.
Ticket Price: $10

(1) A ________ ________ the festival?
B It's at Haeundae Beach.

(2) A ________ ________ ________ the festival ________?
B It starts at 10 a.m.

(3) A ________ ________ ________ tickets?
B They're 10 dollars.

신유형

[서술형 7] 한 학생이 수업 시간에 발표한 내용을 보고, 학생이 영작한 문장에서 틀린 부분을 찾아 바르게 고쳐 쓰시오. (4점)

'그녀는 왜 학교에 늦었니?'를 영작하면, 의문사를 사용하여 "How was she late for school?"이 됩니다.

______________ → ______________

[서술형 8] 우리말과 일치하도록 조건에 맞게 문장을 쓰시오. (8점, 각 4점)

(1) 너는 언제 음악을 듣니?

조건 1. listen to music을 활용할 것
2. 총 6단어로 쓸 것

→ ______________________________

(2) 너는 얼마나 많은 수업들을 듣고 있니?

조건 1. class, take를 활용할 것
2. 총 6단어로 쓸 것

→ ______________________________

[서술형 9~10] 다음 대화를 읽고, 물음에 답하시오.

A ⓐ너는 이번 주 토요일에 무엇을 할 거니?
B I'm going to watch a movie. Will you join me?
A Sure. ⓑWhen time should we meet?
B We should meet at 3 o'clock.
A Okay.

고난도

[서술형 9] 위 대화의 밑줄 친 우리말 ⓐ와 일치하도록 조건에 맞게 문장을 쓰시오. (5점)

조건 1. going과 this Saturday를 사용할 것
2. 총 8단어로 쓸 것

→ ______________________________

[서술형 10] 위 대화의 밑줄 친 ⓑ를 어법에 맞게 고쳐 쓰시오. (4점)

→ ______________

CHAPTER

07

to부정사

Unit 1 to부정사의 명사적 용법

Unit 2 to부정사의 형용사적·부사적 용법

to부정사는 「to+동사원형」의 형태로 문장 안에서 명사, 형용사, 부사처럼 쓰인다.

명사적 용법

We want **to play** basketball.
우리는 농구를 **하는 것**을 원한다.

형용사적 용법

We need a place **to play** basketball.
우리는 농구를 **할** 장소가 필요하다.

부사적 용법

We'll go to the playground **to play** basketball.
우리는 농구를 **하기 위해** 운동장에 갈 것이다.

Unit 1

to부정사의 명사적 용법

| to부정사란? |

1 to부정사는 「to+동사원형」의 형태로 쓰고, 문장에서 명사, 형용사, 부사 역할을 한다.

to + read(읽다)
- **읽기, 읽는 것** 〈명사 역할〉
- **읽을** 〈형용사 역할〉
- **읽기 위해** 〈부사 역할〉

| 명사적 용법(주어) |

2 to부정사가 문장에서 주어로 쓰인 경우 '~하는 것은, ~하기는'이라고 해석한다.

To learn English is fun. (주어) 영어를 **배우는 것**은 재미있다.
To play soccer is exciting. 축구를 **하는 것**은 신이 난다.

주의 to부정사가 문장에서 주어로 쓰인 경우, 단수 취급하여 단수 동사를 쓴다.
To eat fresh vegetables is important. 신선한 채소를 먹는 것은 중요하다.
(is ← are (×))

서술형 빈출 to부정사구가 주어로 쓰인 경우, 보통 주어 자리에 가주어 It을 쓰고 to부정사구를 문장 맨 뒤로 보낸다. 이때, to부정사구를 진주어라 하고, 가주어 It은 '그것'이라고 해석하지 않는다.
To make new friends is difficult. 새 친구를 사귀는 것은 어렵다.
→ **It** (가주어) is difficult **to make new friends** (진주어).

| 명사적 용법(보어) |

3 to부정사가 문장에서 보어로 쓰인 경우 '~하기(이다), ~하는 것(이다)'라고 해석한다.

My dream is **to be** a writer. (보어) 내 꿈은 작가가 **되는 것**이다. (my dream = to be a writer)
Her goal is **to enter** university. 그녀의 목표는 대학에 **들어가는 것**이다. (her goal = to enter university)

| 명사적 용법(목적어) |

4 to부정사가 문장에서 목적어로 쓰인 경우 '~하기를, ~하는 것을'이라고 해석한다.

I want **to be** a doctor. (목적어) 나는 의사가 **되기**를 원한다.
He planned **to build** a house. 그는 집을 **짓는 것**을 계획했다.
We decided **to study** hard. 우리는 열심히 **공부하기**로 결심했다.

tips to부정사를 부정할 때는 to부정사 바로 앞에 not이나 never를 쓴다.
We decided **not to go** there. 우리는 거기에 **가지 않기**로 결정했다.

암기 노트 목적어로 to부정사를 쓰는 동사

hope to	~하는 것을 희망하다
expect to	~하는 것을 기대하다
choose to	~하는 것을 선택하다
need to	~하는 것을 필요로 하다
promise to	~하는 것을 약속하다

✔ 바로 개념 확인하기

A 밑줄 친 말의 알맞은 의미 고르기

1 To lie is wrong.
□ 거짓말하다 □ 거짓말하는 것은

2 Emma likes to read webtoons.
□ 웹툰 읽기는 □ 웹툰 읽기를

3 It is dangerous to stay here.
□ 여기에 머무는 것은 □ 여기에 머무는 것을

4 His dream is to climb Mt. Halla.
□ 한라산에 오르기 □ 한라산에 오르기를

B 빈칸에 알맞은 말 고르기

1 Jack decided ________ paper cups.
□ to not use □ not to use

2 ________ the 4D movie was exciting.
□ To watch □ To watches

3 My dream is ________ to Disneyland.
□ go □ to go

4 ________ is important to wash your hands often.
□ It □ That

C |보기|에서 알맞은 말을 골라 형태를 바꿔 쓰기

|보기| help eat learn exercise

1 Yura plans ________ Spanish.

2 I want ________ poor people.

3 My dog needs ________ regularly.

4 It is important ________ breakfast.

서술형 기본 유형 익히기

| 문장 완성 |

[1~5] 우리말과 일치하도록 주어진 말을 활용하여 문장을 완성하시오.

1 내 계획은 새 드론을 사는 것이다.
(buy)

→ My plan ________ ________ ________ a new drone.

2 인터넷 없이 사는 것은 어렵다.
(live)

→ ________ ________ without the Internet ________ difficult.

3 그는 모델이 되고 싶어 한다.
(want, be)

→ He ________ ________ ________ a model.

4 눈사람을 만드는 것은 재미있다.
(make)

→ ________ is fun ________ ________ a snowman.

5 Alex는 어떤 것도 말하지 않겠다고 약속했다.
(promise, say) *시제 주의, not 위치 주의

→ Alex ________ ________ ________ ________ anything.

| 배열 영작 |

[6~9] 우리말과 일치하도록 주어진 말을 배열하여 문장을 완성하시오.

6 나의 아빠는 차를 사는 것을 계획했다.
(buy, planned, my dad, to)

→ ______________ a car.

7 그의 목표는 영화감독이 되는 것이다.
(his goal, to, is, become)

→ ______________ a movie director.

8 우리는 제주도에 가지 않기로 선택했다.
(chose, to, we, not, go) *not 위치 주의

→ ______________ to Jeju-do.

9 해외여행을 하는 것은 신이 난다.
(is, travel, to, abroad)

→ ______________ exciting.

| 오류 수정 |

[10~13] 어법상 틀린 부분을 찾아 바르게 고쳐 쓰시오.

10 To have good friends are wonderful.
(좋은 친구들을 가진다는 것은 굉장하다.)

______________ → ______________

11 We decided to not eat Chinese food.
(우리는 중국 음식을 먹지 않기로 결정했다.)

______________ → ______________

12 This is fun to learn a foreign language.
(외국어를 배우는 것은 재미있다.)

______________ → ______________

13 We promised to are honest with each other.
(우리는 서로 솔직하기로 약속했다.)

______________ → ______________

| 문장 전환 |

[14~15] |예시|와 같이 주어진 문장을 바꿔 쓰시오.

|예시| To go to bed early is good.
→ It is good to go to bed early.

14 To follow school rules is important.

→ It ______________.

15 To play computer games too much is bad.

→ It ______________.

Unit 2

to부정사의 형용사적·부사적 용법

| 형용사적 용법 |

1 to부정사가 형용사처럼 명사나 대명사를 수식할 경우, 명사나 대명사 뒤에 쓰고 '~할'이라고 해석한다.

형용사+(대)명사	We have a **difficult** problem.	우리는 **어려운** 문제가 있다.
(대)명사+to부정사	We have a problem **to solve**.	우리는 **해결해야 할** 문제가 있다.
	I need something **to drink**.	나는 **마실** 무언가가 필요하다.

tips to부정사구에 쓰인 동사가 전치사를 필요로 할 때는 알맞은 전치사를 함께 써야 한다.
He needs a chair **to sit** on. 그는 **앉을** 의자가 필요하다.
She needs a house **to live** in. 그녀는 **살** 집이 필요하다.
I have a pen **to write** with. 나는 **쓸** 펜을 가지고 있다.

| 부사적 용법(목적) |

2 to부정사가 행동의 목적을 나타낼 경우, '~하기 위해'라고 해석한다.

	목적	
I will go to France	**to learn** French.	나는 프랑스어를 **배우기 위해** 프랑스에 갈 것이다.
She saved money	**to buy** a smartphone.	그녀는 스마트폰을 **사기 위해** 돈을 모았다.

tips 목적의 의미를 확실히 나타내기 위해 to부정사 앞에 in order를 쓰기도 한다.
He went to the store (**in order**) **to buy** some milk. 그는 우유를 **사기 위해** 가게에 갔다.

| 부사적 용법(감정의 원인) |

3 to부정사가 감정의 원인을 나타낼 경우, '~해서, ~하니'라고 해석한다.

	감정	원인	
I'm	glad	**to meet** you.	나는 너를 **만나서** 기쁘다.
	excited	**to play** the game.	나는 경기를 **해서** 신이 난다.

암기 노트 감정 형용사+to부정사

happy to	~해서 행복한
sad to	~해서 슬픈
sorry to	~해서 유감인
surprised to	~해서 놀란
excited to	~해서 신이 난
pleased to	~해서 기쁜

✔ 바로 개념 확인하기

A |보기|에서 알맞은 말을 골라 to부정사로 바꿔 쓰기

|보기|	buy	wear	drink	sit on

1 마실 물 → water ________ ________

2 살 책들 → books ________ ________

3 입을 옷 → clothes ________ ________

4 앉을 벤치 → a bench ________ ________ ________

B 밑줄 친 말의 알맞은 의미 고르기

1 Peter was excited to go on a picnic.
□ 소풍을 가서 □ 소풍을 가기 위해

2 Do you have any friends to help you?
□ 너를 도울 □ 너를 도와서

3 They went to the park to play soccer.
□ 축구를 해서 □ 축구를 하기 위해

C 밑줄 친 to부정사의 의미 골라 기호 쓰기 (중복 사용 가능)

|보기| ⓐ ~할
ⓑ ~하기 위해
ⓒ ~해서, ~하니

1 I'm happy to be with you. ( )

2 David bought something to eat. ( )

3 Linda was sad to say good-bye to him. ( )

4 I went to the post office to send a letter. ( )

서술형 기본 유형 익히기

| 문장 완성 |

[1~5] 우리말과 일치하도록 주어진 말을 활용하여 문장을 완성하시오.

1 그녀는 먹을 사과를 원한다.
(an apple, eat)

→ She wants ________ ________ ________ ________.

2 우리는 공부를 하기 위해 도서관에 갔다.
(the library, study)

→ We went to ________ ________ ________ ________.

3 나는 너에게 보여 줄 사진 몇 장을 가지고 있다.
(a few photos, show)

→ I have ________ ________ ________ ________ ________ you.

4 Sofia는 학교 버스를 타기 위해 일찍 일어났다.
(get up early, catch) *시제 주의

→ Sofia ________ ________ ________ ________ ________ the school bus.

5 Tom은 그 경기에 져서 속상했다.
(be, upset, lose) *시제 주의

→ Tom ________ ________ ________ ________ the game.

Answers p. 22

| 배열 영작 |

[6~10] 우리말과 일치하도록 주어진 말을 배열하여 문장을 완성하시오.

6 그는 먹을 무언가를 요리했다.
(to, something, cooked, eat)

→ He ________________________.

7 우리는 파티를 해서 신이 났다.
(have, excited, to, a party)

→ We were ________________________.

8 그들은 저녁을 먹기 위해 거기에 갔다.
(to, went, have, there, dinner)

→ They ________________________.

9 나는 그 소식을 들어서 기쁘다.
(hear, glad, the news, to)

→ I'm ________________________.

10 Jane은 파티에서 입을 드레스가 필요했다.
(a dress, needed, wear, to)

→ Jane ________________________ to the party.

| 오류 수정 |

[11~15] 어법상 틀린 부분을 찾아 바르게 고쳐 쓰시오.

11 He was pleased see us.
(그는 우리를 봐서 기뻐했다.)

____________ → ____________

12 My mom bought to drink something.
(나의 엄마는 마실 무언가를 사셨다.)

____________ → ____________

13 My brother ran order to get to school early.
(내 남동생은 학교에 일찍 도착하기 위해 뛰었다.)

____________ → ____________

14 We have a project finish this week.
(우리는 이번 주에 끝낼 과제가 있다.)

____________ → ____________

15 Chris came home for watch the soccer match.
(Chris는 그 축구 경기를 보기 위해 집에 왔다.)

____________ → ____________

기출에서 뽑은

난이도별 서술형 문제

기 본

01 우리말과 일치하도록 주어진 말을 알맞은 형태로 써서 문장을 완성하시오.

(1) 나는 영어를 잘 말하기를 원한다. (want, speak)
→ I ________ ________ ________ English well.

(2) 네 비밀번호를 자주 바꾸는 것은 중요하다. (important, change)
→ It is ________ ________ ________ your password often.

(3) 우리는 이번 주말에 캠핑 가는 것을 계획했다. (plan, go)
→ We ________ ________ ________ camping this weekend.

02 두 문장의 의미가 같도록 빈칸에 알맞은 말을 쓰시오.

(1) Jack went home to have dinner.
→ Jack went home ________ ________ ________ have dinner.

(2) To find the museum was easy.
→ ________ was easy ________ ________ the museum.

03 주어진 조건에 맞게 우리말과 일치하도록 문장을 완성하시오.

조건 1. to부정사를 사용할 것
2. read, a magazine을 어법에 맞게 사용할 것

Tom은 읽을 잡지가 필요하다.
→ Tom needs ________________.

04 어법상 틀린 부분을 찾아 바르게 고쳐 쓰시오.

(1) To work with other people are not easy.
________ → ________

(2) I want to am famous.
________ → ________

05 내가 할 일을 적은 메모를 보고, to부정사를 사용하여 문장을 완성하시오.

- send a package
- ride my bike
- help my mom

(1) I'll go to the park ________________.

(2) I'll wash the dishes ________________.

(3) I'll go to the post office ________________.

심 화

06 주어진 문장과 의미가 같도록 가주어 It을 사용하여 문장을 바꿔 쓰시오.

(1) To visit different countries is exciting.
→ ________________

(2) To respect other people is important.
→ ________________

07 우리말과 일치하도록 주어진 말을 배열하여 쓰시오.

(1) 나는 그 소식을 듣고 행복했다.
(I, the news, happy, hear, to, was)
→ ________________

(2) Mia는 Jane을 보기 위해 여기에 왔다.
(to, came, Mia, see, here, Jane)
→ ________________

신유형

08 한 학생이 수업 시간에 발표한 내용을 보고, 학생이 영작한 문장에서 틀린 부분을 찾아 바르게 고쳐 쓰시오.

'나는 그 시계를 사지 않기로 결정했다.'를 영작하면 to부정사의 명사적 용법을 사용하여 "I decided to not buy that watch."가 됩니다.

__________ → __________

09 대화를 읽고, 밑줄 친 우리말과 일치하도록 조건에 맞게 문장을 쓰시오.

A (1) 나는 요리사가 되기를 원해.
B Do you like to cook?
A Yes. I cook on weekends. (2) 다른 사람들을 위해 요리하는 것은 재미있어.
B Wow. I want to try your food some day.

조건 1. to부정사를 반드시 사용할 것
2. (1)은 want, become, a chef를 사용하여 총 6단어로 쓸 것
3. (2)는 cook, fun을 사용하여 5단어로 쓸 것

(1) __________

(2) __________ for others.

고난도

10 |예시|와 같이 주어진 두 문장을 to부정사를 사용하여 한 문장으로 쓰시오.

|예시| I was happy. I met my friends.
→ I was happy to meet my friends.

(1) I need a house. I'll live in it.
→ __________

(2) I'm going to the flower shop. I'll buy flowers.
→ __________
____

함정이 있는 문제

01 주어진 조건에 맞게 우리말과 일치하도록 문장을 쓰시오.

 1. to부정사를 반드시 사용할 것
2. watch, baseball games, exciting을 사용하여 총 6단어로 쓸 것

야구 경기를 보는 것은 신이 난다.

→ __________

✔ 주어로 쓰인 to부정사구에 복수 명사가 있으면 동사에 유의하자!
이 문장의 주어는 games가 아니라 To watch baseball games(야구 경기를 보는 것)이다. to부정사구를 한 덩어리로 단수 취급하기 때문에 뒤에 단수 형태의 동사를 써야 한다.

02 대화의 내용과 일치하도록 to부정사를 사용하여 한 문장으로 쓰시오.

A Why were you happy?
B Because I got a good grade.

→ I was happy __________.

✔ 문장의 동사가 과거형이더라도 to부정사는 항상 「to+동사원형」이다!
문장이 과거의 일을 나타내더라도 문장의 동사만 과거형으로 쓰고 to부정사의 동사는 항상 동사원형으로 써야 한다.

03 주어진 말을 활용하여 문장을 완성하시오.

I'm so hungry, but I don't have __________ __________. (eat, anything)

✔ 우리말 어순과 영어 어순을 혼동하지 말자!
to부정사가 명사를 수식할 때는 우리말 어순이 '먹을 것'이라고 하여 우리말 어순대로 쓰지 않도록 한다. 영어는 「명사+to부정사」의 어순으로 써야 한다.

시험에 강해지는

실전 TEST

시험일	월 일
시간	/ 40분
문항 수	객관식 10 / 서술형 10
점수	/ 100점

01 빈칸에 알맞은 것은? (3점)

Jina went to the airport ________ her friend.

① meet ② meets
③ to met ④ to meet
⑤ to meeting

02 두 문장의 의미가 같도록 할 때, 빈칸에 알맞은 것은? (3점)

To go out late at night is dangerous.
= ________ is dangerous to go out late at night.

① It ② This
③ That ④ What
⑤ Which

신유형
03 우리말과 일치하도록 주어진 말을 배열할 때, 네 번째로 오는 단어는? (3점)

나는 사람들을 돕기 위해 과학자가 되기를 원한다.
(help, a scientist, to, I, be, want, to, people)

① to ② be ③ help
④ want ⑤ scientist

04 우리말과 일치하도록 할 때, not의 위치로 알맞은 곳은? (4점)

Kate는 그 축제에 가지 않기로 결정했다.
→ Kate (①) decided (②) to (③) go (④) to (⑤) the festival.

신유형
05 우리말을 영어로 옮길 때, 쓰이지 않는 단어 두 개는? (3점)

그는 빵을 사기 위해 빵집에 갔다.

① to ② go ③ went
④ buy ⑤ bought

06 우리말을 영어로 잘못 옮긴 것은? (4점)

① Jane은 유럽을 방문하기를 희망한다.
→ Jane hopes to visit Europe.
② 나는 너를 만나서 행복했다.
→ I was happy to meet you.
③ 치과의사가 되는 것이 나의 목표이다.
→ To be a dentist is my goal.
④ 우리는 점심을 먹기 위해 앉았다.
→ We sat down to have lunch.
⑤ 나는 마실 무언가를 원한다.
→ I want to drink something.

07 |보기|의 밑줄 친 부분과 쓰임이 다른 것은? (5점)

|보기| I went to the library to return the books.

① He stayed up late to finish his project.
② I went to the park to take pictures.
③ Yumi did her best to pass the exam.
④ My brother's dream is to become a singer.
⑤ Sora went to Paris to see the Eiffel Tower.

08 밑줄 친 부분을 in order to로 바꿔 쓸 수 있는 것은? (5점)

① I have something to say.
② To write in a diary every day isn't easy.
③ It's difficult to learn Chinese.
④ She planned to practice the piano.
⑤ Kelly went to Spain to watch soccer games.

09 어법상 틀린 것은? (4점)

① She has a lot of homework do.
② It is dangerous to drive fast.
③ I didn't expect to see you here.
④ Linda needs a chair to sit on.
⑤ I'm excited to visit the Space Museum.

고난도

10 밑줄 친 ①~⑤ 중 나머지와 쓰임이 다른 것은? (6점)

Hello. My name is Mina. Today I want ①to talk about my dream. My dream is to become an English teacher. I like ②to read English books. I also like ③to sing pop songs. I plan ④to go to Canada next year. I will go there ⑤to study English.

서술형

신유형

[서술형 1] 그림을 보고, |보기|에서 알맞은 말을 골라 |예시|와 같이 문장을 완성하시오. (중복 사용 가능) (6점, 각 3점)

(1) 

(2) 

|보기|	work	something	to
	do	drink	lots of

|예시| I didn't have time to sleep.

(1) The boy needs _______ _______ _______.

(2) The man has _______ _______ _______ _______ _______.

[서술형 2] 우리말과 일치하도록 주어진 말을 활용하여 문장을 완성하시오. (6점, 각 3점)

(1) 그녀는 입을 무언가를 찾고 있었다. (something, wear)
→ She was looking for _______________.

(2) 나는 거미를 봐서 놀랐다. (see, a spider, surprised)
→ I was _______________.

[서술형 3] 주어진 문장과 의미가 같도록 가주어 It을 사용하여 문장을 바꿔 쓰시오. (8점, 각 4점)

(1) To learn from experience is important.
→ _______________

(2) To ride a roller coaster is exciting.
→ _______________

[서술형 4] 주어진 두 문장을 to부정사를 사용하여 한 문장으로 쓰시오. (8점, 각 4점)

(1) I called Yuna. I asked some questions.

→ ____________________

(2) I have some problems. I need to solve them.

→ ____________________

신유형

[서술형 5] 대화를 읽고, 조건에 맞게 문장을 완성하시오. (5점)

Tom What are you going to do next week?
Kate I'm going to visit Seoul. I'll learn taekwondo there.

조건 대화에 나온 표현을 활용하고 to부정사를 사용할 것

→ Kate is going to ______ ______ ______ ______ ______ next week.

[서술형 6] 어법상 틀린 부분을 찾아 바르게 고쳐 쓰시오. (4점, 각 2점)

(1) I was very pleased to heard the news.

______ → ______

(2) To get good grades are difficult.

______ → ______

[서술형 7] David가 주말에 할 일을 보고, 문장을 완성하시오. (6점, 각 3점)

Saturday	go to the beach
Sunday	watch a movie

(1) David decided ____________________ on Saturday.

(2) David planned ____________________ on Sunday.

[서술형 8] 어법상 틀린 문장 두 개를 골라 기호를 쓰고, 틀린 부분을 바르게 고쳐 쓰시오. (4점, 각 2점)

ⓐ I ran to catch the bus.
ⓑ She decided to not see him again.
ⓒ It is important exercise regularly.
ⓓ We are very glad to see you here.

(   ) ______ → ______

(   ) ______ → ______

[서술형 9~10] 다음 글을 읽고, 물음에 답하시오.

(A) Central 공원에는 많은 할 것들이 있다. Many people like taking a walk there. People can borrow bikes for free, so some people go there ___ⓐ___ a bike. Every Sunday, there is a flea market at the park. It's easy ___ⓑ___ beautiful and unique items there. You should ___ⓒ___ Central Park someday!

*flea market 벼룩시장

고난도

[서술형 9] 윗글의 밑줄 친 우리말 (A)와 일치하도록 조건에 맞게 문장을 완성하시오. (7점)

조건 1. to부정사를 반드시 사용할 것
2. there, many things를 사용하여 6단어로 쓸 것

→ ____________________ at Central Park.

[서술형 10] 윗글의 빈칸 ⓐ~ⓒ에 들어갈 말을 |보기|에서 골라 알맞은 형태로 쓰시오. (한 번씩만 쓸 것) (6점, 각 2점)

|보기| ride visit find

ⓐ ______
ⓑ ______
ⓒ ______

CHAPTER

동명사

Unit 1 동명사의 형태와 역할

Unit 2 동명사의 역할·관용 표현

동명사는 동사원형에 -ing를 붙인 것으로 문장 안에서 명사와 같은 역할을 한다.

주어 역할 — **Watching** movies is fun. 영화를 **보는 것**은 재미있다.

보어 역할 — My hobby is **watching** movies. 나의 취미는 영화를 **보는 것**이다.

목적어 역할 — I enjoy **watching** horror movies. 나는 공포 영화를 **보는 것**을 즐긴다.

Unit 1

동명사의 형태와 역할

| 동명사란? |

1 동명사는 「동사원형+-ing」의 형태로, 문장에서 명사와 같은 역할을 한다.

동사원형				동명사
study 공부하다				studying 공부하기, 공부하는 것
play 놀다	+	ing	→	playing 놀기, 노는 것
make 만들다				making 만들기, 만드는 것

| 주어 역할 |

2 동명사는 문장에서 주어로 쓰일 수 있다.

Learning English is fun. (주어) 영어를 **배우는 것**은 재미있다.

Playing soccer is exciting. 축구를 **하는 것**은 신이 난다.

주의 동명사가 문장의 주어로 쓰인 경우, 단수 취급하여 단수 동사를 쓴다.

Making good friends is important. (are (×)) 좋은 친구들을 사귀는 것은 중요하다.

tips 동명사가 주어로 쓰인 경우, to부정사로 바꿔 쓸 수도 있다.

Studying math is necessary. 수학을 공부하는 것은 필요하다.

= **To study math** is necessary.

= **It** is necessary **to study math.**

| 보어 역할 |

3 동명사는 문장에서 보어로 쓰일 수 있다.

Her hobby is **reading** books. (보어) 그녀의 취미는 책을 **읽는 것**이다. (her hobby = reading books)

My job is **painting** walls. 내 일은 벽을 **페인트칠하는 것**이다. (my job = painting walls)

보어로 쓰이는 동명사와 진행형에 쓰이는 「동사원형+-ing」는 형태가 같으므로 주의한다.

His job is **making** chairs. (보어) 그의 일은 의자를 **만드는 것**이다. (그의 일 = 의자 만들기 → 동명사)

He is **making** chairs. (be동사+동사원형-ing) 그는 의자를 **만들고 있다.** (그 ≠ 의자 만들기 → 진행형)

✔ 바로 개념 확인하기

A 빈칸에 알맞은 말 고르기

1 ________ a bike is fun.
□ Ride □ Riding

2 Having parties ________ exciting.
□ is □ are

3 His job is ________ stories.
□ writes □ writing

4 My hobby is ________ movies.
□ to watching □ watching

B 밑줄 친 말의 알맞은 의미 고르기

1 Listening to music is my favorite thing.
□ 음악을 듣는 □ 음악을 듣는 것은

2 Her hobby is collecting coins.
□ 동전을 모으는 것 □ 모은 동전

3 Running is good for your health.
□ 달리고 있는 □ 달리는 것은

4 His favorite activity is drawing pictures.
□ 그림을 그리는 것 □ 그림을 그리고 있는

C |보기|에서 알맞은 말을 골라 동명사로 바꿔 문장 완성하기

|보기| bite keep drive learn

1 ________ yoga is fun.

2 ________ your promises is important.

3 Joe's job is ________ a taxi.

4 My bad habit is ________ my nails.

서술형 기본 유형 익히기

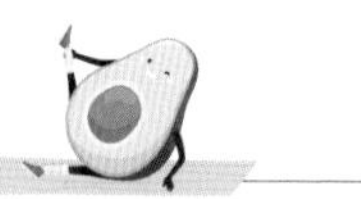

| 문장 완성 |

[1~5] 우리말과 일치하도록 주어진 말을 활용하여 문장을 완성하시오. (동명사를 사용할 것)

1 매일 공부하는 것은 쉽지 않다.
(study)

→ ________ every day is not easy.

2 그녀의 일은 자연의 사진을 찍는 것이다.
(take pictures)

→ Her job is ________ ________ of nature.

3 온라인 게임을 하는 것은 재미있다.
(play)

→ ________ online games ________ fun.

4 그의 취미는 동물을 그리는 것이다.
(draw animals)

→ His hobby ________ ________ ________.

5 하루 종일 TV를 보는 것은 지루하다.
(watch TV all day)

→ ________ ________ ________
________ ________ boring.

| 배열 영작 |

[6~10] 우리말과 일치하도록 주어진 말을 배열하여 쓰시오.

6 그녀의 취미는 노래하는 것이다.
(is, singing, her hobby)

→ ____________________

7 충분한 물을 마시는 것은 중요하다.
(enough water, important, is, drinking)

→ ____________________

8 퍼즐을 푸는 것은 어렵다.
(difficult, puzzles, solving, is)

→ ____________________

9 과자를 굽는 것은 재미있다.
(fun, cookies, is, baking)

→ ____________________

10 수영하는 것은 좋은 운동이다.
(good, is, exercise, swimming)

→ ____________________

| 조건 영작 |

[11~15] 우리말과 일치하도록 조건에 맞게 문장을 쓰시오.

11 실수를 하는 것은 괜찮다.

조건 1. make mistakes, okay를 사용할 것
2. 동명사를 사용하고 총 4단어로 쓸 것

→ ____________________

12 이 책을 읽는 것은 좋은 생각이다.

조건 1. read this book, a good idea를 사용할 것
2. 동명사를 사용하고 총 7단어로 쓸 것

→ ____________________

13 서로를 돕는 것은 중요하다.

조건 1. help each other, important를 사용할 것
2. 동명사를 사용하고 총 5단어로 쓸 것

→ ____________________

14 그의 일은 앱을 개발하는 것이다.

조건 1. job, develop apps를 사용할 것
2. 동명사를 사용하고 총 5단어로 쓸 것

→ ____________________

15 나의 취미는 웹툰을 읽는 것이다.

조건 1. hobby, read webtoons를 사용할 것
2. 동명사를 사용하고 총 5단어로 쓸 것

→ ____________________

Unit 2

동명사의 역할·관용 표현

| 동사의 목적어 역할 |

1 동명사는 문장에서 동사의 목적어로 쓰일 수 있다.

I enjoy **playing** baseball. (목적어)	나는 야구를 **하는 것**을 즐긴다.
He likes **listening** to music.	그는 음악 **듣는 것**을 좋아한다.
They will finish **writing** reports.	그들은 보고서 **쓰는 것**을 끝낼 것이다.

주의 begin, start, like, love, hate, continue 등의 동사는 목적어로 to부정사와 동명사를 모두 쓸 수 있다.

I love **reading** books. 나는 책 **읽는 것을** 매우 좋아한다.
= I love **to read** books.

암기 노트 목적어로 동명사를 쓰는 동사

enjoy -ing	~하는 것을 즐기다
finish -ing	~하는 것을 끝내다
mind -ing	~하는 것을 꺼리다
practice -ing	~하는 것을 연습하다
stop -ing	~하는 것을 멈추다
give up -ing	~하는 것을 포기하다

| 전치사의 목적어 역할 |

2 동명사는 문장에서 전치사의 목적어로 쓰일 수 있다.

Thank you for **coming** to the party. (목적어)	파티에 **와 주신 것**에 감사합니다.
I'm good at **playing** the violin.	나는 바이올린을 **연주하는 것**을 잘한다.
He is interested in **growing** plants.	그는 식물을 **키우는 것**에 관심이 있다.

주의 전치사 뒤에 동사원형이나 to부정사를 쓰지 않도록 유의한다.

I'm good at play the violin. (×)
He is interested in to grow plants. (×)

| 동명사의 관용 표현 |

3 동명사를 사용해서 다양한 표현들을 나타낼 수 있다.

I will **go shopping** this weekend.
나는 이번 주말에 **쇼핑하러 갈** 것이다.
He **is busy doing** his homework.
그는 숙제**하느라 바쁘다**.
I **feel like dancing** with you.
나는 너와 함께 **춤을 추고 싶다**.
How about joining the reading club?
독서 동아리에 **가입하는 게 어때**?

암기 노트 동명사의 관용 표현

go -ing	~하러 가다
be busy -ing	~하느라 바쁘다
feel like -ing	~하고 싶다
How about -ing?	~하는 게 어때?
keep -ing	계속 ~하다
be interested in -ing	~에 관심이 있다
be good at -ing	~을 잘하다
be worried about -ing	~에 대해 걱정하다

✔ 바로 개념 확인하기

A 빈칸에 알맞은 말 고르기

1 Peter is really good at __________.
☐ swimming ☐ to swim

2 I decided __________ tennis.
☐ learning ☐ to learn

3 She feels like __________ out tonight.
☐ going ☐ to go

4 I enjoy __________ my bike in the park.
☐ riding ☐ to ride

B 주어진 말을 활용하여 문장 완성하기

1 Ella is interested in __________. (dance)

2 He finished __________ the garage. (clean)

3 Minsu practiced __________ English. (speak)

4 How about __________ badminton? (play)

C 우리말과 일치하도록 배열하기

1 그는 주말마다 캠핑하러 간다.
→ __________________________ on weekends.
(camping, goes, he)

2 지수는 설거지하느라 바쁘다.
→ Jisu __________________________.
(busy, washing the dishes, is)

3 나는 학교 밴드에 가입하고 싶지 않다.
→ I __________________________ the school band.
(like, joining, don't, feel)

서술형 기본 유형 익히기

| 문장 완성 |

[1~5] 우리말과 일치하도록 주어진 말을 활용하여 문장을 완성하시오.

1 우리는 쇼핑하러 가는 것을 즐긴다.
(enjoy, go)

→ We __________ __________ shopping.

2 학생들은 책 읽는 것을 끝냈다.
(finish, read) *시제 주의

→ The students __________ __________ the book.

3 이 영화는 희망을 주는 것에 관한 것이다.
(give, hope)

→ This movie is about __________ __________.

4 그녀는 버스를 놓치는 것에 대해 걱정했다.
(worried about, miss) *시제 주의

→ She __________ __________ __________ __________ the bus.

5 나는 피아노 연습을 하느라 바쁘다.
(busy, practice)

→ __________ __________ __________ __________ the piano.

| 배열 영작 |

[6~10] 우리말과 일치하도록 주어진 말을 배열하여 쓰시오.

6 사람들은 빨간불에서 걷는 것을 멈췄다.
(walking, stopped, on the red light, people)

→ ______________________

7 그는 그의 친구들과 계속 이야기했다.
(with, kept, his friends, he, talking)

→ ______________________

8 David는 그의 엄마를 돕느라 바쁘다.
(busy, helping, is, his mom, David)

→ ______________________

9 그녀는 우리 동아리에 가입하는 것에 관심이 있다.
(joining, is, our club, in, she, interested)

→ ______________________

10 내일 영화 보러 가는 게 어때?
(going, tomorrow, about, to the movies, how)

→ ______________________

| 오류 수정 |

[11~15] 어법상 틀린 부분을 찾아 바르게 고쳐 쓰시오.

11 I finished to write an email.
(나는 이메일 쓰는 것을 끝냈다.)

__________ → __________

12 My father gave up smoked.
(나의 아빠는 담배 피는 것을 포기했다.)

__________ → __________

13 Daniel is good at play the guitar.
(Daniel은 기타 치는 것을 잘한다.)

__________ → __________

14 I feel like to have ice cream for dessert.
(나는 디저트로 아이스크림을 먹고 싶다.)

__________ → __________

15 My sister is interested in cook.
(내 여동생은 요리하는 데 관심이 있다.)

__________ → __________

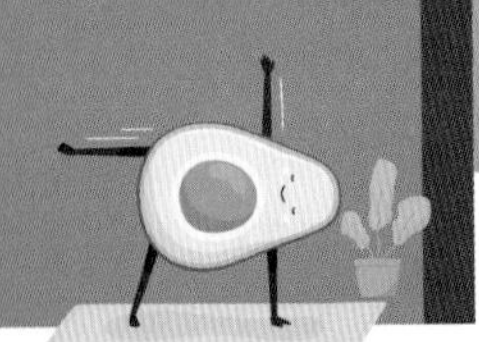

기출에서 뽑은

난이도별 서술형 문제

기 본

01 우리말과 일치하도록 주어진 말을 알맞은 형태로 바꿔 빈칸에 쓰시오.

(1) 너는 농구하는 것을 즐기니? (enjoy, play)
→ Do you __________ basketball?

(2) 나는 지난주에 스키를 타러 갔다. (go, ski)
→ I __________ last week.

02 빈칸에 들어갈 말을 |보기|에서 골라 알맞은 형태로 쓰시오.

|보기| take　　clean　　wake up

(1) Yujin is busy __________ his room.

(2) She's interested in __________ piano lessons.

(3) I gave up __________ early in the morning.

03 어법상 틀린 부분을 찾아 바르게 고쳐 쓰시오.

(1) Do you mind to open the window?

__________ → __________

(2) Reading good books are important.

__________ → __________

04 대화의 내용과 일치하도록 빈칸에 알맞은 말을 써서 문장을 완성하시오.

Ann What's your hobby?
Ben My hobby is cooking. I started learning to cook last year. I make pasta very well.

→ Ben began __________ to cook last year. He is good at __________ pasta.

05 그림을 보고, 조건에 맞게 대화를 완성하시오.

조건 have, stop을 활용할 것

Jake How about __________ hamburgers?
Mira Again? Too much fast food isn't good for our health. You should __________ __________ so much fast food.

심 화

06 우리말과 일치하도록 주어진 말을 활용하여 문장을 쓰시오.

(1) 나는 탄산음료를 마시고 싶다. (feel, drink, soda)
→ ____________________

(2) Sue는 수영하러 가기를 원한다. (want, go, swim)
→ ____________________

신유형

07 각 상자에서 필요한 말을 하나씩 골라 알맞은 형태로 써서 대화를 완성하시오.

practice　gave up	speak　climb

(1) **A** Do you want to climb Mt. Halla?
B No, I __________ Mt. Halla.

(2) **A** You look worried. What's up?
B I have a speaking test tomorrow. I need to __________.

08 밑줄 친 ⓐ~ⓓ 중 어법상 틀린 것을 골라 기호를 쓰고, 바르게 고쳐 쓰시오.

A Did you finish ⓐ reading *Science for Kids*?
B Yes, I did. I'm interested in ⓑ reading science books.
A That's great. I want ⓒ to read it, too. Do you mind ⓓ to lend me the book?
B Not at all. I'll bring it tomorrow.
A Really? Thanks!

(　　) → ____________________

09 밑줄 친 우리말과 일치하도록 주어진 말을 활용하여 문장을 완성하시오.

Jack is my friend. (1) 그는 축구를 잘한다. (2) 최근에 그는 경기에서 실수하는 것에 대해 걱정한다. So I want to cheer him up.
*cheer up 격려하다

(1) (good, play soccer)
→ He ____________________.

(2) (worried, make mistakes)
→ These days, he ____________________
____________________ during the game.

10 어법상 틀린 문장 두 개를 골라 기호를 쓰고, 바르게 고쳐 문장을 다시 쓰시오.

ⓐ He is busy make dinner.
ⓑ I'll go surfing this Saturday.
ⓒ I enjoy to listen to classical music.
ⓓ How about going out tonight?
ⓔ The boy gave up reading comic books.

(　　) → ____________________
(　　) → ____________________

함정이 있는 문제

01 어법상 틀린 부분을 찾아 바르게 고쳐 쓰시오.

Thank you for invite me to your birthday party.

__________ → __________

✔ 전치사 다음에는 동명사!
for와 같은 전치사 다음에 동사(구)가 올 때는 동명사를 써야 한다. to부정사나 동사원형을 쓰지 않도록 주의하자.

02 |보기|에서 필요한 말만 골라 배열하여 우리말과 일치하도록 문장을 쓰시오.

|보기| my hobby　taking　take　pictures　am　are　is

사진을 찍는 것은 나의 취미이다.
→ ____________________

✔ 동명사가 주어로 쓰이면 항상 단수 취급한다!
주어가 '사진들'이 아니라 '사진들을 찍는 것'이므로 동명사(구)가 주어로 쓰이면 동사를 단수형으로 써야 하는 것을 기억하자.

03 주어진  조건 에 맞게 우리말과 일치하도록 문장을 쓰시오.

조건 1. to부정사나 동명사 중 선택하여 쓸 것
2. feel like, a book을 활용하여 6단어로 쓸 것

Kate는 책을 읽고 싶어 한다.
→ ____________________

✔ feel like의 like는 동사가 아니다!
'좋아하다'의 뜻인 동사 like는 목적어로 to부정사와 동명사를 모두 쓸 수 있지만, '~하고 싶다'의 뜻을 가진 표현 feel like에서는 like가 전치사이므로 목적어로 동명사만 쓸 수 있다는 것을 잊지 말자.

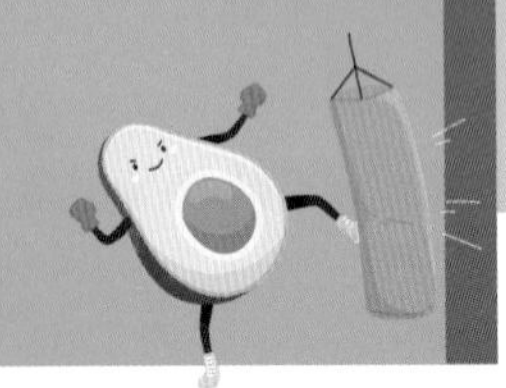

시험에 강해지는

실전 TEST

시험일	월 일
시간	/ 40분
문항 수	객관식 10 / 서술형 10
점수	/ 100점

01 빈칸에 알맞은 것을 모두 고르면? (3점)

_________ a pilot is hard.

① Become ② Becomes
③ Becoming ④ To become
⑤ To becoming

02 빈칸에 들어갈 수 없는 것은? (3점)

Nancy _________ drawing pictures.

① likes ② loves
③ wants ④ practices
⑤ feels like

03 빈칸에 공통으로 들어갈 말은? (4점)

• Minsu is _________ his bike.
• I'm busy _________ my computer.

① fix ② fixes
③ fixed ④ fixing
⑤ to fix

04 밑줄 친 부분을 바르게 고친 것은? (4점)

He is good at take care of animals.

① takes ② took ③ to take
④ taking ⑤ to taking

05 빈칸에 알맞은 말이 순서대로 짝지어진 것은? (4점)

• How about _________ a study plan?
• Do you mind _________ off the air conditioner?

① make – turn
② making – to turn
③ make – turning
④ making – turning
⑤ to make – to turn

06 우리말을 영어로 바르게 옮긴 것은? (4점)

그녀는 매일 바이올린 연주를 연습한다.

① She practices play the violin every day.
② She practices plays the violin every day.
③ She practices playing the violin every day.
④ She practices to play the violin every day.
⑤ She practices to playing the violin every day.

07 밑줄 친 부분의 쓰임이 나머지와 다른 것은? (4점)

① He gave up eating meat.
② I don't mind helping you.
③ My hobby is drawing flowers.
④ They finished painting the wall.
⑤ Jinho is running in the school yard.

08 어법상 틀린 문장을 모두 고르면? (4점)

① Thank you for helps me.
② His job is teaching English.
③ Grace kept to cry last night.
④ I'm good at listening to others.
⑤ She is busy preparing for the party.

신유형 고난도

09 빈칸에 taking이 들어갈 수 없는 문장의 개수는? (5점)

ⓐ They began __________ pictures.
ⓑ Jennifer wants __________ a trip.
ⓒ How about __________ a walk?
ⓓ Junho felt like __________ a shower.
ⓔ You need __________ this medicine.

① 1개 ② 2개 ③ 3개
④ 4개 ⑤ 5개

고난도

10 밑줄 친 ⓐ~ⓓ 중 어법상 틀린 것은? (5점)

I'm interested in ⓐ<u>saving</u> the earth. We can do many things ⓑ<u>to save</u> it. First, we should stop ⓒ<u>using</u> plastic cups. Second, we should start to plant more trees. Then we will be able to enjoy ⓓ<u>to live</u> in a better environment.

① 없음 ② ⓐ ③ ⓑ
④ ⓒ ⑤ ⓓ

서술형

[서술형 1] 빈칸에 들어갈 말을 |보기|에서 골라 알맞은 형태로 쓰시오. (6점, 각 2점)

|보기| watch listen bake

(1) Jessica is good at __________ cookies.

(2) Kate is interested in __________ soccer games.

(3) Thank you for __________ to my song.

[서술형 2] 그림을 보고, 주어진 말을 활용하여 문장을 완성하시오. (문장의 동사는 과거형으로 쓸 것) (6점, 각 3점)

(1) 

(2) 

(1) He __________ __________ __________ his car.
(busy, wash)

(2) She __________ __________ at the mall.
(go, shop)

[서술형 3] 우리말과 일치하도록 주어진 말을 활용하여 문장을 완성하시오. (9점, 각 3점)

(1) 택시를 타는 게 어때? (how, take)
→ __________________ a taxi?

(2) 나는 아이스크림을 먹고 싶다. (feel, have)
→ I __________________ ice cream.

(3) 그 남자는 문 두드리는 것을 멈췄다. (stop, knock)
→ The man __________________ on the door.

[서술형 4] 각 상자에서 필요한 말을 하나씩 골라 알맞은 형태로 써서 우리말과 일치하도록 문장을 완성하시오. (6점, 각 3점)

good at busy	cook catch

(1) Cindy는 저녁을 요리하느라 바쁘다.
→ Cindy ______________________ dinner.

(2) 나의 고양이는 쥐를 잡는 것을 잘한다.
→ My cat ______________________ mice.

신유형

[서술형 5] 우리말과 일치하도록 조건에 맞게 문장을 완성하시오. (6점, 각 3점)

(1) 나는 뜨개질하는 것을 포기했다.

조건 1. to knit나 knitting 중 선택하여 쓸 것
2. give up을 사용하여 총 4단어로 쓸 것

→ ______________________

(2) 그는 혼자 여행하는 것에 대해 걱정했다.

조건 1. to travel이나 traveling 중 선택하여 쓸 것
2. worried about을 사용하여 5단어로 쓸 것

→ ______________________ alone.

[서술형 6] 대화를 읽고, 밑줄 친 말을 어법에 맞게 고쳐 쓰시오. (4점, 각 2점)

A Jack, stop (1) talk to me. I'm studying math.
B Oh, I'm sorry for (2) bother you.

(1) ______________ (2) ______________

[서술형 7] 어법상 틀린 부분을 찾아 바르게 고쳐 쓰시오. (4점, 각 2점)

(1) Linda didn't feel like to meet Tim.

______________ → ______________

(2) Judy kept talked to her mother.

______________ → ______________

[서술형 8] 각 학생들이 지난 주말에 한 일에 관한 표를 보고, 주어진 말을 사용하여 문장을 완성하시오. (9점, 각 3점)

Yuna	dance
Minho	play tennis
Jina	clean the house

(1) Yuna ______________ for the contest last weekend. (practice)

(2) Minho ______________ last weekend. (enjoy)

(3) Jina ______________ last weekend. (busy)

[서술형 9~10] 다음 글을 읽고, 물음에 답하시오.

(A) 당신은 식물을 키우는 것에 관심이 있나요? Do you enjoy ⓐ work in your garden and need information? Then visit www.plantlovers.com. It has a lot of information about ⓑ grow plants. Visit our website now and learn more about growing plants.

고난도

[서술형 9] 윗글의 밑줄 친 우리말 (A)와 일치하도록 조건에 맞게 문장을 쓰시오. (6점)

조건 1. interested, grow, plants를 사용할 것
2. 총 6단어로 쓸 것

→ ______________________

[서술형 10] 윗글의 밑줄 친 ⓐ와 ⓑ를 각각 알맞은 형태로 바꿔 쓰시오. (4점, 각 2점)

ⓐ ______________ ⓑ ______________

제 2 회 누적 TEST

[01~02] 빈칸에 알맞은 말이 순서대로 짝지어진 것을 고르시오.

01

- Suji decided __________ to the party.
- Andy enjoys __________ mountains.

① go – climb ② going – to climb
③ to go – climbing ④ to go – to climb
⑤ going – climbing

02

- __________ sent this message?
- __________ does this word mean?

① How – Why ② Why – Who
③ Whose – How ④ Who – What
⑤ Where – When

03 빈칸에 공통으로 들어갈 말은?

- You __________ cross the street on the green light.
- They don't __________ wear school uniforms today.

① can ② must
③ should ④ have to
⑤ are able to

04 주어진 대답에 대한 질문으로 알맞은 것은?

A ______________________
B I like ice cream.

① Who ate desserts?
② Why do you like desserts?
③ When did you eat ice cream?
④ What kind of desserts do you like?
⑤ Which do you prefer, cake or pie?

신유형
05 빈칸에 making(Making)이 들어갈 수 없는 문장의 개수는?

ⓐ I was worried about __________ mistakes.
ⓑ Tina went home __________ dinner.
ⓒ __________ robots is my hobby.
ⓓ Harry is good at __________ funny jokes.
ⓔ She likes __________ new friends.

① 없음 ② 1개 ③ 2개
④ 3개 ⑤ 4개

06 같은 의미가 되도록 할 때, 밑줄 친 부분을 주어진 말로 바꿔 쓸 수 없는 것을 모두 고르면?

① You may use my car. (can)
② It may be snowy tomorrow. (should)
③ Ann can make spaghetti. (is able to)
④ You must come home early. (have to)
⑤ You don't have to worry about it. (must not)

07 밑줄 친 부분이 어법상 틀린 것은?

① She needs to take a shower.
② Judy likes to ride her bike in the park.
③ My hobby is playing computer games.
④ I was surprised to see Kate on the street.
⑤ We plan having a birthday party next weekend.

고난도
08 어법상 틀린 것끼리 묶인 것은?

ⓐ Suji wants studying English.
ⓑ She gave up learning Spanish.
ⓒ You may not speak loudly here.
ⓓ When time did you come home?
ⓔ Jaemin was busy to write a book report.

① ⓐ, ⓑ, ⓓ ② ⓐ, ⓒ, ⓔ ③ ⓐ, ⓓ, ⓔ
④ ⓑ, ⓒ, ⓓ ⑤ ⓑ, ⓓ, ⓔ

서술형

신유형

09 우리말과 일치하도록 |보기|에서 필요한 말만 골라 문장을 완성하시오.

(1) 나는 앱을 만드는 것에 관심이 있다.

|보기| to make making makes interested in am is

→ I ______________________ apps.

(2) 너는 얼마나 자주 집에서 요리하니?

|보기| cook you often long how what do does

→ ______________________ at home?

10 나의 월별 계획표를 보고, 문장을 완성하시오.

June	go swimming
July	visit my grandparents
August	learn to play the flute

(1) I plan ______________________ in June.

(2) I decided ______________________ in July.

(3) I will be busy ______________________ in August.

11 빈칸에 알맞은 의문사를 써서 대화를 완성하시오.

A ________ made this cake?
B I did.
A Really? Wow, ________ did you make it?
B I just followed the recipe in this book.
A ________ ________ did it take to make it?
B Well, it took about two hours.

12 어법상 틀린 부분을 찾아 바르게 고쳐 쓰시오.

(1) Listening to other people are important.

________ → ________

(2) What do you want doing this weekend?

________ → ________

[13~14] 다음 대화를 읽고, 물음에 답하시오.

A Jason, ⓐ can you play the guitar?
B No, I ⓑ can't. Why?
A My band needs ⓒ finding some new members. We need a guitarist and a drummer.
B Really? (A) I am able to play the drums.
A That's great! ⓓ How about joining my band?
B Sure. I'd like to join your band.

13 위 대화의 밑줄 친 ⓐ~ⓓ 중 어법상 틀린 것을 찾아 기호를 쓰고, 바르게 고쳐 쓰시오.

(   ) → ______________

14 위 대화의 밑줄 친 (A)와 같은 의미가 되도록 조동사를 사용하여 문장을 바꿔 쓰시오.

→ ______________________

고난도

15 어법상 틀린 문장 두 개를 골라 기호를 쓰고, 바르게 고쳐 문장을 다시 쓰시오.

ⓐ Who does want to go home?
ⓑ Listening to pop songs is fun.
ⓒ Mary feels like having a party.
ⓓ Did you practice playing the cello?
ⓔ She was glad seeing her son again.

(   ) → ______________________

(   ) → ______________________

CHAPTER

문장의 구조

영어 문장은 주어와 동사로 이루어진 것이 기본 구조이고, 동사에 따라 **목적어**나 **보어**가 필요한 문장도 있다.

목적어가 필요한 동사 〈수여동사〉

He **gave** Jenny(간접목적어) the cookies(직접목적어).   그는 Jenny에게 쿠키를 **주었다**.

보어가 필요한 동사 〈감각동사〉

The cookies **tasted** sweet(보어).   그 쿠키는 달콤한 **맛이 났다**.

목적격보어가 필요한 동사

The cookies **made** Jenny(목적어) happy(목적격보어).   그 쿠키는 Jenny를 행복하게 **만들었다**.

Unit 1

목적어가 필요한 문장

| 수여동사 |

1 수여동사는 목적어가 2개 필요하며, 「수여동사+간접목적어(~에게)+직접목적어(…을)」의 어순으로 쓴다.

주어	수여동사	간접목적어(~에게)	직접목적어(…을/를)	
I	**gave**	Dave	a book.	나는 Dave에게 책을 **주었다.**
She	**teaches**	us	English.	그녀는 우리에게 영어를 **가르쳐 준다.**
John	**bought**	me	flowers.	John이 나에게 꽃을 **사 주었다.**
He	**asked**	her	her name.	그는 그녀에게 그녀의 이름을 **물어보았다.**

주의 목적어가 1개(목적어)인 경우와 2개(간접목적어+직접목적어)인 경우에 따라 의미가 달라지는 동사가 있다.

He **made** a robot. 그는 로봇을 **만들었다.**
(a robot: 목적어)

He **made** his brother a robot. 그는 그의 남동생에게 로봇을 **만들어 주었다.**
(his brother: 간접목적어, a robot: 직접목적어)

암기 노트 수여동사

give	주다	buy	사 주다
send	보내다	show	보여 주다
teach	가르쳐 주다	lend	빌려주다
tell	말해 주다	make	만들어 주다
cook	요리해 주다	ask	물어보다

| 수여동사의 문장 전환 |

2 「수여동사+간접목적어+직접목적어」는 「수여동사+직접목적어+전치사+간접목적어」로 바꿔 쓸 수 있다.

I **sent** him a text message. I **sent** a text message **to** him.	나는 그에게 문자 메시지를 **보냈다.**	**to**를 쓰는 경우	give, send, show, tell, teach, lend 등
His dad **cooked** them dinner. His dad **cooked** dinner **for** them.	그의 아버지는 그들에게 저녁을 **요리해 주었다.**	**for**를 쓰는 경우	buy, make, cook, get 등
Kate **asked** him many questions. Kate **asked** many questions **of** him.	Kate는 그에게 많은 질문을 **물어보았다.**	**of**를 쓰는 경우	ask

전치사를 사용하여 같은 의미의 문장으로 바꿔 쓰는 문항이 자주 출제되므로, 어떤 수여동사가 쓰였는지 살펴보고 알맞은 전치사를 써야 한다.

Eric **bought** Jenny some cookies. Eric은 Jenny에게 약간의 쿠키를 **사 주었다.**
= Eric **bought** some cookies **for** Jenny.
(for: to (×))

✓ 바로 개념 확인하기

A 우리말과 일치하도록 알맞은 말 고르기

1 나에게 질문을 하다
- ☐ ask me a question ☐ ask a question me

2 그에게 펜들을 주다
- ☐ give pens him ☐ give him pens

3 그들에게 공을 사 주다
- ☐ buy a ball them ☐ buy them a ball

B 빈칸에 알맞은 전치사 고르기

1 Tom cooked lunch ________ Jerry.
- ☐ to ☐ for ☐ of

2 I asked some questions ________ Jisu.
- ☐ to ☐ for ☐ of

3 He told the truth ________ me.
- ☐ to ☐ for ☐ of

C 같은 의미의 문장 완성하기

1 Yuna made me a kite.
= Yuna made a kite ________ ________.

2 Nancy showed me her new shoes.
= Nancy showed her new shoes ________ ________.

3 My mom bought me a bike.
= My mom bought a bike ________ ________.

서술형 기본 유형 익히기

| 배열 영작 |

[1~5] 우리말과 일치하도록 주어진 말을 배열하여 문장을 완성하시오.

1 Jane은 나에게 이 책들을 주었다.
(these books, me, gave)

→ Jane ______________________________.

2 우리는 그에게 몇몇 장난감들을 보냈다.
(him, some toys, sent)

→ We ______________________________.

3 그녀는 나에게 질문을 몇 개 했다.
(a few questions, me, asked)

→ She ______________________________.

4 Jim은 Chris에게 펜을 빌려주었다.
(to, lent, Chris, a pen)

→ Jim ______________________________.

5 Andy는 그의 아버지께 셔츠를 사 드렸다.
(a shirt, bought, his father, for)

→ Andy ______________________________.

| 오류 수정 |

[6~10] 밑줄 친 부분을 어법에 맞게 고쳐 쓰시오.

6 She teaches Chinese us.
(그녀는 우리에게 중국어를 가르쳐 준다.)

→ ______________

7 He gave his phone number for her.
(그는 그녀에게 그의 전화번호를 주었다.)

→ ______________

8 Sally told to us the news.
(Sally는 우리에게 그 소식을 말해 주었다.)

→ ______________

9 She cooked spaghetti them.
(그녀는 그들에게 스파게티를 요리해 주었다.)

→ ______________

10 Dad will buy new sneakers of me.
(아빠는 나에게 새 운동화를 사 주실 것이다.)

→ ______________

| 문장 전환 |

[11~15] 주어진 문장을 전치사를 사용하여 바꿔 쓰시오.

11 He will send Jane a book.

→ ______________________________

12 Kate bought us some ice cream.

→ ______________________________

13 Kelly showed me her pictures.

→ ______________________________

14 We made them sandwiches.

→ ______________________________

15 Can you lend me your bike?

→ ______________________________

Unit 2

보어가 필요한 문장

| 감각동사 + 보어 |

1 감각을 나타내는 동사 다음에는 보어로 형용사를 쓴다.

주어	감각동사	보어 〈형용사〉	
You	**look**	happy.	너는 행복**해 보인다**.
That	**sounds**	interesting.	그것은 흥미롭**게 들린다**.
The air	**smells**	fresh.	그 공기는 상쾌**한 냄새가 난다**.
The cake	**tastes**	sweet.	그 케이크는 달콤**한 맛이 난다**.
I	**feel**	tired.	나는 피곤**하게 느낀다**.

주의 감각동사 뒤에 명사가 오는 경우에는 「감각동사+like+명사」의 형태로 쓴다.
The perfume **smells like** a rose. 그 향수는 장미 **같은 향이 난다**.
You **look like** an actor. 너는 배우**처럼 보인다**.

서술형 빈출 감각동사 뒤에 오는 형용사는 우리말로 '~하게'라고 해석되는 경우가 많으므로 부사 형태로 쓰지 않도록 주의한다.
The wind feels **cold**. 바람이 **차갑게** 느껴진다.
└ coldly (×)

암기 노트 감각동사

look	~하게 보이다
sound	~하게 들리다
smell	~한 냄새가 나다
taste	~한 맛이 나다
feel	~하게 느끼다

| 목적격보어가 있는 문장 |

2 목적어 뒤에 명사나 형용사 등을 써서 목적어를 보충 설명해 주는 말을 목적격보어라고 한다.

	주어+동사	목적어	목적격보어	
목적격보어가 명사인 경우	He called	me	**Jack.**	그는 나를 **Jack**이라고 불렀다. (me = Jack)
	She made	him	**a movie star.**	그녀는 그를 **영화배우**로 만들었다. (him = a movie star)
목적격보어가 형용사인 경우	The news made	them	**angry.**	그 뉴스는 그들을 **화나게** 만들었다.
	I found	the book	**difficult.**	나는 그 책이 **어렵다**는 것을 알았다.
	He keeps	his room	**clean.**	그는 그의 방을 **깨끗하게** 유지한다.

주의 목적격보어 자리에는 부사를 쓸 수 없다.
The movie made me **sad**. 그 영화는 나를 **슬프게** 만들었다.
└ sadly (×)

암기 노트 목적격보어가 필요한 동사

call	~을 …라고 부르다
make	~을 …로/…하게 만들다
find	~이 …하다는 것을 알다
keep	~을 …하게 유지하다

✓ 바로 개념 확인하기

A 빈칸에 알맞은 말 고르기

1 His song sounds ________.
(그의 노래는 아름답게 들린다.)
▢ beautiful ▢ beautifully

2 The movie made him ________.
(그 영화는 그를 유명하게 만들었다.)
▢ famous ▢ famously

3 Refrigerators keep food ________.
(냉장고는 음식을 신선하게 유지해 준다.)
▢ fresh ▢ freshly

B |보기|에서 알맞은 말 골라 쓰기

|보기| his father delicious cold

1 The bread smells ____________.

2 I feel ____________.

3 The boy looks like ____________.

C 우리말과 일치하도록 |보기|에서 알맞은 말 골라 쓰기

|보기| found made calls
Sue angry surprising

1 그들은 그를 화나게 만들었다.
→ They ________ him ________.

2 그는 그녀를 Sue라고 부른다.
→ He ________ her ________.

3 그녀는 그것이 놀랍다는 것을 알았다.
→ She ________ it ________.

서술형 기본 유형 익히기

| 배열 영작 |

[1~5] 우리말과 일치하도록 주어진 말을 배열하여 쓰시오.

1 그 계획은 흥미진진하게 들렸다.
(exciting, the plan, sounded)
→ ____________________

2 그녀는 천사처럼 보인다.
(like, an angel, looks, she)
→ ____________________

3 그녀의 지도력은 그녀를 인기 있게 만들었다.
(popular, her, made, her leadership)
→ ____________________

4 이 스웨터는 나를 따뜻하게 유지해 준다.
(warm, keeps, me, this sweater)
→ ____________________

5 나는 그 영화가 재미있다는 것을 알았다.
(the movie, I, interesting, found)
→ ____________________

| 오류 수정 |

[6~10] 어법상 틀린 부분을 찾아 바르게 고쳐 쓰시오.

6 The food smelled badly.
(그 음식은 나쁜 냄새가 났다.)

________ → ________

7 It sounds a good idea.
(그것은 좋은 생각처럼 들린다.)

________ → ________

8 Exercising makes you health.
(운동은 너를 건강하게 만든다.)

________ → ________

9 The book made she sad.
(그 책은 그녀를 슬프게 만들었다.)

________ → ________

10 Kate calls Barbie the doll.
(Kate는 그 인형을 Barbie라고 부른다.)

________ → ________

| 조건 영작 |

[11~15] 우리말과 일치하도록 조건에 맞게 문장을 쓰시오.

11 그 수프는 짠맛이 난다.

조건 1. salt와 salty 중 선택하여 쓸 것
2. taste, soup를 사용하여 총 4단어로 쓸 것

→ ________

12 그 방은 깨끗하게 보인다.

조건 1. clean과 cleanly 중 선택하여 쓸 것
2. look, the room을 사용하여 총 4단어로 쓸 것

→ ________

13 나는 그 상자가 비어 있다는 것을 알았다. *시제 주의

조건 1. find, the box, empty를 활용할 것
2. 총 5단어로 쓸 것

→ ________

14 그녀는 그녀의 고양이를 Tom이라고 부른다.

조건 1. call을 활용할 것
2. 총 5단어로 쓸 것

→ ________

15 그 노래는 나를 행복하게 만들었다. *시제 주의

조건 1. happy와 happily 중 선택하여 쓸 것
2. make, happy, the song을 사용하여 총 5단어로 쓸 것

→ ________

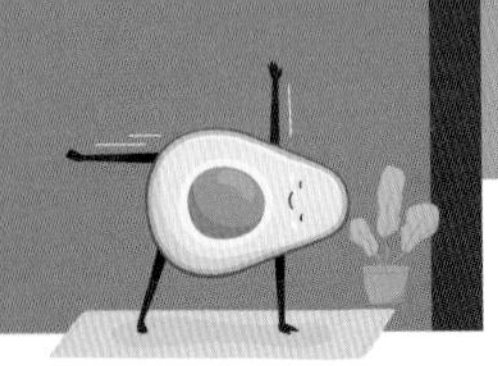

기출에서 뽑은

난이도별 서술형 문제

기 본

01 우리말과 일치하도록 |보기|에서 알맞은 말을 골라 필요한 동사를 추가하여 빈칸에 쓰시오.

|보기| happy　　busy　　melon

(1) 그녀는 오늘 바빠 보인다.
→ She ________ ________ today.

(2) 이 아이스크림은 멜론 맛이 난다.
→ This ice cream ________ like ________.

(3) 미나의 선물은 나를 행복하게 만들었다.
→ Mina's gift ________ me ________.

02 주어진 문장과 의미가 같도록 빈칸에 알맞은 말을 쓰시오.

(1) He gave his dog a toy.
= He gave a toy ________.

(2) Jenny made me a pencil case.
= Jenny made a pencil case ________.

03 우리말과 일치하도록 주어진 말을 사용하여 문장을 완성하시오.

(1) 그 바위는 곰처럼 보인다. (look, a bear)
→ The rock ________________.

(2) 그 소식은 우리를 슬프게 만들었다. (make, sad)
→ The news ________________.

04 밑줄 친 부분을 어법에 맞게 고쳐 쓰시오.

(1) Her voice sounds <u>strangely</u>.
→ ________________

(2) My dad cooked spaghetti <u>to me</u>.
→ ________________

05 그림을 보고, |보기|의 말을 사용하여 의미가 같은 문장이 되도록 완성하시오.

Jane　　Tom

|보기| flowers　　gave　　Tom　　to

(1) Jane ________________. (3단어)

(2) Jane ________________. (4단어)

심 화

06 |보기|의 말을 배열하여 문장을 완성하시오.

(1) |보기| the water　　keeps　　cool

→ The refrigerator ________________.

(2) |보기| interesting　　the book　　found

→ She ________________.

07 우리말과 일치하도록 조건에 맞게 문장을 쓰시오.

Jessica는 그 편지를 나에게 보여 주었다.

조건 1. show, the letter를 어법에 맞게 사용할 것
2. (1)은 총 5단어, (2)는 총 6단어로 쓸 것

(1) ________________

(2) ________________

08 우리말과 일치하도록 조건에 맞게 문장을 쓰시오.

(1) 그 음악은 아름답게 들렸다.

조건 the music, beautiful을 사용할 것

→ ____________________

(2) 나는 Nick이 용감하다는 것을 알았다.

조건 find, brave를 사용할 것

→ ____________________

신유형

09 |보기|에서 필요한 말만 골라 대화를 완성하시오. (|보기|의 단어는 한 번씩만 사용할 수 있음)

|보기| for like happy happily different differently

A Wow! You look (1) __________ today.
B I changed my hairstyle. How do I look?
A You look (2) __________ a movie star.
B Thanks. You always make me (3) __________.

고난도

10 어법상 틀린 문장 두 개를 찾아 기호를 쓰고, 틀린 부분을 바르게 고쳐 쓰시오.

ⓐ The roses smell good.
ⓑ I keep my desk clean.
ⓒ The story made him sadly.
ⓓ Mr. Cha teaches science for us.
ⓔ Did you lend some money to Mary?

( ) __________ → __________
( ) __________ → __________

함정이 있는 문제

01 어법상 틀린 문장을 골라 기호를 쓰고, 바르게 고쳐 문장을 다시 쓰시오.

ⓐ He feels warm.
ⓑ That sounds greatly.
ⓒ Mina looks really lovely.

( ) → ____________________

✔ -ly로 끝난다고 부사라고 착각하지 말자!
feel, sound, look과 같은 감각동사 뒤에는 형용사를 써야 한다. lovely는 -ly로 끝나지만 부사가 아니라 '사랑스러운'이라는 뜻의 형용사이므로 감각동사 뒤에 올 수 있다.

02 우리말과 일치하도록 주어진 말을 배열하여 쓰시오.

John은 그의 아내에게 반지를 주었다.
(his wife, John, a ring, to, gave)
→ ____________________

✔ 전치사가 있으면 직접목적어가 먼저 온다!
주어진 말에 전치사 to가 있으므로 「직접목적어+전치사+간접목적어」의 어순으로 써야 한다. 또한, 간접목적어(~에게)와 직접목적어(…을)를 잘 구별하여 어순에 맞게 쓸 수 있도록 한다.

03 우리말과 일치하도록 주어진 말을 사용하여 문장을 완성하시오.

사람들은 그를 Joe라고 부른다. (call, Joe)
→ People ____________________.

✔ 목적격보어 앞에 목적어를 빠뜨리지 말자!
call이 '~을 …라고 부르다'의 의미로 쓰이면 「call+목적어+목적격보어」의 어순으로 써야 한다. 주어진 말에 목적어에 해당하는 him이 없으므로, 목적격보어 Joe 앞에 목적어 him을 넣어 문장을 완성해야 한다.

시험에 강해지는

실전 TEST

시험일	월	일
시간		/ 40분
문항 수	객관식 10 /	서술형 10
점수		/ 100점

01 빈칸에 들어갈 수 없는 것은? (3점)

The teacher looks __________ today.

① sick ② tired ③ happy
④ upset ⑤ busily

02 대화의 빈칸에 알맞은 말이 순서대로 짝지어진 것은? (3점)

A Let's go to the movies this weekend.
B That __________ a good idea.
A How about watching the new action movie?
B That __________ great.

① sounds – sounds
② sounds like – sounds
③ sounds – sounds like
④ sound – sounds like
⑤ sounds like – sounds like

03 우리말을 영어로 잘못 옮긴 사람은? (3점)

① Mary는 친근해 보인다.
민하: Mary looks friendly.
② 이 아이스크림은 달콤한 맛이 난다.
하준: This ice cream tastes sweet.
③ 사람들은 그를 Sam이라고 부른다.
재민: People call Sam him.
④ 이 장갑은 내 손을 따뜻하게 유지해 준다.
윤호: These gloves keep my hands warm.
⑤ Nick은 그의 여자친구에게 초콜릿을 보냈다.
윤주: Nick sent his girlfriend chocolate.

신유형

04 우리말을 영어로 옮길 때, 쓰일 수 없는 단어는? (3점)

그는 우리에게 파스타를 요리해 주었다.

① us ② to ③ cooked
④ he ⑤ for

05 빈칸에 들어갈 말이 나머지와 다른 것은? (4점)

① I bought some cookies __________ you.
② She gave some advice __________ me.
③ Can you lend your book __________ me?
④ He told an interesting story __________ us.
⑤ My grandma showed her dog __________ us.

06 |보기|와 문장 구조가 같은 것은? (5점)

|보기| The bread smells delicious.

① Peter found the book easy.
② The pink dress looks beautiful.
③ My dad made me a cup of tea.
④ She sent her parents a postcard.
⑤ Wendy called him Jimmy.

07 어법상 틀린 것은? (4점)

① I don't feel good.
② My mom calls me Tommy.
③ Exercising keeps you healthy.
④ The king gave gold his wife.
⑤ The coffee smells like chocolate.

08 문장 전환이 잘못된 것은? (4점)

① Dad bought me a guitar.
→ Dad bought a guitar for me.
② She made her parents dinner.
→ She made dinner to her parents.
③ Ms. Kim teaches us PE.
→ Ms. Kim teaches PE to us.
④ Can you send me the file?
→ Can you send the file to me?
⑤ Susan cooked her friends pasta.
→ Susan cooked pasta for her friends.

09 밑줄 친 부분 중 어법상 틀린 것은? (5점)

A You look ①angry. What's ②wrong?
B My mom bought ③me a new camera last week. But my little brother broke it. I am so ④upset.
A Oh, that's too bad.
B Sometimes he makes me ⑤crazily.

신유형 고난도

10 어법상 올바른 것끼리 묶인 것은? (6점)

ⓐ I always feel tired on Mondays.
ⓑ The hot tea will make you calmly.
ⓒ The tour guide showed a map for us.
ⓓ My little sister calls my father Papa.
ⓔ The reporters asked the actress a lot of questions.

① ⓐ, ⓑ ② ⓐ, ⓔ
③ ⓒ, ⓔ ④ ⓐ, ⓓ, ⓔ
⑤ ⓑ, ⓓ, ⓔ

서술형

[서술형 1] 우리말과 일치하도록 빈칸에 알맞은 말을 쓰시오. (6점, 각 3점)

(1) 그 노래는 슬프게 들린다.
→ The song __________ __________.

(2) 우리는 그를 Teddy라고 부른다.
→ We call __________ __________.

[서술형 2] 그림을 보고, |예시| 와 같이 조건 에 맞게 문장을 쓰시오. (6점, 각 3점)

조건 1. 주어진 말을 사용할 것
2. 동사는 현재형으로 사용하고 완전한 문장으로 쓸 것

|예시| The coffee smells good. (smell)

(1) ______________________________ (look)

(2) ______________________________ (taste)

[서술형 3] 주어진 문장과 의미가 같도록 전치사를 사용하여 바꿔 쓰시오. (6점, 각 3점)

(1) My uncle made me a chair.
→ ______________________________

(2) He showed me his new bike.
→ ______________________________

[서술형 4] 밑줄 친 부분을 주어진 말로 바꿔 문장을 다시 쓰시오. (8점, 각 4점)

(1) The cloud looks cute. (a dog)

→ ____________________

(2) Dad gave a soccer ball to me. (bought)

→ ____________________

신유형

[서술형 5] |보기|에서 필요한 말만 골라 문장을 완성하시오. (12점, 각 4점)

(1) |보기| cooked to for of lunch

→ Suji ____________________ her family.

(2) |보기| her album showed to for of

→ Minju ____________________ Dojun.

(3) |보기| to for of my secret told

→ I ____________________ Mark.

[서술형 6] 어법상 틀린 부분을 찾아 바르게 고쳐 쓰시오. (4점, 각 2점)

(1) The baby's skin feels softly.

__________ → __________

(2) Sam teaches yoga for my sister.

__________ → __________

[서술형 7] 밑줄 친 우리말과 일치하도록 괄호 안의 말을 사용하여 5단어로 쓰시오. (4점)

A What do you call the tall animal with a long neck?
B 우리는 그것을 기린이라고 불러. (a giraffe)

→ ____________________

고난도

[서술형 8] 어법상 틀린 부분을 찾아 바르게 고쳐 쓰시오. (6점)

I sometimes feel very tired. So, I eat chocolate. It tastes so sweet. Chocolate makes me happily.

__________ → __________

[서술형 9~10] 다음 글을 읽고, 물음에 답하시오.

Yesterday was Christmas. (A) 나의 아빠는 나에게 인형을 사 주셨다. We decided to call ⓐ it Mickey. My mother cooked a special dinner ⓑ for us. It tasted so ⓒ great. I gave a Christmas card ⓓ for my parents. This Christmas made me ⓔ happy.

[서술형 9] 윗글의 밑줄 친 우리말 (A)와 일치하도록 조건에 맞게 문장을 쓰시오. (5점)

조건 1. 알맞은 전치사를 쓸 것
2. my father, a doll을 사용하여 7단어로 쓸 것

→ ____________________

[서술형 10] 윗글의 밑줄 친 ⓐ~ⓔ 중 어법상 틀린 것을 찾아 기호를 쓰고, 바르게 고쳐 쓰시오. (3점)

(　　) → __________

CHAPTER 10

형용사와 부사

Unit 1 형용사와 부사

Unit 2 비교급과 최상급

형용사는 '~한, ~하는'의 의미로 명사를 꾸며 주고, **부사**는 '~하게'라는 의미로 동사, 형용사, 다른 부사 또는 문장 전체를 꾸며 준다.

형용사 Snow White was a **happy** princess. 백설 공주는 **행복한** 공주였다.

부사 She lived in the woods **happily**. 그녀는 숲에서 **행복하게** 살았다.

형용사나 부사를 사용하여 '더 ~한/하게, 가장 ~한/하게'의 의미로 **비교 표현**을 할 수 있다.

비교급 She was **happier than** the queen. 그녀는 왕비보다 **더 행복했다**.

최상급 She was **the happiest** princess in the world.
그녀는 세상에서 **가장 행복한** 공주였다.

Unit 1

형용사와 부사

| 형용사 |

1 형용사는 명사나 대명사를 꾸며 주거나 주어를 보충 설명해 준다.

명사 수식	She is a **pretty** girl.	그녀는 **예쁜** 여자아이다.
주어 보충 설명	She is **pretty**.	그녀는 **예쁘다**.

주의 -thing, -body, -one으로 끝나는 대명사는 형용사가 뒤에서 수식한다.
Show me something **different**. 나에게 **색다른** 무언가를 보여 줘라.

| 부사 |

2 부사는 동사, 형용사, 부사, 또는 문장 전체를 꾸며 준다.

동사 수식	I walked **slowly**.	나는 **천천히** 걸었다.
형용사 수식	The car is **perfectly** clean.	그 차는 **완벽하게** 깨끗하다.
부사 수식	I studied **very** hard.	나는 **매우** 열심히 공부했다.
문장 전체 수식	**Luckily**, I found my dog.	**다행히**, 나는 내 개를 찾았다.

주의 부사는 대개 형용사에 -ly를 붙여 만들지만 형용사와 형태가 같은 부사도 있으므로 주의한다.
Julie runs **fast**(부사). She is a **fast**(형용사) runner. Julie는 **빨리** 달린다. 그녀는 **빠른** 주자이다.

암기 노트 주의해야 할 형용사와 부사

형용사와 부사의 형태가 같은 단어
- fast 형 빠른 부 빨리
- early 형 이른 부 일찍
- high 형 높은 부 높게
- late 형 늦은 부 늦게
- hard 형 딱딱한, 어려운 부 열심히

「형용사+-ly」일 때 의미가 달라지는 단어
- high 형 높은 – highly 부 매우
- late 형 늦은 – lately 부 최근에
- hard 형 어려운 – hardly 부 거의 ~ 않다

| 빈도부사 |

3 빈도부사는 어떤 일이 얼마나 자주 일어나는지 나타내는 말이다.

	빈도		
always (항상, 늘)	100 %	He is **always** happy.	그는 **항상** 행복하다.
usually (보통, 대개)	↓	I **usually** go to school by bus.	나는 **보통** 버스를 타고 학교에 간다.
often (자주)	↓	She **often** sends emails to me.	그녀는 **자주** 나에게 이메일을 보낸다.
sometimes (가끔)	↓	You are **sometimes** late for class.	너는 **가끔** 수업에 늦는다.
never (전혀 ~ 않다)	0 %	I will **never** forget you.	나는 너를 **절대** 잊지 않을 것이다.

주의 빈도부사는 주로 be동사와 조동사의 뒤, 일반동사의 앞에 쓴다.

✔ 바로 개념 확인하기

A 빈칸에 알맞은 말 고르기

1 Peter is ________.
☐ honest ☐ honestly

2 She dances ________.
☐ good ☐ well

3 He spoke ________ to me.
☐ kind ☐ kindly

4 They were in a ________ room.
☐ large ☐ largely

B 밑줄 친 부분의 알맞은 의미 고르기

1 He ran fast.
☐ 빠른 ☐ 빨리

2 Mt. Everest is a high mountain.
☐ 높은 ☐ 높게

3 Jake exercises hard every morning.
☐ 어려운 ☐ 열심히

4 I went to bed late.
☐ 늦은 ☐ 늦게

C |보기|에서 알맞은 빈도부사 골라 빈칸에 쓰기

|보기| usually often always

1 그녀는 보통 학교에 자전거를 타고 간다.
→ She ________ rides her bike to school.

2 Eric은 항상 모두에게 친절하다.
→ Eric is ________ nice to everyone.

3 나는 자주 공원에서 산책한다.
→ I ________ take a walk in the park.

서술형 기본 유형 익히기

| 문장 완성 |

[1~5] 우리말과 일치하도록 주어진 말을 사용하여 문장을 완성하시오.

1 저 가수는 한국에서 유명하다.
(famous)

→ That singer ________ ________ in Korea.

2 나는 숲에서 이상한 무언가를 들었다.
(strange)

→ I heard ________ ________ in the woods.

3 내 남동생은 어제 늦게 일어났다.
(got up)

→ My brother ________ ________ ________ yesterday.

4 Mike는 주말에 자주 바쁘다.
(busy)

→ Mike ________ ________ ________ on weekends.

5 그는 항상 열심히 공부한다.
(studies)

→ He ________ ________ ________.

| 배열 영작 |

[6~10] **우리말과 일치하도록 주어진 말을 배열하여 문장을 완성하시오.**

6 그 강은 매우 더러웠다.
(very, was, dirty)

→ The river ______________________.

7 그는 유럽의 아름다운 도시들을 방문했다.
(cities, visited, beautiful)

→ He ______________________ in Europe.

8 나는 생일에 특별한 무언가를 원한다.
(special, something, want)

→ I ______________________ for my birthday.

9 그는 대개 매우 빠르게 걷는다.
(very, fast, usually, walks)

→ He ______________________.

10 Jane은 절대 아침을 거르지 않는다.
(skips, never, breakfast)

→ Jane ______________________.

| 오류 수정 |

[11~15] **어법상 <u>틀린</u> 부분을 찾아 바르게 고쳐 쓰시오.**

11 This question is really easily.
(이 문제는 정말 쉽다.)

______________ → ______________

12 I'll tell you important something.
(나는 너에게 중요한 무언가를 말할 것이다.)

______________ → ______________

13 My mother drives careful.
(나의 어머니는 주의 깊게 운전하신다.)

______________ → ______________

14 Jack has often dinner at home.
(Jack은 자주 집에서 저녁을 먹는다.)

______________ → ______________

15 You always can call me.
(너는 항상 나에게 전화해도 된다.)

______________ → ______________

Unit 2 비교급과 최상급

| 비교급 문장 |

1 비교급 문장은 「비교급+than」의 형태로 쓰며, '~보다 더 …한/하게'라는 의미를 나타낸다.

Sue is **taller than** Kevin.	Sue는 Kevin**보다 키가 더 크**다.
This bag is **more expensive than** that bag.	이 가방은 저 가방**보다 더 비싸**다.

주의 비교 대상은 서로 같은 성격이거나 같은 형태이어야 한다.

Your dress is nicer than **mine**. 네 드레스는 내 것보다 더 좋다. (mine = my dress)
└ me (×)

| 최상급 문장 |

2 최상급 문장은 「the+최상급+in/of+비교 범위」의 형태로 쓰며, '~ 중에서 가장 …한/하게'라는 의미를 나타낸다.

Sue is **the tallest** girl **in** the class.	Sue는 반에서 **가장 키가 큰** 여자아이다.
This is **the most expensive** bag **of** the three.	이것은 셋 중에서 **가장 비싼** 가방이다.

| 비교급과 최상급의 형태 |

3 비교급은 형용사나 부사의 원급에 -er을 붙이고, 최상급은 -est를 붙인다.

		원급	비교급	최상급
대부분의 경우	+-er/-est	short	short**er**	short**est**
-e로 끝나는 경우	+-r/-st	large	large**r**	large**st**
-y로 끝나는 경우	y를 i로 고치고 +-er/-est	happy easy	happ**ier** eas**ier**	happ**iest** eas**iest**
「단모음+단자음」으로 끝나는 경우	자음을 한 번 더 쓰고 +-er/-est	hot big	hot**ter** big**ger**	hot**test** big**gest**
-ful, -ous, -ing, -ive 등으로 끝나는 2음절 단어나 3음절 이상인 경우	more/most+원급	famous beautiful expensive	**more** famous **more** beautiful **more** expensive	**most** famous **most** beautiful **most** expensive

주의 불규칙으로 변하는 비교급과 최상급에 유의하자.

My score is **better** than Jake's.
내 점수는 Jake의 것보다 더 좋다.

I got the **best** score in my class.
나는 우리 반에서 가장 좋은 점수를 받았다.

→ 부록 p.164

암기 노트 불규칙 변화

원급	비교급	최상급
good (좋은) / well (잘)	better	best
bad (나쁜)	worse	worst
many, much (많은)	more	most

✔ 바로 개념 확인하기

A 주어진 말의 비교급과 최상급 형태 쓰기

1 hot – ____________ – ____________

2 short – ____________ – ____________

3 good – ____________ – ____________

4 bad – ____________ – ____________

5 easy – ____________ – ____________

6 expensive – ____________ – ____________

B 빈칸에 알맞은 말 고르기

1 China is ________ than Japan.
☐ large ☐ larger

2 He has ________ car of the three.
☐ biggest ☐ the biggest

3 Tony is the ________ soccer player in the school.
☐ famousest ☐ most famous

4 This painting is ________ than that painting.
☐ more beautiful ☐ most beautiful

C 주어진 말을 활용하여 문장 완성하기

1 Sleep is ____________ than medicine. (good)

2 Today is the ____________ day of my life. (happy)

3 It is the ____________ song of all his songs. (bad)

4 Gold is ____________ than silver. (expensive)

서술형 기본 유형 익히기

| 배열 영작 |

[1~5] 우리말과 일치하도록 주어진 말을 배열하여 문장을 완성하시오.

1 지구는 태양보다 더 작다.
(Sun, smaller, is, than)

→ Earth ______________________________.

2 그는 지나보다 나이가 더 많다.
(than, older, Jina, is)

→ He ______________________________.

3 Sam은 반에서 힘이 가장 센 남자아이다.
(strongest, in the class, is, boy, the)

→ Sam ______________________________.

4 그것은 내 인생에서 가장 나쁜 경험이었다.
(the, of my life, experience, worst)

→ It was ______________________________.

5 그녀는 셋 중에서 가장 아름다운 목소리를 갖고 있다.
(the, voice, beautiful, most, of the three)

→ She has ______________________________.

| 문장 완성 |

[6~10] 우리말과 일치하도록 주어진 말을 활용하여 문장을 완성하시오.

6 Jack의 선물은 내 것보다 더 크다.
(big)

→ Jack's present is ________ ________ mine.

7 이 영화가 저 영화보다 더 재미있다.
(interesting)

→ This movie is ________ ________
________ that movie.

8 수지는 그녀의 가족 중에서 가장 어린 아이이다.
(young, child)

→ Suji is ________ ________ ________ in her family.

9 모바일 게임은 비디오 게임보다 더 인기 있다.
(popular)

→ Mobile games are ________ ________
________ video games.

10 그것은 넷 중에서 가장 유용한 책이다.
(useful, book)

→ It is ________ ________ ________
________ of the four.

| 오류 수정 |

[11~15] 어법상 틀린 부분을 찾아 바르게 고쳐 쓰시오.

11 She is the most happy girl in the world.
(그녀는 세상에서 가장 행복한 여자아이다.)

________ → ________

12 This summer is more hot than last summer.
(이번 여름은 지난 여름보다 더 덥다.)

________ → ________

13 Your idea is better than him.
(너의 생각이 그의 생각보다 더 좋다.)

________ → ________

14 What is highest mountain in the world?
(세계에서 가장 높은 산은 무엇이니?)

________ → ________

15 Time is more importanter than money.
(시간은 돈보다 더 중요하다.)

________ → ________

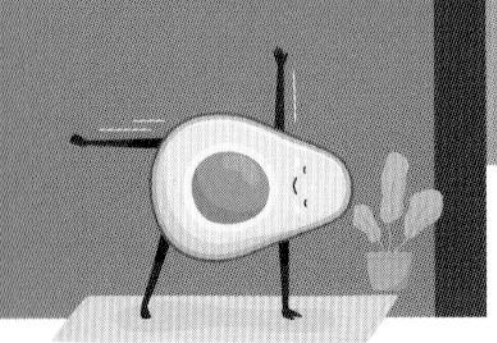

기출에서 뽑은

난이도별 서술형 문제

기 본

01 우리말과 일치하도록 주어진 말을 배열하여 문장을 완성하시오.

(1) 코끼리는 긴 코를 가지고 있다. (nose, long, a)
→ An elephant has ________________.

(2) 나는 보통 아침을 먹는다. (eat, usually)
→ I ________________ breakfast.

(3) 그녀는 차가운 무언가를 마셨다. (cold, something)
→ She drank ________________.

02 그림을 보고, 주어진 말을 활용하여 문장을 완성하시오.

(1) The melon is ________ ________ the orange. (big)

(2) The strawberry is ________ ________ fruit of the three. (small)

03 |예시|와 같이 밑줄 친 말을 알맞은 형태로 써서 의미가 같도록 문장을 완성하시오.

|예시| James is a careful driver.
→ James drives carefully.

(1) She is a good pianist.
→ She plays the piano ________.

(2) Sue is a fast runner.
→ Sue runs ________.

04 어법상 또는 의미상 틀린 부분을 찾아 바르게 고쳐 쓰시오.

(1) I studied science hardly.
(나는 과학을 열심히 공부했다.)

________ → ________

(2) This book is interestinger than that book.
(이 책은 저 책보다 더 재미있다.)

________ → ________

05 표를 보고, 주어진 말을 활용하여 문장을 완성하시오.

	Mina	Suji	Yura
나이	15세	16세	14세
몸무게	50 kg	45 kg	53 kg

(1) Mina is ________ ________ Yura. (old)

(2) Yura is ________ ________ girl of the three. (heavy)

심 화

06 우리말과 일치하도록 주어진 말을 배열하여 쓰시오.

(1) 나는 달콤한 무언가를 먹고 싶다.
(sweet, to eat, I, something, want)
→ ________________

(2) 그것은 세계에서 가장 높은 빌딩이다.
(building, is, tallest, in the world, it, the)
→ ________________

07 대화를 읽고, 어법상 틀린 곳을 찾아 바르게 고쳐 쓰시오.

A Who has longer hair, you or your sister?
B My hair is longest than my sister's hair.

________ → ________

08 나의 일정표를 보고, 조건에 맞게 문장을 쓰시오.

	월	화	수	목	금	토
(1) wake up early	○	×	○	○	○	×
(2) eat dinner at home	×	○	×	×	×	○

조건 1. 6일 중 2일이면 sometimes를, 4일이면 usually를 쓸 것
2. 주어를 I로 하고 동사는 현재형으로 쓸 것

(1) ________________

(2) ________________

고난도

09 우리 반 학생들이 가장 좋아하는 스포츠를 조사한 그래프를 보고, 조건에 맞게 문장을 완성하시오.

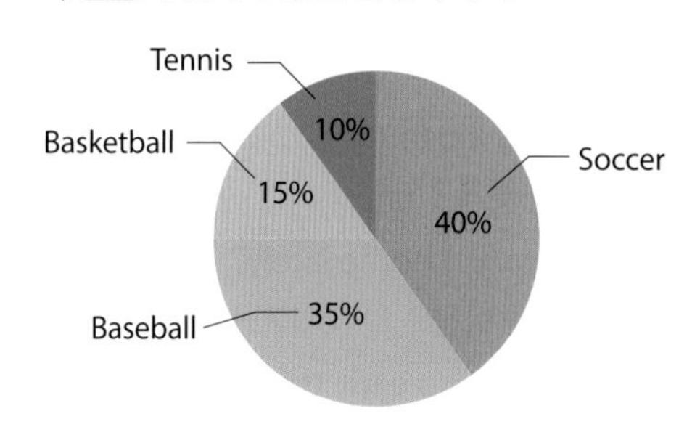

조건 1. 비교급이나 최상급을 반드시 사용할 것
2. popular를 사용하여 (1)과 (2) 각각 4단어로 쓸 것

(1) Soccer ________________ sport in our class.

(2) Baseball ________________ basketball.

신유형

10 한 학생이 수업 시간에 발표한 내용을 보고, 학생이 영작한 문장에서 틀린 부분을 찾아 바르게 고쳐 쓰시오.

'나는 대개 방과 후에 수영하러 간다.'를 영작하면, 빈도 부사 usually를 사용하여 "I go usually swimming after school."이 됩니다.

________ → ________

함정이 있는 문제

01 어법상 또는 의미상 틀린 부분을 찾아 바르게 고쳐 쓰시오.

They arrived lately at the bus stop.
(그들은 버스 정류장에 늦게 도착했다.)

________ → ________

✔ -ly를 붙이면 뜻이 달라지는 부사에 주의하자!
late는 형용사(늦은)와 부사(늦게)가 같은 형태이다. late에 -ly를 붙이면 '최근에'라는 뜻으로 의미가 완전히 달라지므로 유의하자.

02 주어진 문장을 어법에 맞게 고쳐 다시 쓰시오.

This cake is more sweeter than that cake.

→ ________________

✔ -(e)r과 more는 함께 쓰지 않는다!
비교급의 형태는 「형용사/부사+(e)r」 또는 「more+형용사/부사」이다. 그러므로 비교급을 쓸 때 -(e)r과 more를 함께 쓰지 않도록 유의하자.

03 우리말과 일치하도록 주어진 말을 사용하여 문장을 완성하시오.

내 스마트폰은 네 것보다 새 것이다. (new)

→ My smartphone is ________ ________ ________.

✔ 비교 대상은 서로 동일한 성격을 가져야 한다!
비교 대상은 '내 스마트폰'과 '네 것', 즉 '너의 스마트폰'이다. 그러므로 네 것을 의미하는 yours 또는 your smartphone으로 써야 한다.

시험에 강해지는

실전 TEST

시험일	월 일
시간	/ 40분
문항 수	객관식 10 / 서술형 10
점수	/ 100점

01 빈칸에 공통으로 알맞은 것은? (3점)

- A frog can jump __________.
- The price of these phones is very __________.

① fast ② high ③ highly
④ hard ⑤ hardly

02 두 문장을 의미가 같도록 한 문장으로 바꿔 쓸 때, 빈칸에 알맞은 것은? (3점)

It is 33 °C today. It was 30 °C yesterday.
→ Today is __________ than yesterday.

① hot ② hotter ③ hottest
④ cold ⑤ colder

03 빈칸에 들어갈 수 없는 것을 모두 고르면? (3점)

This camera is more __________ than that camera.

① big ② cheap ③ useful
④ popular ⑤ expensive

04 주어진 문장에서 always의 위치로 알맞은 곳은? (4점)

You (①) can (②) visit (③) me (④) after (⑤) school.

05 우리말과 일치하도록 주어진 말을 배열할 때, 네 번째로 오는 단어는? (4점)

내 방에 이상한 무언가가 있다.
(strange, is, something, there, my room, in)

① there ② something ③ strange
④ in ⑤ room

06 우리말을 영어로 잘못 옮긴 것은? (4점)

① 그녀는 아름다운 목소리를 가지고 있다.
→ She has a beautiful voice.
② 너는 집에 늦게 갔니?
→ Did you go home lately?
③ Lily는 오늘 아침에 일찍 일어났다.
→ Lily woke up early this morning.
④ 나는 절대로 그것을 잊지 않을 것이다.
→ I will never forget it.
⑤ Jane은 보통 긴 바지를 입는다.
→ Jane usually wears long pants.

07 밑줄 친 부분의 형태가 알맞지 않은 것은? (4점)

① Mira gets up earlier than Jiho.
② Kate is the smartest student of the four.
③ Today Jina feels badder than yesterday.
④ Today is the most exciting day of my life.
⑤ This cake is more delicious than that cake.

08 대화의 빈칸에 알맞은 말이 순서대로 짝지어진 것은? (4점)

A How often do you go swimming?
B I ________ go swimming. I can't swim. What about you?
A I ________ go swimming. I go to the swimming pool three or four times a week.

① never – often ② always – often
③ often – always ④ never – always
⑤ always – never

고난도
09 밑줄 친 부분을 잘못 고친 것은? (5점)

① Some birds are flying highly in the sky. → high
② The baby can walk fastly. → fast
③ She wants new something. → newly something
④ It's a perfectly day for a picnic. → perfect
⑤ We practiced singing very hardly. → hard

고난도
10 어법상 틀린 문장의 개수는? (6점)

ⓐ She is very upset.
ⓑ Sumin dances weller than me.
ⓒ My family goes usually camping on weekends.
ⓓ Vatican City is the smallest country in the world.
ⓔ Learning Chinese is more difficult than learning English.

① 1개 ② 2개 ③ 3개
④ 4개 ⑤ 5개

서술형

[서술형 1] 그림을 보고, fast를 알맞은 형태로 바꿔 문장을 완성하시오. (6점, 각 3점)

(1) 200 km/h 60 km/h (2) Daniel

(1) The train is ________ ________ the bus.
(2) Daniel is ________ ________ runner of the four.

신유형
[서술형 2] 빈칸에 easy의 알맞은 형태를 각각 쓰시오. (6점, 각 2점)

(1) The test was ________.
(2) She solved the problem ________.
(3) Sending an email is ________ than sending a letter.

[서술형 3] 주어진 문장과 의미가 같도록 빈칸에 알맞은 말을 써서 문장을 완성하시오. (6점, 각 3점)

(1) Jim is taller than Erica.
→ Erica is ________ ________ Jim.
(2) Julie is older than Ben.
→ Ben is ________ ________ Julie.

[서술형 4] 어법상 틀린 부분을 찾아 바르게 고쳐 쓰시오. (6점, 각 3점)

(1) We always should follow the safety rules.
________ → ________
(2) You learned important something today.
________ → ________

[서술형5] 나의 일정표를 보고, 조건에 맞게 문장을 쓰시오. (9점, 각 3점)

하는 일	빈도
(1) play the cello	주 1~2회
(2) read books	주 4회
(3) take a walk after dinner	주 7회

조건 1. |보기|에서 알맞은 빈도부사를 골라 쓸 것
2. 주어는 I로 하고 동사는 현재형으로 쓸 것

|보기| always often sometimes

(1) ______________________

(2) ______________________

(3) ______________________

[서술형6] 밑줄 친 우리말과 일치하도록 조건에 맞게 문장을 쓰시오. (5점)

A What do you want to eat for lunch?
B 나는 매운 무언가를 먹고 싶어.

조건 1. want, eat, spicy를 사용할 것
2. 총 6단어로 쓸 것

→ ______________________

신유형

[서술형7] |보기|에서 필요한 말만 골라 대화를 완성하시오. (5점)

|보기| mine it was more most expensive me than

A How much was your backpack?
B It was 35 dollars.
A Wow! ______________________
My backpack was 28 dollars.

신유형 고난도

[서술형8] 주어진 정보와 일치하지 않는 문장 두 개를 골라 기호를 쓰고, 바르게 고쳐 문장을 다시 쓰시오. (한 단어씩만 고치고, 주어는 고치지 말 것) (8점, 각 4점)

	Hippo	Giraffe	Cheetah
몸무게	1,800 kg	800 kg	70 kg
최고 속도	30 km/h	60 km/h	93 km/h

ⓐ The hippo is faster than the giraffe.
ⓑ The giraffe is slower than the cheetah.
ⓒ The hippo is the heaviest animal of the three.
ⓓ The cheetah is the slowest animal of the three.
ⓔ The giraffe is heavier than the cheetah.

(   ) → ______________________

(   ) → ______________________

[서술형9~10] 다음 글을 읽고, 물음에 답하시오.

Dear Diary,

I had a bad day today. ⓐI usually wake up early. ⓑBut I woke up lately today. ⓒI ran fast. ⓓBut I was late for school. On my way home, it began to rain. But I didn't have an umbrella. I got wet. (A)오늘은 내 인생에서 최악의 날이었어.

*on my way home 집에 가는 길에

[서술형9] 윗글의 밑줄 친 ⓐ~ⓓ 중 어법상 틀린 문장을 찾아 기호를 쓰고, 바르게 고쳐 문장을 다시 쓰시오. (4점)

(   ) → ______________________

[서술형10] 윗글의 밑줄 친 우리말 (A)와 일치하도록 조건에 맞게 문장을 쓰시오. (5점)

조건 1. 주어는 It으로 하고 day, of my life를 사용할 것
2. bad의 형태를 바꿔 쓸 것

→ ______________________

CHAPTER 11

여러 가지 문장

Unit 1 명령문, 청유문, 감탄문

Unit 2 부가의문문

'~해라'라고 명령할 때 쓰는 문장을 **명령문**이라고 하고, '~하자'라고 제안할 때 쓰는 문장을 **청유문**이라고 한다. '~하구나!'라는 뜻으로 놀라움이나 기쁨 등의 감정을 표현할 때 쓰는 문장을 **감탄문**이라고 하고, 동의를 구하거나 사실을 확인할 때 문장의 끝에 덧붙이는 말을 **부가의문문**이라고 한다.

명령문	**Close** the door.	문을 **닫아라**.
청유문	**Let's** walk slowly.	천천히 걷**자**.
감탄문	**What a nice day** it is!	**정말** 좋은 날이**구나**!
부가의문문	He is very kind, **isn't he?**	그는 정말 친절하지, **그렇지 않니?**

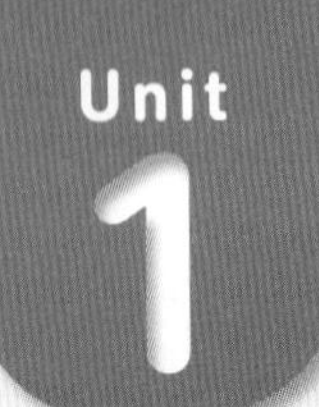

명령문, 청유문, 감탄문

| 명령문 |

1 명령문은 상대방에게 명령이나 요청할 때 사용하며, 주어를 쓰지 않고 동사원형으로 시작한다.

긍정 명령문	동사원형 ~. (~해라.)	**Open** the box. **Be** careful.	상자를 **열어라.** 조심**해라.**
부정 명령문	Don't+동사원형 ~. (~하지 마라.)	**Don't open** the box. **Don't be** late.	상자를 **열지 마라.** 늦지 **마라.**

주의 명령문에 형용사가 있으면 형용사 앞에 be동사를 빠뜨리지 않도록 유의하자.
Quiet. (×)　　**Be** quiet. (○) 조용히 해.

| 청유문 |

2 청유문은 상대방에게 제안할 때 사용하며 「Let's+동사원형 ~.」으로 쓴다.

Let's+동사원형 ~. (~하자.)	**Let's play** soccer.	축구**하자.**
Let's not+동사원형 ~. (~하지 말자.)	**Let's not play** soccer.	축구**하지 말자.**

서술형 빈출 「Let's+동사원형 ~.」은 제안을 나타내는 다양한 표현들로 바꿔 쓸 수 있다.
Let's go to the zoo. 동물원에 가**자.**
= **Why don't we** go to the zoo? 동물원에 가**지 않을래?**
= **How about** going to the zoo? 동물원에 가**는 게 어때?** *How about 다음에는 동명사가 오는 것에 주의한다.
= **Shall we** go to the zoo? 동물원에 갈**까?**

| 감탄문 |

3 감탄문은 '정말 ~하구나!'라는 의미로 What이나 How로 시작한다.

What 감탄문	It is a very nice car. → **What a nice car** it is!	그것은 아주 멋진 차이다. 그것은 **정말 멋진 차**구나!
How 감탄문	The horse ran very fast. → **How fast** the horse ran!	그 말은 매우 빨리 달렸다. 그 말은 **정말 빨리** 달렸구나!

암기 노트 감탄문 만드는 법

What 감탄문	What+a(n)+형용사+명사(+주어+동사)!
How 감탄문	How+형용사/부사(+주어+동사)!

주의 What 감탄문에서 명사가 복수형이거나 셀 수 없는 명사일 때 형용사 앞에 a(n)을 쓰지 않도록 주의한다.
What expensive **sneakers** they are! 그것은 정말 비싼 운동화구나!
└ an expensive sneakers (×)

tips 감탄문의 주어와 동사는 생략하여 쓰는 경우가 많다.
What a big city it is! 그것은 정말 큰 도시구나!
= What a big city! 정말 큰 도시구나!
How cute the baby is! 그 아기는 정말 귀엽구나!
= How cute! 정말 귀엽구나!

✔ 바로 개념 확인하기

A 빈칸에 알맞은 말 고르기

1 ________ to the teacher.
☐ Listen ☐ Listens

2 ________ careful with the knife.
☐ Do ☐ Be

3 ________ worry about the contest.
☐ Not ☐ Don't

4 Don't ________ for school.
☐ late ☐ be late

B 주어진 말을 사용하여 청유문 완성하기

1 ______________ pictures here. (take)

2 ______________ lunch now. (eat)

3 ______________ shopping. (not, go)

4 ______________ noise in class. (not, make)

C 빈칸에 what 또는 how 쓰기

1 ________ high Sam jumps!

2 ________ an expensive car it is!

3 ________ tall the building is!

4 ________ a cute puppy it is!

서술형 기본 유형 익히기

| 문장 완성 |

[1~5] 우리말과 일치하도록 주어진 말을 사용하여 문장을 완성하시오.

1 도서관에서 조용히 해라.
(quiet)

→ ________ ________ in the library.

2 여기에서 길을 건너지 마라.
(cross)

→ ________ ________ the street here.

3 엄마를 도와드리자.
(help)

→ ________ ________ Mom.

4 그는 정말 친절한 남자아이구나!
(kind, boy)

→ ________ ________ ________
________ he is!

5 이 케이크는 정말 맛있구나!
(delicious)

→ ________ ________ this cake is!

| 배열 영작 |

[6 ~ 8] **우리말과 일치하도록 주어진 말을 배열하여 문장을 완성하시오.**

6 게임을 너무 자주 하지 마라.
(play, don't, games)

→ ________________ too often.

7 이번 주말에 수영하러 가자.
(this weekend, go swimming, let's)

→ ________________

8 그것은 정말 놀라운 경험이었구나!
(an, experience, it, what, amazing, was)

→ ________________

| 오류 수정 |

[9 ~ 11] **어법상 틀린 부분을 찾아 바르게 고쳐 쓰시오.**

9 Not let's call him now.
(지금 그에게 전화하지 말자.)

________ → ________

10 Do kind to your friends.
(너의 친구들에게 친절하게 대해라.)

________ → ________

11 How an exciting song it is!
(그것은 정말 신나는 노래구나!)

________ → ________

| 문장 전환 |

[12 ~ 15] **주어진 문장을 지시에 맞게 바꿔 쓰시오.**

12 명령문으로 바꿀 것

You should get up early tomorrow.

→ ________________

13 부정 명령문으로 바꿀 것

You shouldn't be rude to him.

→ ________________

14 what을 사용한 감탄문으로 바꿀 것 (주어와 동사 포함)

It is a very difficult question.

→ ________________

15 how를 사용한 감탄문으로 바꿀 것 (주어와 동사 포함)

The news is very shocking.

→ ________________

Unit 2

부가의문문

| 긍정문 뒤에 오는 부가의문문 |

1 상대방의 동의를 구하거나 사실을 확인할 때 부가의문문을 쓰며, 긍정문 뒤에는 부정의 부가의문문을 덧붙여 쓴다.

He is kind, **isn't he?** 그는 친절하지, **그렇지 않니?**

They study hard, **don't they?** 그들은 열심히 공부하지, **그렇지 않니?**

We will go camping, **won't we?** 우리는 캠핑을 갈 거지, **그렇지 않니?**

앞 문장의 주어가 복수인 경우, 부가의문문의 주어도 복수형 대명사를 써야 한다.

Sue and Mia like basketball, don't **they**? Sue와 Mia는 농구를 좋아하지, 그렇지 않니?

| 부정문 뒤에 오는 부가의문문 |

2 부정문 뒤에는 긍정의 부가의문문을 덧붙여 쓴다.

The movie isn't fun, **is it?** 그 영화는 재미있지 않지, **그렇지?**

Jane doesn't like him, **does she?** Jane은 그를 좋아하지 않지, **그렇지?**

You can't swim, **can you?** 너는 수영을 못하지, **그렇지?**

주의 앞 문장의 동사가 과거형이면 부가의문문의 동사도 과거형으로 써야 한다.

Jake didn't study hard, **did** he? Jake는 열심히 공부하지 않았지, 그렇지?
(does (×))

암기 노트 부가의문문 만드는 법

형태	긍정문 뒤 → 부정의 부가의문문 부정문 뒤 → 긍정의 부가의문문
동사	be동사/조동사 → 그대로 일반동사 → do/does/did
주어	대명사로 바꾸기

| 부가의문문의 대답 |

3 부가의문문에 대한 대답은 사실 여부에 따라 Yes나 No로 답한다.

질문	대답	뜻
He is your brother, **isn't he?** 그는 네 남동생이지, **그렇지 않니?**	– Yes, he is.	응, 내 남동생이야.
	– No, he isn't.	아니, 내 남동생이 아니야.
He isn't your brother, **is he?** 그는 네 남동생이 아니지, **그렇지?**	– Yes, he is.	아니, 내 남동생이야.
	– No, he isn't.	응, 내 남동생이 아니야.

주의 부가의문문에 대답할 때, 질문의 긍정, 부정과 상관없이 대답하는 내용이 긍정이면 Yes, 부정이면 No로 답한다.

He doesn't want to play soccer, **does he?** 그는 축구를 하고 싶어 하지 않지, **그렇지?**

– Yes, he does. 아니, 하고 싶어 해. 〈긍정 대답〉

– No, he doesn't. 응, 하고 싶어 하지 않아. 〈부정 대답〉

✔ 바로 개념 확인하기

A 빈칸에 알맞은 말 고르기

1 It is warm in Seoul now, __________ it?
☐ is ☐ isn't

2 He didn't go hiking, __________ he?
☐ does ☐ did

3 You like Chinese food, __________ you?
☐ don't ☐ aren't

4 She can't ride a bike, __________ she?
☐ does ☐ can

5 Joe and Ann did yoga, didn't __________?
☐ they ☐ Joe and Ann

6 Jane is from Canada, isn't __________?
☐ she ☐ Jane

B 의미에 맞게 빈칸에 알맞은 말 쓰기

1 그것은 네 가방이지, 그렇지 않니?
→ It is your bag, __________ it?

2 수미는 바쁘지 않지, 그렇지?
→ Sumi isn't busy, is __________?

3 넌 이 문제를 풀 수 있지, 그렇지 않니?
→ You can solve this problem, __________ you?

4 Tom은 시험에 합격했지, 그렇지 않니?
→ Tom passed the test, __________ he?

5 너는 내일 나에게 전화할 거지, 그렇지 않니?
→ You will call me tomorrow, __________ you?

6 Emily는 택시를 타지 않았지, 그렇지?
→ Emily didn't take a taxi, __________ __________?

서술형 기본 유형 익히기

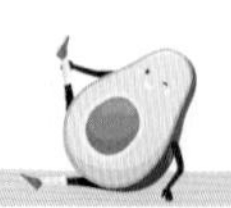

| 문장 완성 |

[1~5] 빈칸에 알맞은 부가의문문을 쓰시오.

1 Today is Friday, __________ __________?

2 Judy doesn't like math, __________ __________?

3 Jake's birthday isn't in June, __________ __________?

4 Kate and Molly didn't go on a picnic, __________ __________?

5 Peter missed the bus, __________ __________?

| 배열 영작 |

[6~10] 우리말과 일치하도록 주어진 말을 배열하여 문장을 완성하시오.

6 Jack은 올 거지, 그렇지 않니?
(won't, will, come, he)

→ Jack ________________, ________________?

7 너는 그를 알지, 그렇지 않니?
(don't, you, him, know)

→ You ________________, ________________?

8 우리는 이것을 사용할 수 없지, 그렇지?
(this, can, can't, use, we)

→ We ________________, ________________?

9 그들은 너의 친구들이지, 그렇지 않니?
(aren't, are, your friends, they)

→ They ________________, ________________?

10 Judy와 Ben은 콘서트에 가지 않았지, 그렇지?
(they, did, go to the concert, didn't)

→ Judy and Ben ________________________,
________________?

| 오류 수정 |

[11~15] 어법상 틀린 부분을 찾아 바르게 고쳐 쓰시오.

11 You like to play the piano, do you?
(너는 피아노 치는 것을 좋아하지, 그렇지 않니?)

________________ → ________________

12 You study math every day, aren't you?
(너는 수학을 매일 공부하지, 그렇지 않니?)

________________ → ________________

13 He didn't do his homework, does he?
(그는 숙제를 하지 않았지, 그렇지?)

________________ → ________________

14 Jane is very kind, doesn't she?
(Jane은 무척 친절하지, 그렇지 않니?)

________________ → ________________

15 A You don't like this, do you?
(너는 이것이 마음에 들지 않지, 그렇지?)
B No, I do. (아니, 마음에 들어.)

________________ → ________________

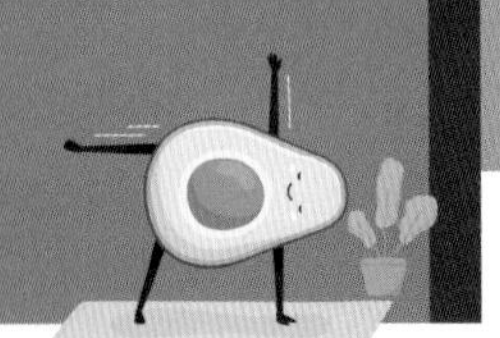

기출에서 뽑은

난이도별 서술형 문제

기 본

01 우리말과 일치하도록 |보기|에서 알맞은 말을 골라 문장을 완성하시오.

|보기| play	open	turn off

(1) 창문을 열어라.
→ ______________ the window.

(2) TV를 끄지 마라.
→ ______________ the TV.

(3) 밖에서 놀자.
→ ______________ outside.

02 주어진 문장을 감탄문으로 바꿀 때, 빈칸에 알맞은 말을 쓰시오.

(1) The girl is very smart.
→ ________ ________ the girl is!

(2) It is a really big hamburger.
→ ________ a ________ hamburger it is!

03 밑줄 친 부분을 어법에 맞게 고쳐 쓰시오.

(1) How an old cell phone it is!
→ ______________

(2) Henry didn't go out, does he?
→ ______________

04 밑줄 친 우리말과 일치하도록 문장을 완성하시오.

A This isn't your book, is it?
B 아니, 나의 책이야.

→ ________, it ________.

05 우리말과 일치하도록 주어진 말을 배열하여 쓰시오.

(1) 그 개는 정말 귀엽구나!
(the dog, cute, how, is)
→ ______________________

(2) Helen은 남자친구가 없지, 그렇지?
(does, doesn't, she, have, Helen, a boyfriend)
→ ______________________

심 화

06 그림을 보고, 알맞은 부가의문문과 대답을 쓰시오.

(1) Jennifer (2) Jason

(1) A Jennifer can play the violin, ________ ________?
B ________, ________ ________.

(2) A Jason doesn't walk to school, ________ ________?
B ________, ________ ________.

07 밑줄 친 ⓐ~ⓓ 중 어법상 틀린 부분을 찾아 기호를 쓰고, 바르게 고쳐 쓰시오.

Sumi Why don't we ⓐ watch a movie?
Eric Great. You don't like action movies, ⓑ don't you?
Sumi No, I ⓒ don't. I like horror movies.
Eric Okay. Let's ⓓ watch a horror movie then.

(   ) → ______________

고난도

08 빈칸에 알맞은 말을 써서 대화를 완성하시오.

A Daniel, I found this book in the classroom.
It's yours, __________ __________?
B Yes, __________ __________. I was looking for it all day. __________ kind you are! Thanks.
A You're welcome.

신유형

09 공원 표지판을 보고, 각 상자에서 알맞은 말을 하나씩 골라 명령문을 완성하시오.

ride put pick

trash the flowers your kick scooter

(1) __________ in the trash can.

(2) __________

(3) __________

고난도

10 밑줄 친 부분이 어법상 틀린 문장 두 개를 골라 기호를 쓰고, 틀린 부분을 바르게 고쳐 쓰시오.

ⓐ Not let's eat pizza.
ⓑ What a wonderful view it is!
ⓒ Susan can't come today, can she?
ⓓ The concert wasn't great, was it?
ⓔ Paul enjoys watching TV, does he?

( ) → __________

( ) → __________

함정이 있는 문제

01 우리말과 일치하도록 주어진 말을 사용하여 문장을 쓰시오.

공공장소에서 조용히 해라.
(quiet, in public places)
→ __________

✔ quiet는 동사가 아니라 형용사이다!
형용사가 있는 명령문에는 동사가 반드시 필요하다. quiet는 형용사이므로 quiet 앞에 be동사의 원형인 Be를 빠뜨리지 않도록 주의한다.

02 주어진 문장과 의미가 같도록 조건에 맞게 바꿔 쓰시오.

조건 1. what으로 시작하는 감탄문으로 쓸 것
2. 총 6단어로 쓸 것

It is a really expensive car.
→ __________

✔ What 감탄문에 단수 명사가 있으면 a(n)을 빠뜨리지 말자!
What으로 시작하는 감탄문은 「What+a(n)+형용사+단수 명사+주어+동사!」의 순서로 쓴다. What 감탄문을 쓸 때 단수 명사가 있으면 앞에 나오는 a(n)을 빠뜨리지 않도록 하자!

03 빈칸에 알맞은 말을 써서 대화를 완성하시오.

A You don't like spicy food, __________ __________?
B __________, __________ __________.
I can't eat spicy food.

✔ 부가의문문의 대답은 내용을 보고 판단해야 한다!
'매운 음식을 좋아하지 않냐'는 질문에 '응, 매운 음식을 좋아하지 않아'라고 답해야 하므로 Yes를 써야 한다고 생각할 수 있다. 하지만 대답의 내용이 '좋아하지 않는다'로 부정이므로 No를 써서 부정의 대답을 해야 한다.

시험에 강해지는

실전 TEST

시험일	월 일
시간	/ 40분
문항 수	객관식 10 / 서술형 10
점수	/ 100점

01 빈칸에 알맞은 것은? (3점)

She will go to the bank, __________?

① will she ② does she
③ isn't she ④ won't she
⑤ doesn't she

02 주어진 문장과 의미가 같은 것을 모두 고르면? (3점)

Let's go to the park.

① Go to the park.
② Do we go to the park?
③ How about going to the park?
④ Why don't we go to the park?
⑤ We won't go to the park, will we?

03 대화의 빈칸에 알맞은 것은? (4점)

A You don't want to join the school band, do you?
B __________ I want to play the drums.

① Yes, I do. ② No, I do.
③ Yes, I don't. ④ No, I don't.
⑤ No, I didn't.

04 주어진 문장을 명령문으로 바르게 바꾼 것은? (3점)

You should not be nervous.

① Not nervous. ② Don't nervous.
③ Don't be nervous. ④ Don't do nervous.
⑤ Shouldn't be nervous.

05 밑줄 친 부분이 어법상 올바른 것은? (4점)

① He is smart, is he?
② You don't love me, don't you?
③ Emily can't play the piano, can Emily?
④ The movie was not interesting, was it?
⑤ They went to the mountain, don't they?

06 빈칸에 들어갈 말이 나머지와 다른 것은? (4점)

① __________ fast you learn!
② __________ amazing she is!
③ __________ thick the book is!
④ __________ cute the boy is!
⑤ __________ expensive shirts they are!

07 빈칸에 알맞은 말이 순서대로 짝지어진 것은? (4점)

A How tall __________?
B I'm 170 cm tall.
A Wow! How tall __________!

① are you – you are
② are you – are you
③ you are – you are
④ aren't you – you aren't
⑤ you aren't – aren't you

고난도

08 빈칸에 들어갈 말이 같은 것끼리 묶인 것은? (5점)

ⓐ He is upset, __________ he?
ⓑ She isn't busy, __________ she?
ⓒ Jason met Miso yesterday, __________ he?
ⓓ They won't go to the movies, __________ they?
ⓔ You took out the trash last night, __________ you?

① ⓐ, ⓑ ② ⓑ, ⓒ
③ ⓑ, ⓓ ④ ⓒ, ⓔ
⑤ ⓓ, ⓔ

09 어법상 틀린 것은? (4점)

① Be speak slowly.
② What a sad story it is!
③ Let's not talk too much.
④ How beautifully he dances!
⑤ Why don't we walk to school?

신유형 고난도

10 어법상 올바른 문장을 찾고, 올바른 문장 옆의 알파벳을 모아 만들 수 있는 단어는? (6점)

What clever the boy is!	n
How a nice car he has!	a
How nice the concert was!	t
How boring the game is!	p
What an expensive ring she has!	e

① ant ② eat ③ nap
④ pen ⑤ pet

서술형

[서술형 1] 빈칸에 알맞은 부가의문문을 쓰시오. (6점, 각 2점)

(1) You can speak Chinese, __________ __________?

(2) Jack didn't call you, __________ __________?

(3) You want to have a party, __________ __________?

[서술형 2] 우리말과 일치하도록 주어진 말을 활용하여 문장을 완성하시오. (6점, 각 3점)

(1) 그 방에 들어가지 마라. (go into)
→ ____________________ the room.

(2) 버스를 타자. (take)
→ ____________________ a bus.

[서술형 3] 우리말과 일치하도록 주어진 말을 배열하여 쓰시오. (6점, 각 3점)

(1) 그녀는 정말 열심히 공부했구나!
(studied, hard, she, how)
→ ______________________________

(2) 이것은 정말 큰 쇼핑몰이구나!
(this, big, a, what, shopping mall, is)
→ ______________________________

[서술형 4] 대화를 읽고, 빈칸에 알맞은 말을 쓰시오. (6점, 각 3점)

(1) A You washed the dishes, __________ __________?
B __________, __________ __________. I will do it later.

(2) A Tiffany doesn't have a pet, __________ __________?
B __________, __________ __________. She has a cat.

[서술형 5] |보기|에서 알맞은 말을 골라 감탄문을 완성하시오. (6점, 각 3점)

|보기| interesting delicious

(1) I love this pasta. ________ ________ it is!

(2) I read this book yesterday. ________ ________ ________ story it was!

고난도

[서술형 6] 어법상 또는 의미상 틀린 부분을 찾아 바르게 고쳐 쓰시오. (5점)

A Jina and David didn't go camping, did they?
(지나와 David는 캠핑하러 가지 않았지, 그렇지?)
B Yes, they did. They went fishing.
(응, 캠핑하러 가지 않았어. 그들은 낚시하러 갔어.)

________ → ________

[서술형 7] 각 상자에서 필요한 말을 하나씩 골라 조건에 맞게 대화를 완성하시오. (8점, 각 4점)

what how	expensive pretty

조건 감탄문으로 쓸 것

A Hey, look at this.
B Wow! (1) ________ sweater it is!
A It's 100,000 won.
B (2) ________ it is!
A Yeah. It's too expensive.

신유형

[서술형 8] 공항 보안 검색대의 주의사항을 읽고, 조건에 맞게 문장을 바꿔 쓰시오. (9점, 각 3점)

(1) You must not take pictures here.
(2) You have to take off your jacket and shoes.
(3) You have to put all your items in the basket.

조건 같은 의미의 명령문으로 바꿀 것

(1) ________

(2) ________

(3) ________

[서술형 9~10] 다음 대화를 읽고, 물음에 답하시오.

A Look! (A) It is a very beautiful day.
B You want to go outside, ⓐ don't you?
A Yes, ⓑ I do!
B How about ⓒ go to the park?
A Great. Let's ⓓ go right now!
B Oh, wait! ⓔ Not forget your sunglasses. The sun is strong.

[서술형 9] 위 대화의 밑줄 친 (A)와 의미가 같도록 조건에 맞게 문장을 바꿔 쓰시오. (4점)

조건 1. what을 사용한 감탄문으로 쓸 것
2. 총 6단어로 쓸 것

→ ________

[서술형 10] 위 대화의 밑줄 친 ⓐ~ⓔ 중 어법상 틀린 것 두 개를 찾아 기호를 쓰고, 바르게 고쳐 쓰시오. (4점, 각 2점)

(　　) → ________

(　　) → ________

CHAPTER 12

접속사와 전치사

Unit 1 접속사

Unit 2 전치사

접속사는 and, but, because 등으로 단어와 단어, 구와 구, 절과 절을 연결해 주는 역할을 한다.
전치사는 in, on, at 등으로 명사 앞에 쓰여 위치, 시간, 장소 등을 나타낸다.

접속사

Jack **and** Daisy like to go fishing.
Jack**과** Daisy는 낚시하러 가는 것을 좋아한다.

전치사

They'll go fishing **in** June.
그들은 6월**에** 낚시하러 갈 것이다.

Unit 1

접속사

| 등위접속사 |

1 등위접속사 and, but, or는 문법적으로 대등한 성격의 단어와 단어, 구와 구, 절과 절을 연결한다.

You can choose pizza **or** pasta. 너는 피자 **또는** 파스타 중에서 고를 수 있다. 〈단어+단어〉 연결
I enjoy listening to music **and** reading books. 나는 음악 듣기**와** 책 읽기를 즐긴다. 〈구+구〉 연결
Today is hot, **but** I have to go outside. 오늘은 덥**지만**, 나는 밖에 나가야 한다. 〈절+절〉 연결

주의 등위접속사 앞뒤로 대등한 요소를 연결하고 있는지 잘 확인하자.
It is cold (형용사) **and** (~~snow~~ / snowy (형용사)). 춥고 눈이 온다.

| 명사절 접속사 that |

2 접속사 that은 '~한다는 것'이라는 의미로 명사절을 이끈다.

We think (**that**) he will win the game. 우리는 그가 경기에서 이길 **것이라고** 생각한다.
I know (**that**) you are smart. 나는 네가 똑똑하다**는 것을** 안다.

tips 목적어 역할을 하는 that절의 that은 생략할 수 있다.
I know **that** Jane is kind and friendly.
= I know Jane is kind and friendly.

암기 노트 목적어로 명사절을 쓰는 동사

think 생각하다	know 알다
believe 믿다	hope 희망하다
tell 말하다	say ~라고 말하다

| 시간, 이유, 조건의 부사절 접속사 |

3 부사절을 이끄는 접속사는 문장에서 시간, 이유, 조건 등을 나타낸다.

시간	**when** (~할 때)	You should wear a helmet **when** you ride your bike. 너는 자전거를 탈 **때** 헬멧을 써야 한다.
	before (~하기 전에)	**Before** you go to bed, brush your teeth. 네가 자러 가기 **전에** 이를 닦아라. (부사절이 앞에 오면 부사절 뒤에 콤마(,)를 써야 한다.)
	after (~한 후에)	You can watch TV **after** you do your homework. 너는 숙제를 한 **후에** TV를 봐도 된다.
이유	**because** (~ 때문에)	**Because** it is raining, we can't go out. 비가 오고 있기 **때문에** 우리는 밖에 나갈 수 없다.
조건	**if** (만약 ~한다면)	**If** you have a question, raise your hand. **만약** 네가 질문이 있**다면** 손을 들어라.

주의 접속사 when은 '~할 때'라는 의미이고, 의문사 when은 '언제'라는 의미이므로 접속사 when과 의문사 when을 구별하자.
When she saw me, I was crying. 그녀가 나를 봤을 **때**, 나는 울고 있었다. 〈접속사〉
When did you buy the jeans? 너는 **언제** 그 청바지를 샀니? 〈의문사〉

서술형 빈출 시간과 조건의 부사절이 미래를 나타낼 때는 부사절의 동사를 현재형으로 써야 한다.
If it **rains** (will rain (×)) tomorrow, I will stay at home. 만약 내일 비가 온다면, 나는 집에 머물 것이다.

✔ 바로 개념 확인하기

A 빈칸에 알맞은 접속사 고르기

1 I like fishing, ________ I don't like camping.
▢ and ▢ but ▢ or

2 He is good at dancing and ________.
▢ sings ▢ singing ▢ to sing

3 Will you go to the gym ________ stay at home?
▢ or ▢ but ▢ that

B 우리말과 일치하도록 빈칸에 알맞은 접속사 쓰기

1 내가 나갔을 때, 눈이 오고 있었다.
→ ________ I went outside, it was snowing.

2 나는 그들이 잘 있는 것을 희망한다.
→ I hope ________ they are fine.

3 그녀는 저녁을 먹은 후에 TV를 봤다.
→ She watched TV ________ she ate dinner.

4 내일 날씨가 맑으면 우리는 등산하러 갈 것이다.
→ ________ it's sunny tomorrow, we'll go hiking.

C |보기|에서 알맞은 접속사 골라 쓰기 (한 번씩만 쓸 것)

|보기| before that because but

1 They know ________ Tom is honest.

2 She feeds her dog ________ she goes to school.

3 I invited Jane, ________ she didn't come.

4 ________ the food isn't delicious, I don't like that restaurant.

서술형 기본 유형 익히기

|문장 완성|

[1~5] 우리말과 일치하도록 접속사와 주어진 말을 사용하여 문장을 완성하시오.

1 따뜻하지만 바람이 분다.
(warm, windy)

→ It is ________ ________ ________.

2 나는 봄과 겨울을 좋아한다.
(spring, winter)

→ I like ________ ________ ________.

3 그녀는 영화가 시작하기 전에 나에게 전화했다.
(the movie, started)

→ She called me ________ ________ ________ ________.

4 그들은 그가 훌륭한 선수라고 생각한다.
(a good player)

→ They think ________ ________ ________ ________ ________ ________.

5 만약 네가 지금 바쁘다면, 나에게 나중에 다시 전화해라.
(busy)

→ ________ ________ ________ ________ now, call me back later.

| 배열 영작 |

[6~10] 우리말과 일치하도록 주어진 말을 배열하여 문장을 완성하시오.

6 그 파스타는 맵지만 맛있었다.
(delicious, spicy, was, but)

→ The pasta ______________________.

7 나는 여행하는 것과 등산하는 것을 즐긴다.
(climbing, traveling, and, enjoy)

→ I ______________________.

8 나는 그녀가 진실을 말했다고 믿는다.
(that, she, the truth, told, believe)

→ I ______________________.

9 그는 아프기 때문에 집에 머무를 것이다.
(is, he, sick, because)

→ ______________, he will stay at home.

10 내가 열 살 때, 나의 가족은 서울로 이사했다.
(was, when, I, ten)

→ ______________, my family moved to Seoul.

| 오류 수정 |

[11~15] 어법상 틀린 부분을 찾아 바르게 고쳐 쓰시오.

11 We can walk or taking a bus.
(우리는 걸어가거나 버스를 탈 수 있다.)

______________ → ______________

12 I read a newspaper that I got up.
(나는 일어난 후에 신문을 읽었다.)

______________ → ______________

13 I think if he knows the answer.
(나는 그가 답을 안다고 생각한다.)

______________ → ______________

14 That we heard the news, we were really happy.
(그 소식을 들었을 때, 우리는 정말 기뻤다.)

______________ → ______________

15 If it will be sunny, we will play baseball.
(날씨가 맑으면, 우리는 야구를 할 것이다.)

______________ → ______________

Unit 2

전치사

| 시간 전치사 |

1 특정한 때를 나타낼 때는 전치사 at, on, in을 쓰고, 기간을 나타낼 때는 for, during을 쓴다.

at (~에)	구체적인 시각, 하루의 때	**at** ten o'clock 10시 정각**에**	**at** 4:30 4시 30분**에**	**at** noon 정오**에**	**at** night 밤**에**
on (~에)	요일, 날짜, 특정한 날	**on** Monday 월요일**에**	**on** May 14 5월 14일**에**	**on** my birthday 내 생일**에**	
in (~에)	연도, 월, 계절, 오전/오후/저녁	**in** 2020 2020년**에**	**in** July 7월**에**	**in** winter 겨울**에**	**in** the morning 아침**에**
for (~ 동안)	숫자를 포함한 기간	**for** a month 한 달 **동안**		**for** two hours 두 시간 **동안**	
during (~ 동안)	특정 기간	**during** winter vacation 겨울 방학 **동안**		**during** the exams 시험 기간 **동안**	

| 장소 전치사 |

2 장소를 나타낼 때는 at, in을 쓴다.

at (~에)	장소의 한 지점	Let's meet **at** the bus stop.	버스 정류장**에서** 만나자.
in (~에)	비교적 넓은 장소(도시, 국가 등) 또는 어떤 장소의 내부	She lived **in** Canada three years ago. I was **in** the library this afternoon.	그녀는 3년 전에 캐나다**에** 살았다. 나는 오늘 오후에 도서관**에** 있었다.

| 위치 전치사 |

3 다양한 전치사를 사용하여 구체적인 위치를 나타낼 수 있다.

in (~ 안에)	The ball is **in** the box.	그 공은 상자 **안에** 있다.
on (~ 위에)	The ball is **on** the table.	그 공은 탁자 **위에** 있다.
under (~ 아래에)	The ball is **under** the table.	그 공은 탁자 **아래에** 있다.
in front of (~ 앞에)	The car is **in front of** my house.	그 차는 우리 집 **앞에** 있다.
behind (~ 뒤에)	The tree is **behind** the house.	그 나무는 집 **뒤에** 있다.
next to (~ 옆에)	The school is **next to** the bank.	학교는 은행 **옆에** 있다.
between *A* and *B* (A와 B 사이에)	The bank is **between** the school **and** the library.	은행은 학교와 도서관 **사이에** 있다.

✔ 바로 개념 확인하기

A 빈칸에 알맞은 말 고르기

1 I will go shopping __________ Friday.
☐ at ☐ on ☐ in

2 The class begins __________ 9 o'clock.
☐ at ☐ on ☐ in

3 Miso was born __________ 2010.
☐ at ☐ on ☐ in

B 우리말과 일치하도록 알맞은 전치사 쓰기

1 상자 옆에 → __________ __________ the box

2 은행 앞에 → __________ __________ __________ the bank

3 의자 위에 → __________ the chair

4 커튼 뒤에 → __________ the curtain

5 방 안에 → __________ the room

C |보기|에서 알맞은 전치사 골라 쓰기 (한 번씩만 쓸 것)

|보기| for at on in

1 She lives __________ Korea.

2 The students eat lunch __________ noon.

3 Tom usually exercises __________ two hours after school.

4 A lot of people are sitting __________ the grass.

서술형 기본 유형 익히기

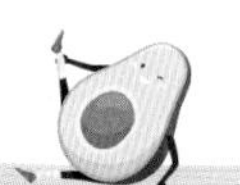

| 문장 완성 |

[1~5] 우리말과 일치하도록 전치사와 주어진 말을 사용하여 문장을 완성하시오.

1 그들은 밤에 외출하지 않는다.
(night)

→ They don't go out __________ __________.

2 우리는 8월에 유럽을 방문할 것이다.
(August)

→ We will visit Europe __________ __________.

3 그 아기는 열 시간 동안 잠을 잤다.
(ten hours)

→ The baby slept __________ __________ __________.

4 극장 앞에서 만나자.
(the theater)

→ Let's meet __________ __________ __________ __________ __________.

5 나는 나의 삼촌과 나의 남동생 사이에 앉았다.
(my uncle, my brother)

→ I sat __________ __________ __________ __________ __________ __________.

| 배열 영작 |

[6~10] 우리말과 일치하도록 주어진 말을 배열하여 문장을 완성하시오.

6 그들은 여름에 수영하는 것을 즐긴다.
(swimming, in, enjoy, summer)

→ They ____________________.

7 그녀는 화요일에 나를 만날 것이다.
(meet, Tuesday, will, on, me)

→ She ____________________.

8 나는 여름 방학 동안 독일을 방문했다.
(during, visited, summer vacation, Germany)

→ I ____________________.

9 우리 교실은 이 건물 안에 있다.
(in, this building, is)

→ Our classroom ____________________.

10 Jane은 내 옆에 앉고 싶어 했다.
(me, sit, next to, to, wanted)

→ Jane ____________________.

| 오류 수정 |

[11~15] 어법상 틀린 부분을 찾아 바르게 고쳐 쓰시오.

11 We went skiing on February.
(우리는 2월에 스키를 타러 갔다.)

__________ → __________

12 They were at Seoul last year.
(그들은 작년에 서울에 있었다.)

__________ → __________

13 They played soccer during three hours.
(그들은 세 시간 동안 축구를 했다.)

__________ → __________

14 There is a bench in front that tree.
(저 나무 앞에 벤치가 하나 있다.)

__________ → __________

15 The post office is between the bank or the bookstore.
(우체국은 은행과 서점 사이에 있다.)

__________ → __________

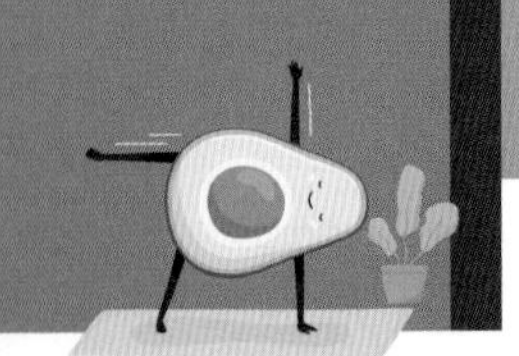

기출에서 뽑은

난이도별 서술형 문제

기 본

01 우리말과 일치하도록 빈칸에 알맞은 접속사를 쓰시오.

(1) Sandra는 이번 주나 다음 주에 베이징에 갈 것이다.
→ Sandra will go to Beijing this week __________ next week.

(2) Jenny와 나는 드라마를 아주 좋아한다.
→ Jenny __________ I love dramas.

(3) 나는 늦게 일어났지만, 학교에 늦지 않았다.
→ I woke up late, __________ I wasn't late for school.

02 빈칸에 for 또는 during 중 알맞은 말을 써서 대화를 완성하시오.

A What did you do __________ winter vacation?
B I went to Jeju-do __________ two weeks.

03 주어진 두 문장을 접속사 that을 사용하여 한 문장으로 연결하시오.

(1) She didn't go camping. She said it.
→ ____________________

(2) He will tell the truth. I believe it.
→ ____________________

04 어법상 틀린 부분을 찾아 바르게 고쳐 쓰시오.

(1) Let's meet on three o'clock.
__________ → __________

(2) It will be sunny at the afternoon.
__________ → __________

05 그림을 보고, |보기|에서 알맞은 전치사를 골라 쓰시오.

(A) (B)

|보기| under between next to in front of

(1) In the picture A, the dog is __________ the sofa. The book is __________ the table.

(2) In the picture B, the dog is __________ the sofa. The book is __________ the cup and the apple.

심 화

06 주어진 조건에 맞게 우리말과 일치하도록 문장을 쓰시오.

조건 1. young, live를 사용하여 총 8단어로 쓸 것
2. 부사절을 먼저 쓰고, 문장 부호를 정확히 쓸 것

나는 어렸을 때 서울에 살았다.
→ ____________________

신유형

07 각 상자에서 필요한 말을 한 번씩 써서 문장을 완성하시오.

if that because	Somi is smart she doesn't run she wants to buy a laptop

(1) Jiyun will be late __________.

(2) Jiyun thinks __________.

(3) Jiyun is saving money __________ __________.

08 지도를 보고, 알맞은 전치사를 사용하여 문장을 완성하시오.

Bank
Bakery
Post Office
Bus Stop
Restaurant
Hospital
Park

(1) The bakery is ____________ the post office.

(2) The bus stop is ____________ the bank.

(3) The hospital is ____________ the restaurant ____________ the park.

09 지호가 어제 한 일을 보고, 괄호 안의 접속사를 사용하여 문장을 완성하시오. (완전한 부사절로 쓸 것)

16:00	clean his room
19:00	have dinner
20:00	play computer games

(1) Jiho had dinner ____________________ ____________. (after)

(2) Jiho had dinner ____________________ ____________. (before)

고난도

10 밑줄 친 부분이 어법상 틀린 문장 두 개를 찾아 기호를 쓰고, 틀린 부분을 바르게 고쳐 쓰시오.

ⓐ Do you want coffee or tea?
ⓑ My uncle lives in New Zealand.
ⓒ The teacher knows that Mark lied.
ⓓ I stayed in China for summer vacation.
ⓔ If it will rain tomorrow, I won't go to the park.

( ) → ____________

( ) → ____________

함정이 있는 문제

01 어법상 틀린 부분을 찾아 바르게 고쳐 쓰시오.

My hobbies are singing and play the piano.

____________ → ____________

✔ 등위접속사는 서로 대등한 것을 연결한다!
등위접속사는 문법적으로 대등한 것을 연결하므로 앞에 동명사가 나왔다면 등위접속사 다음에도 동명사를 써야 한다!

02 주어진 두 문장을 if를 사용하여 우리말과 일치하도록 한 문장으로 연결하시오. (부사절을 먼저 쓸 것)

I'll go to France this winter. I'll meet Louise.

→ ____________________

(내가 이번 겨울에 프랑스에 가면, 나는 Louise를 만날 것이다.)

✔ 시간과 조건의 부사절이 미래를 나타낼 때, 동사는 현재형으로 쓴다!
시간과 조건의 부사절은 미래를 나타내더라도 동사의 현재형을 써야 한다는 것을 잊지 말자!

03 우리말과 일치하도록 주어진 말을 사용하여 문장을 완성하시오.

내 생일은 4월 15일이다. (April 15, is)

→ My birthday ____________________.

✔ 월이 있더라도 구체적인 날짜를 가리키면 on을 쓴다!
월만 있다면 앞에 전치사 in을 써야 하지만, 월 뒤에 특정한 날짜가 나오면 전치사 on을 써야 한다. 월만 나오는지 아니면 특정한 날짜까지 있는지 확인하고 전치사를 쓰도록 하자.

시험에 강해지는

실전 TEST

시험일	월 일
시간	/ 40분
문항 수	객관식 10 / 서술형 10
점수	/ 100점

01 빈칸에 알맞은 말이 순서대로 짝지어진 것은? (3점)

- Let's meet ________ 4:30.
- I will have a swimming lesson ________ Monday.

① at – in ② at – on
③ on – in ④ on – at
⑤ in – on

02 빈칸에 들어갈 수 없는 것은? (3점)

The festival will be in ________.

① 2030 ② winter
③ Sunday ④ September
⑤ the evening

신유형

03 빈칸에 in이 들어갈 수 있는 문장의 개수는? (3점)

ⓐ I studied hard ________ two hours.
ⓑ The pictures are ________ the box.
ⓒ She went swimming ________ noon.
ⓓ King Sejong created Hangeul ________ 1443.

① 없음 ② 1개 ③ 2개
④ 3개 ⑤ 4개

04 두 문장의 의미가 같도록 할 때, 빈칸에 알맞은 것은? (4점)

Nick came home at 6, and he had dinner at 7.
→ Nick had dinner ________ he came home.

① if ② that ③ before
④ after ⑤ because

05 어법상 틀린 것은? (4점)

① Summer in Korea is hot and rain.
② I can't go to school because I'm sick.
③ I think that Jake is kind and polite.
④ Which color do you prefer, blue or red?
⑤ I'll help you if you need my help.

06 대화가 어법상 틀린 것은? (4점)

① **A** Where do you live?
   B I live in Busan.
② **A** Where is your classroom?
   B It's on the second floor.
③ **A** What time do you usually get up?
   B I usually get up at 7 o'clock.
④ **A** When will you visit England?
   B I'll visit there on December.
⑤ **A** How long will you stay here?
   B I'll stay here for two weeks.

07 우리말을 영어로 잘못 옮긴 것은? (5점)

① 우리는 지구가 둥글다는 것을 믿는다.
   → We believe that the earth is round.
② 내가 어렸을 때, 나는 배우가 되고 싶었다.
   → When I was young, I wanted to be an actor.
③ 나는 물을 무서워하기 때문에 수영을 못 한다.
   → I can't swim before I'm afraid of water.
④ 네가 지금 출발하면, 너는 학교에 늦지 않을 것이다.
   → If you leave now, you won't be late for school.
⑤ Jackson은 Mary를 기다렸지만, 그녀는 그를 보러 오지 않았다.
   → Jackson waited for Mary, but she didn't come to see him.

08 빈칸에 that이 들어갈 수 없는 것은? (4점)

① I think ________ Sam is good at math.
② I don't believe ________ Peter is honest.
③ Kate doesn't know ________ Nick is angry with her.
④ My teacher said ________ we shouldn't be late again.
⑤ Jake cleaned his room ________ his mom came back.

09 쇼핑몰 지도를 보고, 대화의 빈칸에 알맞은 말이 순서대로 짝지어진 것은? (5점)

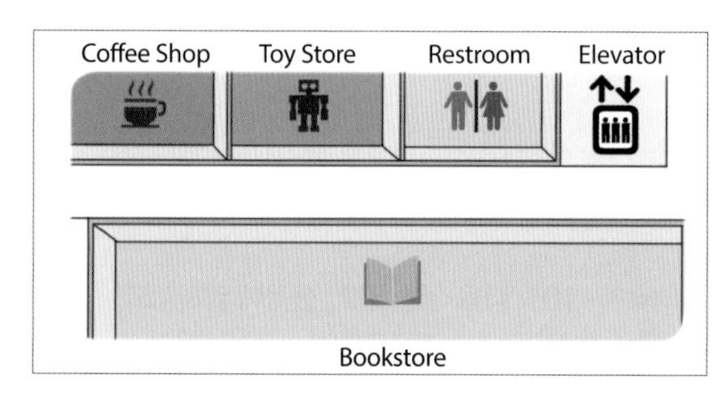

A Excuse me, where is the toy store?
B It is ________ the coffee shop and the restroom.
A I see. And where is an elevator?
B It's ________ the restroom.

① behind – next to　② behind – in front of
③ between – next to　④ between – behind
⑤ between – in front of

고난도
10 밑줄 친 부분의 쓰임이 나머지와 다른 것은? (5점)

① I wasn't tall when I was young.
② When you're tired, you need to rest.
③ When are you going to leave this city?
④ When they heard the news, they smiled.
⑤ He was reading a book when I visited him.

서술형

[서술형 1] 그림을 보고, 빈칸에 알맞은 전치사를 쓰시오. (6점, 각 2점)

(1) The backpack is ________ the bookcase.
(2) The bookcase is ________ the desk.
(3) The soccer ball is ________ the desk.

[서술형 2] 우리말과 일치하도록 접속사와 주어진 말을 사용하여 문장을 완성하시오. (완전한 부사절로 쓸 것) (6점, 각 3점)

(1) 네가 자러 가기 전에 스마트폰을 사용하지 마라. (go to bed)
→ Don't use your smartphone ________ ________.

(2) 나는 목이 말랐기 때문에 물을 많이 마셨다. (thirsty)
→ I drank a lot of water ________ ________.

[서술형 3] |보기|에서 알맞은 전치사를 골라 써서 대화를 완성하시오. (한 번씩만 쓸 것) (8점, 각 2점)

|보기|	at	in	on	in front of

A Let's go to the movies ________ Friday.
B Great.
A How about meeting at CGV ________ five o'clock?
B There are two CGVs. Which CGV?
A The CGV ________ the shopping mall.
B Ah, I see. Let's meet ________ the box office.

*box office 매표소

[서술형4] |보기|에서 알맞은 접속사를 골라 두 문장을 한 문장으로 연결하시오. (8점, 각 4점)

|보기|	because	that	if

(1) He is polite. I believe it.

→ ______________________________

(2) She took her umbrella. It was raining.

→ ______________________________

[서술형5] 표를 보고, 빈칸에 알맞은 전치사를 써서 문장을 완성하시오. (6점, 각 2점)

Film Festival			
Where	Busan	When	October 7~16
What	meet famous movie directors		

There will be a film festival (1) __________ Busan. The festival starts (2) __________ October 7. It lasts (3) __________ 10 days. You can meet famous movie directors during the festival.

*last 지속하다, 계속되다

신유형

[서술형6] 주어진 문장에서 어법상 틀린 부분을 찾아 바르게 고치고, 틀린 이유에서 알맞은 것을 고르시오. (4점)

If she will exercise hard, she will be healthier.

______________ → ______________

틀린 이유: 조건의 부사절에는 (미래 / 현재) 시제 대신 (미래 / 현재) 시제를 사용해야 하기 때문이다.

[서술형7] 주어진 조건에 맞게 우리말과 일치하도록 문장을 쓰시오. (5점)

조건 1. important, friends, that을 사용할 것
2. 총 6단어로 쓸 것

우리는 친구가 중요하다고 생각한다.

→ ______________________________

[서술형8] 지나의 오후 일정표를 보고, 조건에 맞게 문장을 완성하시오. (8점, 각 4점)

7:00	watch TV
8:00	do yoga
9:00	take a shower
10:00	go to bed

조건 1. 괄호 안의 접속사와 표에 주어진 표현을 사용할 것
2. 동사는 현재형으로 쓰고, 완전한 부사절로 쓸 것

(1) Jina does yoga ______________________________ . (after)

(2) Jina takes a shower ______________________________ . (before)

[서술형9~10] 다음 글을 읽고, 물음에 답하시오.

Olivia wanted to make her mom happy __ⓐ__ Mother's Day. She bought some carnations __ⓑ__ made a card. (A) 그녀의 엄마가 집에 오시기 전에 그녀는 저녁을 만들었다. Her mom was happy to see all this when she arrived at home. Olivia was happy, too.

[서술형9] 윗글의 빈칸 ⓐ와 ⓑ에 알맞은 말을 각각 |보기|에서 골라 쓰시오. (4점, 각 2점)

|보기|	on	in	or	and

ⓐ ______________ ⓑ ______________

고난도

[서술형10] 윗글의 밑줄 친 우리말 (A)와 일치하도록 주어진 말을 사용하여 문장을 쓰시오. (부사절을 먼저 쓸 것) (5점)

→ ______________________________

(made dinner, came home)

제 3 회 누적 TEST

CHAPTER 09 문장의 구조 CHAPTER 10 형용사와 부사
CHAPTER 11 여러 가지 문장 CHAPTER 12 접속사와 전치사

01 빈칸에 공통으로 알맞은 것은?

- Tina made cookies ________ her friends.
- I will go to Canada ________ 10 days.

① of ② at ③ in
④ to ⑤ for

02 빈칸에 들어갈 말이 나머지와 다른 것은?

① ________ a big balloon it is!
② ________ a nice car it is!
③ ________ pretty shoes they are!
④ ________ a great idea it is!
⑤ ________ beautiful she is!

03 우리말을 영어로 잘못 옮긴 것은?

① 밖에 나가지 말자.
→ Let's not go outside.
② 그는 보통 7시에 출근한다.
→ He usually goes to work at 7.
③ Jack은 식물에 물을 줬지, 그렇지 않니?
→ Jack watered the plants, didn't Jack?
④ 그녀는 나에게 많은 질문을 했다.
→ She asked me many questions.
⑤ 에어컨을 끄지 마라.
→ Don't turn off the air conditioner.

04 빈칸에 알맞은 말이 순서대로 짝지어진 것은?

- I usually have lunch ________ noon.
- Jennifer takes guitar lessons ________ Mondays.
- A lot of students are waiting for the bus ________ the bus stop.

① in – at – in ② in – on – at
③ on – at – in ④ at – on – in
⑤ at – on – at

05 노트북에 관한 정보와 일치하지 않는 것은?

	A	B	C
Price	$500	$800	$1,000
Weight	2.0 kg	1.6 kg	1.2 kg

① A is cheaper than C.
② B is heavier than C.
③ C is more expensive than B.
④ A is the heaviest laptop of the three.
⑤ C is the cheapest laptop of the three.

06 밑줄 친 부분의 쓰임이 어색한 것은?

① Think twice before you speak.
② When I am free, I listen to music.
③ Andy or I are going to have dinner together.
④ I didn't go to school because I was sick.
⑤ If you wear a raincoat, you won't get wet.

07 |보기|의 밑줄 친 부분과 쓰임이 같은 것은?

|보기| Turn off the lights when you go out.

① When is your birthday?
② When did you hear the news?
③ When does the concert start?
④ When do you usually go swimming?
⑤ Was she reading a book when you saw her?

신유형 고난도

08 어법상 올바른 것끼리 묶인 것은?

ⓐ I stayed there for a month.
ⓑ I gave a birthday card Mom.
ⓒ I found the movie interesting.
ⓓ Why don't we eat delicious something?
ⓔ Tom sat between Kate and Chris, did he?

① ⓐ, ⓒ ② ⓐ, ⓓ ③ ⓑ, ⓒ
④ ⓑ, ⓓ ⑤ ⓒ, ⓔ

서술형

09 우리말과 일치하도록 주어진 말을 배열하여 쓰시오.

(1) 수학은 어렵지, 그렇지 않니?
(it, is, isn't, difficult, math)
→ ________________

(2) 그것은 정말 멋진 그림이구나!
(is, picture, what, it, nice, a)
→ ________________

(3) 나의 엄마는 나에게 새 자전거를 사 주셨다.
(me, a new bike, bought, my mom)
→ ________________

10 그림을 보고, 빈칸에 알맞은 전치사를 쓰시오.

(1) In the picture A, Jiho is ________ his dad. His dad is ________ his mom.

(2) In the picture B, Jiho is ________ the dog and his mom. His dad is ________ the dog.

11 밑줄 친 ⓐ~ⓓ 중 어법상 틀린 것을 찾아 기호를 쓰고, 바르게 고쳐 쓰시오.

> A What is ⓐthe fastest animal in the world? Can you guess?
> B It's the horse, ⓑisn't it?
> A No, it isn't. The cheetah is ⓒfaster than the horse. It runs 100 meters in 3 seconds.
> B ⓓWhat fast it runs!

(   ) → ________________

12 안내문을 읽고, 조건에 맞게 질문에 답하시오.

> **Club Meeting**
> • When : 4 o'clock
> • Where : the school library

> 조건 1. 주어를 it으로 쓸 것
> 2. 어법에 맞게 완전한 문장으로 쓸 것

(1) A When will the club meeting start?
B ________________

(2) A Where will the club meeting be?
B ________________

13 학급 규칙에서 어법상 틀린 문장을 찾아 기호를 쓰고, 바르게 고쳐 문장을 다시 쓰시오.

> **Rules for the Class**
> ⓐ Be not late.
> ⓑ Listen to your teacher carefully.
> ⓒ Do your homework.
> ⓓ Keep the classroom clean.

(   ) → ________________

[14~15] 다음 글을 읽고, 물음에 답하시오.

> I like soccer. ⓐ(when, because, I'm, I, watch, free, soccer games, always, usually). I often play soccer after school. ⓑI think if playing soccer is interesting.

신유형
14 윗글의 괄호 ⓐ에서 필요한 말만 골라 써서 우리말과 일치하도록 문장을 쓰시오. (부사절을 먼저 쓸 것)

나는 한가할 때 항상 축구 경기를 본다.
→ ________________

15 윗글의 밑줄 친 ⓑ에서 어법상 틀린 부분을 찾아 바르게 고쳐 쓰시오.

________ → ________

APPENDIX

동사의 변화형

동사원형		과거형	현재분사형(동사원형-ing)
be (am / are / is)	~이 이다, 있다	was / were	being
become	~이 되다	became	becoming
begin	시작하다	began	beginning
break	부수다	broke	breaking
bring	가져오다	brought	bringing
build	짓다	built	building
buy	사다	bought	buying
catch	잡다	caught	catching
choose	선택하다	chose	choosing
come	오다	came	coming
cut	자르다	cut	cutting
do	하다	did	doing
draw	그리다	drew	drawing
drink	마시다	drank	drinking
drive	운전하다	drove	driving
eat	먹다	ate	eating
fall	떨어지다	fell	falling
feel	느끼다	felt	feeling
find	찾다	found	finding
fly	날다	flew	flying
forget	잊다	forgot	forgetting
get	얻다	got	getting
give	주다	gave	giving
go	가다	went	going
grow	자라다	grew	growing
hang	걸다	hung	hanging
have	가지다	had	having
hear	듣다	heard	hearing
hide	숨다	hid	hiding
hit	치다	hit	hitting
hold	잡다	held	holding
keep	유지하다	kept	keeping
know	알다	knew	knowing
leave	떠나다	left	leaving
lose	잃어버리다	lost	losing

동사원형		과거형	현재분사형(동사원형-ing)
make	만들다	made	making
mean	의미하다	meant	meaning
meet	만나다	met	meeting
put	놓다	put	putting
read	읽다	read	reading
ride	타다	rode	riding
run	달리다	ran	running
say	말하다	said	saying
see	보다	saw	seeing
sell	팔다	sold	selling
send	보내다	sent	sending
set	세우다	set	setting
sing	노래하다	sang	singing
sit	앉다	sat	sitting
sleep	자다	slept	sleeping
speak	말하다	spoke	speaking
spend	소비하다	spent	spending
stand	서다	stood	standing
swim	수영하다	swam	swimming
take	가져가다	took	taking
teach	가르치다	taught	teaching
tell	말하다	told	telling
think	생각하다	thought	thinking
understand	이해하다	understood	understanding
wear	입다	wore	wearing
win	이기다	won	winning
write	쓰다	wrote	writing

명사의 변화형

● 규칙 변화

단수형		복수형
bottle	병	bottles
box	상자	boxes
boy	남자아이	boys
bus	버스	buses
class	수업	classes
city	도시	cities
dish	접시	dishes
hero	영웅	heroes
kitten	고양이	kittens
piano	피아노	pianos
puppy	강아지	puppies
roof	지붕	roofs
shelf	선반	shelves
story	이야기	stories
tomato	토마토	tomatoes
watch	시계	watches

● 불규칙 변화

단수형		복수형
child	아이	children
deer	사슴	deer
fish	물고기	fish
foot	발	feet
man	남자	men
mouse	쥐	mice
tooth	이, 치아	teeth
sheep	양	sheep
woman	여자	women

비교급
최상급

● 규칙 변화 (-er, -est)

원급		비교급	최상급
busy	바쁜	busier	busiest
cheap	싼	cheaper	cheapest
early	일찍	earlier	earliest
funny	웃긴	funnier	funniest
great	위대한	greater	greatest
hard	딱딱한	harder	hardest
heavy	무거운	heavier	heaviest
hungry	배고픈	hungrier	hungriest
noisy	시끄러운	noisier	noisiest
poor	가난한	poorer	poorest
pretty	예쁜	prettier	prettiest
sad	슬픈	sadder	saddest
ugly	못생긴	uglier	ugliest

● 규칙 변화 (more, most)

원급		비교급	최상급
boring	지루하게 하는	more boring	most boring
helpful	도움이 되는	more helpful	most helpful
important	중요한	more important	most important
interesting	흥미있는	more interesting	most interesting
popular	인기 있는	more popular	most popular
useful	유용한	more useful	most useful

● 불규칙 변화

원급		비교급	최상급
good / well	좋은 / 잘	better	best
bad / ill	나쁜 / 아픈	worse	worst
many / much	(수가) 많은 / (양이) 많은	more	most
little	적은	less	least
far	(거리가) 먼 / (정도가) 더욱	further	furthest

서술형에 더 강해지는 중학 영문법

Answers

LEVEL 1

동아출판

서술형에 더 강해지는 중학 영문법

Answers LEVEL 1

CHAPTER 01 be동사

Unit 1 be동사의 현재형

✔ 바로 개념 확인하기 p.13

A 1 is 2 are 3 is not 4 aren't
B 1 ~이다 2 (~에) 있다 3 ~이다
C 1 isn't 2 aren't 3 Is 4 Are

서술형 기본 유형 익히기 pp.13~14

1 The girls are
2 Jina and I are not
3 My bag is not
4 Is Jane
5 Are you
6 am → are
7 amn't → am not
8 Is → Are
9 is → are
10 Is → Are
11 Are Gina and David sad?
12 They're twin brothers.
13 We're not(We aren't) in Seoul.
14 They're(They are) from Germany.
15 The caps aren't(are not) expensive.

Unit 2 be동사의 과거형

✔ 바로 개념 확인하기 p.16

A 1 was 2 were 3 was 4 were
B 1 was 2 was 3 were 4 were
C 1 wasn't 2 weren't 3 Was 4 Were

서술형 기본 유형 익히기 pp.16~17

1 Tom was
2 The sandwiches were not
3 Was your dad
4 The shoes were not
5 Jane and I were
6 are → were
7 Was → Were
8 isn't → wasn't(was not)
9 wasn't → weren't(were not)
10 Were → Was
11 Jane and Sam were not(weren't) hungry.
12 Was the bookstore in the mall?
13 They were not(weren't) at the party last Friday.
14 Were Wendy and I late?
15 The songs were popular in 2002.

기출에서 뽑은 난이도별 서술형 문제 pp.18~19

01 (1) are the same age (2) was in the museum
(3) is long
02 (1) were (2) Is, he is
03 (1) was, were, weren't (2) isn't, are
04 (1) wasn't → am not (2) was → were
05 (1) It was windy yesterday.
(2) They weren't(were not) busy last week.
06 (1) Is, Yes, it is (2) Were, No, they weren't
07 (1) Were, No, I wasn't (2) she is, is
08 ⓑ → Are Jane and Mary your friends?
ⓒ → We were in China in 2010.
09 Is he your father
10 ⓓ → is

함정이 있는 문제

01 Their dog is on the bed.
02 aren't
03 ⓑ → He's(He is) six years old.
ⓒ → His favorite toy is a teddy bear.

01 (1) 현재의 일을 나타내고 주어가 3인칭 복수이므로 are를 사용하여 쓴다.
(2) 과거의 일을 나타내고 주어가 3인칭 단수이므로 was를 사용하여 쓴다.
(3) 현재의 일을 나타내고 주어가 3인칭 단수이므로 is를 사용하여 쓴다.
02 (1) last Sunday는 과거를 나타내는 부사구이며 주어가 My friend and I로 복수이므로 be동사의 과거형 were를 쓴다.
(2) now는 현재를 나타내는 부사이며 의문문의 주어가 3인

칭 단수이므로 주어 앞에 be동사의 현재형 Is를 쓴다. 질문에 대한 긍정의 대답은 Yes, he is.로 쓴다.

해석 (1) 나의 친구와 나는 지난 일요일에 쇼핑몰에 있었다.

(2) A Eric은 지금 화가 났니?

B 응, 그래.

03 (1) 어제 일을 이야기하고 있으므로 be동사의 과거형을 쓴다.

(2) 지금 일을 이야기하고 있으므로 be동사의 현재형을 쓴다.

해석 (1) 어제는 화창했다. Kevin과 지아는 해변에 있었다. 그들은 집에 있지 않았다.

(2) 오늘은 화창하지 않다. 지금, Kevin과 지아는 집에 있다.

04 (1) 내용상 현재의 일을 나타내므로 am not이 알맞다. 이때, am not은 줄여 쓰지 않는다.

(2) 주어 Ben and I가 복수이므로 was가 아니라 were가 알맞다.

05 yesterday와 last week는 과거를 나타내는 부사(구)이므로 be동사를 과거형으로 바꿔 써야 한다.

해석 (1) 오늘은 바람이 분다. → 어제는 바람이 불었다.

(2) 그들은 지금 바쁘지 않다. → 그들은 지난주에 바쁘지 않았다.

06 (1) 주어가 Jiyun's favorite subject이고 this year가 현재를 나타내는 부사구이므로 첫 번째 빈칸에는 Is를 쓴다. 올해 좋아하는 과목이 과학이므로 긍정의 대답인 Yes, it is.로 답한다.

(2) 주어가 Yuri and Mina이고 last year가 과거를 나타내는 부사구이므로 첫 번째 빈칸에는 Were를 쓴다. 그들은 작년에 같은 반이 아니었으므로 부정의 대답인 No, they weren't.로 답한다.

해석 (1) A 지윤이가 올해 가장 좋아하는 과목은 과학이니?

B 응, 그래.

(2) A 유리와 미나가 작년에 그녀의 반 친구들이었니?

B 아니, 그렇지 않았어. 준과 예진이가 작년에 그녀의 반 친구들이었어.

07 (1) 주어가 you이고 yeaterday가 과거를 나타내므로 첫 번째 빈칸에는 Were를 쓴다. 대답에서 아파서 집에 있었다고 했으므로 부정의 대답인 No, I wasn't.를 쓴다.

(2) Mina는 3인칭 여성 단수이므로 대답에서 대명사 she로 바꿔 쓰고, 긍정의 대답이므로 Yes, she is.로 쓴다.

해석 (1) A 너는 어제 학교에 있었니?

B 아니, 그렇지 않았어. 나는 아파서 집에 있었어.

(2) A 미나는 너의 여자 형제이니?

B 응, 그래. 그녀는 나의 여동생이야.

08 ⓑ 주어가 Jane and Mary로 3인칭 복수이므로 be동사는 Are를 써야 한다.

ⓒ in 2010은 과거를 나타내므로 be동사를 과거형 were로 써야 한다.

해석 ⓐ Jack과 나는 피곤하지 않다.

ⓓ 그 케이크는 달콤했니?

ⓔ Sam과 Peter는 두 시간 전에 여기에 있었다.

09 B가 '아니, 그는 나의 삼촌이야.'라고 답하고 있으므로 주어진 말 중 your father를 사용하여 '그는 너의 아버지시니?'라고 묻는 것이 자연스럽다. be동사의 의문문은 「Be동사+주어 ~?」의 형태로 쓴다.

해석 A 그는 너의 아버지시니?

B 아니, 그렇지 않아. 그는 나의 삼촌이셔.

10 ⓓ 내용상 현재의 일을 나타내고, 주어 Their favorite food가 단수이므로 are가 아니라 is가 알맞다.

해석 판다는 곰이다. 그들은 검고 희다. 그들은 덩치가 크고 뚱뚱하다. 그들이 가장 좋아하는 먹이는 대나무이다.

함정이 있는 문제

02 해석 John과 나는 지금 같은 반이 아니다.

03 해석 나는 남동생이 있다. 그의 이름은 유찬이다. 그는 여섯 살이다. 그가 가장 좋아하는 장난감은 곰 인형이다. 우리는 좋은 친구이다.

시험에 강해지는 실전 TEST

pp.20~22

01 ④	02 ⑤	03 ④	04 ②	05 ⑤
06 ③	07 ③	08 ③	09 ②, ③	10 ③

서술형 1 (1) is (2) isn't, is

서술형 2 (1) Was the night sky beautiful?
(2) My grandparents are not(aren't) in the garden.

서술형 3 (1) Your pens are on your desk.
(2) This book was not(wasn't) interesting.

서술형 4 No, I'm not.

서술형 5 (1) isn't → weren't(were not) (2) is → are

서술형 6 (1) My favorite food is bulgogi.
(2) My favorite subjects are math and science.

서술형 7 (1) Amy and I are at the festival now. Amy and I are excited.
(2) I was at the festival yesterday. I was excited.

서술형 8 (1) Are Jack and Kate (2) they aren't
(3) They are at the park

서술형 9 ⓔ → are

서술형 10 We weren't in the same class

01 첫 번째 문장은 주어가 That girl로 3인칭 단수이고 내용상

현재의 일을 나타내므로 is가 알맞다. 두 번째 문장은 과거를 나타내는 부사 yesterday가 있고 주어가 I이므로 was가 알맞다.

해석 • 저 여자아이는 수미의 여동생이다.
• 나는 어제 매우 피곤했다.

02 B의 It was easy.로 보아 과거형으로 써야 한다. 의문문의 주어 the math test가 3인칭 단수이므로 첫 번째 빈칸에는 Was가 알맞다. B가 No로 대답했으므로 두 번째 빈칸에는 wasn't가 알맞다.

해석 **A** 수학 시험은 어려웠니?
B 아니, 그렇지 않았어. 그것은 쉬웠어.

03 |보기|와 ④의 be동사는 '(~에) 있다'라는 뜻으로 쓰였다. ①, ②, ③, ⑤는 '~이다'라는 뜻으로 주어를 설명해 준다.

해석 |보기| John은 부엌에 있다.
① 그것은 나의 책가방이다.
② Kate는 유명한 여배우이다.
③ 피자는 내가 가장 좋아하는 음식이다.
④ 고양이는 소파 아래에 있다.
⑤ 이 책은 아주 흥미롭다.

04 B가 그녀는 캐나다 출신이라고 했으므로 부정의 대답이 알맞다. 현재형으로 물어봤으므로 현재형으로 답한다.

해석 **A** 너의 영어 선생님은 영국 출신이시니?
B 아니, 그렇지 않아. 그녀는 캐나다 출신이셔.

05 ⑤ be동사의 의문문은 「Be동사+주어 ~?」의 형태로 쓴다. 주어가 you and Sujin이고 과거의 일을 나타내므로 be동사는 Were를 쓴다.

06 ③ 주어 Their son이 3인칭 단수이고, last month가 과거를 나타내는 부사구이므로 was가 알맞다. Their는 소유격으로 be동사의 형태와 관계없다. ②는 주어가 2인칭, ①, ④, ⑤는 주어가 3인칭 복수이고, 과거를 나타내는 부사(구)가 쓰였으므로 were가 알맞다.

해석 ① 그들은 지난주에 아팠다.
② 너는 작년에 축구 선수였니?
③ 그들의 아들은 지난달에 바쁘지 않았다.
④ 그 열쇠들은 어제 내 가방 안에 있었다.
⑤ 지수와 태호는 두 시간 전에 도서관에 있었다.

07 ① 주어 the kids가 복수이므로 Are가 알맞다.
② 주어 the moive가 3인칭 단수이므로 Is가 알맞다.
④ 과거를 나타내는 부사구 last year가 있으므로 was가 알맞다.
⑤ 주어 Jihun and I가 복수이므로 were가 알맞다.

해석 ③ 오늘 아침에 비가 왔다.

08 ③ 주어가 James and I로 복수이므로 am이 아니라 are를 써야 한다.

해석 ① 이것은 그의 자전거이다. → 이것은 그의 자전거이니?
② 너의 방은 깨끗하다. → 너의 방은 깨끗하지 않다.
④ 우리는 회의에 늦었다. → 우리는 회의에 늦었니?
⑤ 그들은 영화관에 있었다. → 그들은 영화관에 있지 않았다.

09 ② 주어 Those socks가 복수이므로 is가 아니라 are가 알맞다.
③ last night은 과거를 나타내므로 현재형 is가 아니라 과거형 was가 알맞다.

해석 ① 어제 바람이 불었니?
④ 야구는 내가 가장 좋아하는 스포츠이다.
⑤ 너의 스마트폰은 침대 위에 있다.

10 ⓑ 주어 These apples가 복수이므로 is가 아니라 are가 알맞다.
ⓒ 주어 the backpack이 3인칭 단수이므로 Are가 아니라 Is가 알맞다.

해석 ⓐ 그것들은 그녀의 애완동물들이 아니다.
ⓓ 나는 두 시간 전에 매우 졸렸다.
ⓔ 오늘 날씨가 좋지 않다.

서술형 1 (1) 그림에서 미나가 춤을 추고 있으므로 3인칭 단수 주어에 맞는 is를 쓴다.
(2) 그림에서 Tom이 농구를 하고 있으므로 첫 번째 문장은 부정문으로, 두 번째 문장은 긍정문으로 쓴다.

해석 (1) 미나는 훌륭한 댄서이다.
(2) Tom은 축구 선수가 아니다. 그는 농구 선수이다.

서술형 2 (1) be동사의 의문문은 「Be동사+주어 ~?」의 형태로 쓴다.
(2) be동사의 부정문은 be동사 뒤에 not을 써서 나타내고, are not은 aren't로 줄여 쓸 수 있다.

해석 (1) 밤하늘은 아름다웠다. → 밤하늘은 아름다웠니?
(2) 나의 조부모님들은 정원에 계신다.
→ 나의 조부모님들은 정원에 계시지 않다.

서술형 3 (1) 현재의 일을 나타내고 주어가 복수이므로 are를 사용하여 쓴다.
(2) 과거의 일을 나타내고 주어가 단수이므로 was not(wasn't)을 사용하여 쓴다.

서술형 4 B가 지금 한가하다고 말했으므로 부정으로 대답해야 한다. Are you ~?에 대한 부정의 대답은 No, I'm not.으로 쓴다.

해석 **A** 너는 지금 바쁘니?
B 아니, 그렇지 않아. 나는 지금 한가해.

서술형 5 (1) 주어가 She and her friend로 복수이고, 과거의 일을 나타내는 문장이므로 과거형 weren't(were not)를 써야 한다.
(2) 주어 Sujin's parents가 복수이고 현재의 일을 나타내는 문장이므로 are를 써야 한다.

서술형 6 (1) 주어가 3인칭 단수이므로 be동사는 is를 쓴다.

(2) 주어가 3인칭 복수이므로 be동사는 are를 쓴다.

해석 |예시| 내 이름은 Susan이다.

(1) 내가 가장 좋아하는 음식은 불고기이다.

(2) 내가 가장 좋아하는 과목은 수학과 과학이다.

서술형 7 (1) 주어가 단수에서 복수로 바뀌므로 am을 are로 바꿔 쓴다.

(2) 과거를 나타내는 부사 yesterday를 써야 하므로 현재형 am을 과거형 was로 바꿔 쓴다.

해석 나는 지금 축제에 있다. 나는 신이 난다.

(1) Amy와 나는 지금 축제에 있다. Amy와 나는 신이 난다.

(2) 나는 어제 축제에 있었다. 나는 신이 났다.

서술형 8 (1) now는 현재를 나타내고 주어가 Jack and Kate로 복수이므로 be동사 Are를 쓴다.

(2) No로 대답했으므로 they aren't를 쓴다.

(3) 현재의 일을 나타내고 주어가 they이므로 be동사 are를 쓴다.

[서술형 9~10] 해석 유나는 나의 가장 친한 친구이다. 그녀는 똑똑하고 친절하다. 그녀가 가장 좋아하는 과목은 음악이다. 우리는 작년에 같은 반이 아니었다. 지금, 우리는 반 친구이다. 또한, 그녀와 나는 지금 학교 밴드에 있다.

서술형 9 ⓔ 주어 she and I가 복수이므로 am이 아니라 are를 쓴다.

서술형 10 과거의 일을 나타내므로 be동사의 과거 부정형의 줄임말인 weren't를 사용하여 쓴다.

CHAPTER 02 일반동사

Unit 1 일반동사의 현재형

✔ 바로 개념 확인하기 p.25

A 1 like 2 studies 3 has 4 watch

B 1 makes 2 goes 3 teaches

C 1 don't get up 2 doesn't have 3 Does, fix 4 Does she wash

서술형 기본 유형 익히기 pp.25~26

1 brushes
2 do not like
3 He flies
4 Tom does not have
5 Do the children drink
6 watch
7 cries
8 doesn't(does not)
9 have
10 Do
11 She washes the dishes after dinner.
12 Does she speak English?
13 We do not(don't) know him well.
14 Does he eat meat?
15 The man does not(doesn't) do yoga.

Unit 2 일반동사의 과거형

✔ 바로 개념 확인하기 p.28

A 1 went 2 caught 3 read 4 studied

B 1 ate 2 cut 3 lived 4 told

C 1 didn't cry 2 didn't drink 3 Did, take 4 Did, stop

서술형 기본 유형 익히기 pp.28~29

1 liked
2 went home
3 I did not do
4 Gina did not call
5 Did you clean your room
6 droped → dropped
7 Do → Did
8 don't → didn't
9 did → do
10 went → go
11 Judy drank orange juice.
12 He wrote interesting stories.
13 Mark did not(didn't) ride his bike yesterday.
14 Did Sally buy a new cell phone?
15 Did they see many animals at the zoo?

기출에서 뽑은 난이도별 서술형 문제 pp.30~31

01 (1) eats (2) exercises (3) studied

02 (1) They do not(don't) watch TV in the evening.
(2) Do they watch TV in the evening?

(3) Tom watches TV in the evening.

03 (1) teaches (2) don't go (3) rode

04 (1) plays the piano (2) does not(doesn't) dance

05 (1) No, he doesn't (2) Yes, he does

06 (1) drinked → drank (2) Do → Does

07 Did, go, did, went

08 (1) My mom does the dishes after dinner.
(2) We ran at the park last Sunday.

09 like, buy, bought

10 ⓒ → didn't(did not) see

함정이 있는 문제

01 Do Insu and John like dogs?

02 writes → wrote

03 (1) She did not(didn't) do her homework yesterday.
(2) Did she do her homework yesterday?

01 (1), (2) 주어가 3인칭 단수이므로 동사를 3인칭 현재 단수형으로 쓴다.
(3) 우리말로 보아 과거형이 알맞고, study는 「자음+y」로 끝나는 동사이므로 y를 i로 고친 후 -ed를 붙여 studied로 쓴다.

02 (1) 주어가 복수이고 일반동사 현재형의 부정문이므로 do not(don't) watch로 쓴다.
(2) 주어가 복수이고 일반동사 현재형의 의문문이므로 Do they watch ~?로 쓴다.
(3) 주어가 3인칭 단수이므로 watch의 3인칭 현재 단수형 watches를 쓴다.
해석 그들은 저녁에 TV를 본다.
(1) 그들은 저녁에 TV를 보지 않는다.
(2) 그들은 저녁에 TV를 보니?
(3) Tom은 저녁에 TV를 본다.

03 (1) '수학을 가르친다'는 의미가 알맞다. 주어가 3인칭 단수이므로 teaches로 쓴다.
(2) '학교에 가지 않는다'는 의미가 알맞다. 주어가 I이므로 don't go로 쓴다.
(3) '자전거를 탔다'는 의미가 알맞다. ride의 과거형 rode를 쓴다.
해석 (1) 박 선생님은 교사이시다. 그녀는 수학을 가르치신다.
(2) 오늘은 일요일이다. 그래서 나는 학교에 가지 않는다.
(3) 민수는 지난 토요일에 공원에 갔다. 그는 거기에서 자전거를 탔다.

04 (1) 주어가 3인칭 단수이고 피아노를 치고 있으므로 plays the piano를 쓴다.
(2) 주어가 3인칭 단수이고 노래를 부르고 있으므로 does not(doesn't) dance를 쓴다.
해석 (1) Jenny는 피아노를 친다.
(2) Jenny는 춤을 추지 않는다.

05 (1) 좋아하는 영화가 코미디이므로 부정으로 대답한다.
(2) 좋아하는 케이크가 초콜릿 케이크이므로 긍정으로 대답한다.
해석 (1) **A** Ted는 공포 영화를 좋아하니?
B 아니, 좋아하지 않아.
(2) **A** Ted는 초콜릿 케이크를 좋아하니?
B 응, 좋아해.

06 (1) drink의 과거형은 drank이다.
(2) 일반동사 현재형의 의문문이고 주어가 3인칭 단수이므로 Do가 아니라 Does가 알맞다.

07 지난 토요일의 일이므로 일반동사 과거형의 의문문과 일반동사의 과거형 문장으로 쓴다.
해석 **A** 너는 지난 토요일에 Jennifer의 생일 파티에 갔니?
B 응, 갔어. 나는 Henry와 함께 파티에 갔어.

08 (1) 주어가 3인칭 단수로 바뀌므로 do를 does로 바꿔 쓴다.
(2) 과거를 나타내는 부사구 last Sunday를 써야 하므로 run을 과거형 ran으로 바꿔 쓴다.
해석 (1) 그들은 저녁 식사 후에 설거지를 한다.
→ 나의 엄마는 저녁 식사 후에 설거지를 하신다.
(2) 우리는 일요일마다 공원에서 달린다.
→ 우리는 지난 일요일에 공원에서 달렸다.

09 일반동사 현재형의 의문문이므로 첫 번째 빈칸에는 동사원형 like를 쓴다. / Did로 시작하는 일반동사 과거형의 의문문이므로 두 번째 빈칸에는 동사원형 buy를 쓴다. / 내용상 과거를 나타내므로 세 번째 빈칸에는 buy의 과거형 bought를 쓴다.
해석 **A** 너는 남자 아이돌 그룹 DTS를 좋아하니?
B 응, 좋아해.
A 그들의 새 CD를 샀니?
B 아니, 하지만 나의 여동생이 그것을 샀어. 우리는 그것을 매일 들어.

10 ⓒ 일반동사 과거형의 부정문은 「didn't(did not)+동사원형」의 형태로 쓴다.
해석 오늘 나는 나의 여동생과 등산하러 갔다. 우리는 많은 나무들과 꽃들을 보았다. 그러나 우리는 어떤 동물들도 못 봤다. 등산 후에, 우리는 점심 식사를 위해 식당에 갔다. 나는 오렌지 주스와 햄버거를 먹었다. 우리는 좋은 시간을 보냈다.

함정이 있는 문제

01 해석 인수와 John은 개들을 좋아하니?

03 해석 그녀는 어제 숙제를 했다.
(1) 그녀는 어제 숙제를 하지 않았다.
(2) 그녀는 어제 숙제를 했니?

시험에 강해지는 실전 TEST pp.32~34

01 ③	02 ④	03 ②	04 ②	05 ⑤
06 ④	07 ⑤	08 ①	09 ⑤	10 ②

서술형 1 (1) went swimming
(2) did not(didn't) meet Tina
(3) bought a new chair
서술형 2 (1) Tom rode his bike
(2) We don't like soccer.
서술형 3 (1) Minji does not(doesn't) have many friends.
(2) Did you go to the movies yesterday?
서술형 4 I didn't sleep well
서술형 5 (1) meeted → met (2) readed → read
(3) sleeped → slept
서술형 6 (1) go jogging, does yoga
(2) play soccer
(3) watch TV, draws a picture
서술형 7 studied → study
서술형 8 I bought some bread.
서술형 9 it doesn't fly
서술형 10 It has long legs.

01 동사 speaks가 3인칭 현재 단수형이므로 복수 주어 They는 빈칸에 들어갈 수 없다.
해석 ______은/는 중국어를 잘 말한다.
①그 ② 그녀 ③ 그들 ④ 유진 ⑤ 나의 언니

02 첫 번째 문장은 주어가 3인칭 단수이므로 eat의 3인칭 현재 단수형 eats가 알맞다. 두 번째 문장은 일반동사의 의문문이므로 동사원형 have가 알맞다.
해석 • Kate는 매일 아침 사과를 먹는다.
• Kate는 긴 머리카락을 가지고 있니?

03 일반동사 과거형의 의문문이고, 주어 Somi가 3인칭 여성 단수이므로 Yes, she did. 또는 No, she didn't.로 대답한다.
해석 A 소미는 어젯밤에 너에게 전화했니?
B ② 아니, 전화하지 않았어.

04 일반동사 과거형의 의문문은 「Did+주어+동사원형 ~?」의 형태로 쓴다.

05 ⑤ -ch로 끝나는 동사는 -es를 붙여서 3인칭 현재 단수형을 만든다. 따라서 watches가 알맞다.
해석 ① 거미는 많은 다리를 가지고 있다.
② 수진이는 매일 그녀의 머리카락을 감는다.
③ 나의 아빠는 7시에 회사에 가셨다.
④ 그녀는 어제 만화책을 읽었다.

06 ④는 '~하다'라는 뜻의 일반동사로 쓰였고, 나머지는 일반동사의 부정문이나 의문문을 만드는 do로 쓰였다.
해석 ① 그들은 학교 동아리에 가입했니?
② 그는 그의 손을 자주 씻니?
③ Peter는 일기를 쓰지 않았다.
④ 엄마는 저녁 식사 후에 설거지를 하셨다.
⑤ 그들은 주말마다 낚시하러 가지 않는다.

07 ⑤ 주어 Tom and Chris가 복수이므로 일반동사 현재형의 부정문을 만들 때 doesn't가 아니라 don't를 쓴다.
해석 ① 수미는 거짓말을 했다.
→ 수미는 거짓말을 하지 않았다.
② 너는 뮤지컬을 봤다. → 너는 뮤지컬을 봤니?
③ 진수는 정오에 점심을 먹는다.
→ 진수는 정오에 점심을 먹니?
④ 나의 삼촌이 이 사진들을 찍으셨다.
→ 나의 삼촌이 이 사진들을 찍지 않으셨다.

08 ② 일반동사 과거형의 부정문이므로 didn't 뒤에 동사원형 drink를 써야 한다.
③ 일반동사 과거형의 의문문이므로 동사원형 like를 써야 한다.
④ 「단모음+단자음」으로 끝나는 동사는 과거형으로 바꿀 때 자음을 한 번 더 쓰고 -ed를 붙여야 하므로 stopped로 써야 한다.
⑤ 일반동사 과거형의 부정문이므로 didn't play로 써야 한다.

09 ⑤ yesterday는 과거를 나타내는 부사이므로 sleeps를 과거형 slept로 고쳐야 한다.
해석 ① 김 씨는 전혀 웃지 않는다.
② 소라는 클래식 음악을 듣는다.
③ 나는 열한 시에 자러 간다.
④ 너는 그 시험에서 좋은 성적을 받았니?

10 ⓐ 「단모음+단자음」으로 끝나는 동사는 과거형으로 바꿀 때 자음을 한 번 더 쓰고 -ed를 붙여야 하므로 dropped가 알맞다.
ⓒ 「자음+y」로 끝나는 동사는 과거형으로 바꿀 때 y를 i로 바꾸고 -ed를 붙여야 하므로 cried가 알맞다.
ⓔ 일반동사 현재형의 의문문이므로 동사원형 wear가 알맞다.
해석 ⓑ 나는 우산을 샀다.

ⓓ 미나는 매일 샤워를 한다.

서술형 1 어제 한 일과 하지 않은 일이므로 동사의 과거형으로 쓴다. go와 buy는 각각 went, bought로 불규칙하게 변하는 동사들이므로 유의한다.

해석 (1) Nick은 어제 수영하러 갔다.
(2) 그는 어제 Tina를 만나지 않았다.
(3) 그는 어제 새 의자를 샀다.

서술형 2 (1) ride의 과거형은 rode이다.
(2) 일반동사 현재형의 부정문이고 주어가 We이므로 don't를 쓴다.

서술형 3 (1) 3인칭 단수 주어일 때 일반동사 현재형의 부정문은 「does not(doesn't)+동사원형」의 형태로 쓴다.
(2) 일반동사 과거형의 의문문은 「Did+주어+동사원형 ~?」의 형태로 쓴다

해석 (1) 민지는 많은 친구가 있다.
→ 민지는 친구가 많지 않다.
(2) 너는 어제 영화를 보러 갔다.
→ 너는 어제 영화를 보러 갔니?

서술형 4 일반동사 과거형의 부정문은 「did not(didn't)+동사원형」의 형태로 쓴다.

해석 나는 오늘 수학 시험이 있다. 나는 어제 시험에 대해 걱정했다. 나는 어젯밤에 잠을 푹 못 잤다.

서술형 5 meet, read, sleep의 과거형은 각각 met, read, slept로 불규칙하게 변한다.

해석 오늘 나는 공원에서 지훈이를 만났다. 우리는 거기에서 많은 사람들을 보았다. 몇몇 아이들은 야구를 했다. 한 여자아이는 벤치에서 책을 읽었고 한 남자는 나무 아래에서 잠을 잤다. 평화로운 오후였다.

서술형 6 I는 1인칭, Yuna는 3인칭 단수, Yuna and I는 복수이므로 각 인칭에 맞추어 동사를 바꿔 쓴다.

해석 (1) 아침에 나는 조깅하러 가고 유나는 요가를 한다.
(2) 오후에 유나와 나는 축구를 한다.
(3) 저녁에 나는 TV를 보고 유나는 그림을 그린다.

서술형 7 일반동사 과거형의 부정문에서 didn't 다음에는 동사원형을 써야 한다

서술형 8 내용상 '빵을 샀다'는 의미가 되어야 하므로 buy의 과거형 bought를 사용하여 쓴다.

해석 A 너는 어제 집에 머물렀니?
B 아니, 그렇지 않았어. 나는 슈퍼마켓에 갔어.
A 너는 무엇을 샀니? 너는 과일을 샀니?
B 아니, 사지 않았어. 나는 약간의 빵을 샀어.

[서술형 9~10] 해석 타조는 아프리카에 산다. 그것은 새이다. 하지만 그것은 날지 못한다. 그것은 긴 다리들을 가지고 있다. 그래서 그것은 매우 키가 크고 매우 빨리 달린다.

서술형 9 일반동사 현재형의 부정문에서 doesn't 다음에는 동사원형을 쓰므로 flies를 동사원형 fly로 고쳐야 한다.

서술형 10 주어가 3인칭 단수이므로 has를 써야 한다.

CHAPTER 03 진행형과 미래 표현

Unit 1 현재진행형과 과거진행형

✔ 바로 개념 확인하기 p.37

A 1 am 2 was 3 is

B 1 is washing 2 was looking
3 were playing

C 1 aren't sitting 2 Are, crossing
3 Were, taking

서술형 기본 유형 익히기 pp.37~38

1 is writing
2 Was she drinking
3 Are you waiting
4 They are not lying
5 I was not studying English
6 swiming → swimming
7 isn't → wasn't(was not)
8 Do → Are
9 sleeping → is sleeping
10 Was → Were
11 She was cutting melons.
12 Ben is using this computer.
13 I was making a table.
14 Were they running at the gym?
15 My dad was not(wasn't) cooking breakfast.

Unit 2 미래를 나타내는 will과 be going to

✔ 바로 개념 확인하기 p.40

A 1 rain 2 be 3 is going

B 1 will take 2 is going to go
3 is not going to read

C 1 won't meet 2 isn't going to open
3 Is she going to come

서술형 기본 유형 익히기 pp.40~41

1 The train will leave
2 They will not go swimming
3 Will you call me
4 I am not going to play
5 Is she going to join
6 is → be
7 am → are
8 wills → will
9 does → do
10 Is → Are
11 Gina is going to visit London soon.
12 Dad is not(isn't) going to climb Mt. Surak next week.
13 Will he like this present?
14 Are they going to make an apple pie?
15 They are going to take a bus.

기출에서 뽑은 난이도별 서술형 문제 pp.42~43

01 (1) am reading (2) was taking (3) are running
02 (1) Linda is going to buy some eggs
(2) Eric was not riding his bike
03 (1) was cleaning (2) is playing
04 (1) isn't(is not) (2) to visit
05 No, I won't
06 (1) Mom is going to make cookies tomorrow.
(2) Jake will not jog next week.
07 I'm(I am) going to learn Spanish.
08 I am going
09 (1) She is cutting potatoes.
(2) She was cutting potatoes an hour ago.
10 ⓓ → Were

함정이 있는 문제

01 Is → Are
02 Will it be windy and cold?
03 going to go camping

01 (1), (3) now가 있으므로 현재진행형으로 쓴다. 현재진행형은 「be동사의 현재형+동사원형-ing」 형태로 쓴다.
(2) last night이 있으므로 과거진행형으로 쓴다. 과거진행형은 「be동사의 과거형+동사원형-ing」 형태로 쓴다.
해석 (1) 나는 지금 잡지를 읽고 있다.
(2) 그는 어젯밤에 샤워를 하고 있었다.
(3) 우리는 지금 운동장에서 뛰고 있다.

02 (1) '~할 것이다'라는 의미의 미래 표현은 「be동사+going to+동사원형」으로 나타낼 수 있다.
(2) '~하고 있지 않았다'라는 의미의 과거진행형 부정문은 「was/were+not+동사원형-ing」로 나타낸다.

03 (1) 어제 남자아이가 방 청소를 하고 있었으므로 was cleaning이 알맞다.
(2) 지금 남자아이가 기타를 치고 있으므로 is playing이 알맞다.
해석 (1) A 그는 어제 무엇을 하고 있었니?
B 그는 그의 방을 청소하고 있었어.
(2) A 그는 지금 무엇을 하고 있니?
B 그는 기타를 치고 있어.

04 (1) 현재진행형의 부정문은 be동사 뒤에 not을 써야 하므로 isn't가 알맞다.
(2) 미래를 나타내는 표현은 「be동사+going to+동사원형」이므로 to visit이 알맞다.

05 이어지는 대답에서 스파게티를 먹겠다고 했으므로 피자를 먹을지 묻는 말에 부정으로 답하는 것이 알맞다. Will you ~?로 물었으므로, 부정의 대답은 No, I won't.로 한다.
해석 A 너는 저녁으로 피자를 먹을 거니?
B 아니, 먹지 않을 거야. 나는 스파게티를 먹을 거야.

06 (1) tomorrow는 미래를 나타내는 부사이고 주어가 3인칭 단수이므로 is going to를 사용하여 쓴다.
(2) next week는 미래를 나타내는 부사구이다. 부정문이고 총 6단어로 써야 하므로 「will not+동사원형」으로 쓴다.
해석 (1) 엄마는 일요일마다 쿠키를 만드신다.
→ 엄마는 내일 쿠키를 만드실 것이다.
(2) Jake는 아침에 조깅을 하지 않는다.
→ Jake는 다음 주에 조깅을 하지 않을 것이다.

07 미래를 나타내는 표현 be going to 뒤에는 동사원형이 오며, 주어가 I이므로 be동사 am을 쓴다.
해석 A 너는 이번 여름에 무엇을 할 거니?
B 나는 스페인어를 배울 거야.

08 지금 어디에 가고 있는지 현재진행형으로 물었으므로 현재진행형을 사용하여 답해야 한다.
해석 A 너는 지금 어디에 가고 있니?
B 나는 서점에 가고 있어.

09 (1) '~하고 있다'는 의미는 현재진행형으로 나타내며, 주어

가 3인칭 단수이므로 동사를 is cutting으로 쓴다.

(2) an hour ago는 과거를 나타내므로 과거진행형으로 바꿔 쓴다.

해석 (2) 그녀는 한 시간 전에 감자를 자르고 있었다.

10 ⓓ 과거진행형의 의문문은 did를 쓰지 않고 be동사의 과거형을 주어 앞으로 보내서 만든다.

해석 ⓐ 그녀는 TV를 볼 거니?

ⓑ 우리는 캠핑 여행을 가지 않을 것이다.

ⓒ 그는 지금 컴퓨터를 사용하고 있지 않다.

함정이 있는 문제

02 해석 바람이 불고 춥다. → 바람이 불고 추울까?

03 해석 나는 다음 주에 나의 가족들과 캠핑하러 갈 것이다.

시험에 강해지는 실전 TEST pp.44~46

01 ③	02 ⑤	03 ①	04 ⑤	05 ②
06 ②	07 ④	08 ⑤	09 ③	10 ②

서술형 1 (1) is going to call (2) will not tell
서술형 2 (1) is swimming (2) wasn't, was writing
서술형 3 (1) James is going to fix the roof.
(2) I will not(won't) invite Bora to the party.
서술형 4 (1) Is she washing her hands?
(2) I was not(wasn't) taking a shower.
서술형 5 (1) is watching (2) is lying (3) is talking
서술형 6 (1) I am(I'm) drawing a picture.
(2) I am(I'm) going to swim.
서술형 7 is → be
서술형 8 is preparing, make a birthday card
서술형 9 ⓐ → living, ⓑ → to visit
서술형 10 I will go to the Great Wall.

01 will이 있으므로 미래의 일을 나타낸다. 따라서 과거를 나타내는 부사구 last Sunday는 빈칸에 들어갈 수 없다.

해석 나는 ______ 부산으로 이사 갈 것이다.

① 곧 ② 내일 ③ 지난 일요일 ④ 다음 달 ⑤ 이번 주말

02 미래의 일에 대해 묻고 답하는 대화이므로 will 또는 be going to를 사용해야 하고, 질문에서 뒤에 going to가 쓰이지 않았으므로 첫 번째 빈칸에는 Will이 알맞다. Will you ~?에 대한 부정의 대답은 No, I won't.이다.

해석 A 너는 내일 콘서트에 갈 거니?

B 아니, 안 갈 거야. 나는 쇼핑하러 갈 거야.

03 문장을 배열하면 I am not going to take a walk.가 된다.

04 ⑤ 미래의 일을 나타낼 때 will 또는 be going to를 사용한다.

해석 우리 학교는 축제를 열 것이다.

① 우리 학교는 축제를 열었다.

② 우리 학교는 축제를 연다.

③ 우리 학교는 축제를 열고 있다.

④ 우리 학교는 축제를 열고 있었다.

05 '~하고 있니?'라는 뜻의 현재진행형의 의문문은 「Be동사의 현재형+주어+동사원형-ing ~?」의 형태로 쓴다.

06 ② lie(거짓말하다)처럼 -ie로 끝나는 동사는 ie를 y로 바꾸고 -ing를 붙여야 하므로 lying이 알맞다.

해석 ① 엄마는 쿠키를 굽고 계신다.

③ 미나는 드론을 날리고 있었다.

④ 나는 지금 저녁 식사를 만들고 있지 않다.

⑤ 그들은 지하철역으로 달리고 있다.

07 ④ 현재진행형으로 묻고 있으므로 Yes, they are.로 답해야 한다.

해석 ① A 너는 그때 사진을 찍고 있었니?

B 아니, 찍고 있지 않았어.

② A Alice는 지금 음악을 듣고 있니?

B 응, 듣고 있어.

③ A 너는 그에게 문자 메시지를 보낼 거니?

B 응, 그럴 거야.

④ A 그 아이들은 정원에서 놀고 있니?

B 응, 그럴 거야.

⑤ A Tony는 다음 주에 서울을 떠날 거니?

B 아니, 떠나지 않을 거야.

08 ⑤는 「be동사+going to+동사원형」의 형태로 미래를 나타내는 표현이고, 나머지는 모두 「be동사+동사원형-ing」 형태의 진행형이다.

해석 ① 그 여자아이는 모자를 쓰고 있다.

② 그들은 과학 프로젝트를 하고 있다.

③ 나의 아버지는 그의 사무실에서 일하고 계신다.

④ 그 학생들은 서로 이야기하고 있다.

⑤ 그 아이들은 파티를 열 것이다.

09 ③ have는 '가지다'라는 뜻으로 소유를 나타내면 진행형으로 쓸 수 없으므로 is having이 아니라 has가 알맞다.

해석 ① 우리는 지금 점심을 먹고 있다.

② 그날 밤에 눈이 많이 오고 있었다.

④ 나는 3시에 그녀를 만날 것이다.

⑤ 너는 창문을 청소하고 있었니?

10 ② know는 상태를 나타내는 동사이므로 진행형으로 쓸 수 없고, 주어가 3인칭 단수이므로 knows가 알맞다.

해석 ① David와 나는 테니스를 치고 있다.

③ 준호는 학교 밴드에 가입하지 않을 것이다.

④ 너는 전화 통화하고 있었니?

⑤ 그 뮤지컬은 7시에 시작할 것이다.

서술형 1 (1) 미래를 나타내는 표현인 will은 be going to로 바꿔 쓸 수 있다.
(2) 미래를 나타내는 표현인 be going to는 will로 바꿔 쓸 수 있다.
해석 (1) Olivia는 내일 그에게 전화할 것이다.
(2) 수진이는 내 친구들에게 나의 비밀을 말하지 않을 것이다.

서술형 2 (1) 현재진행형으로 물었고 주어가 3인칭 단수이므로 is swimming으로 쓴다.
(2) 과거진행형으로 물었고 부정의 대답이므로 첫 번째 빈칸에는 wasn't를 쓴다. 두 번째 빈칸에는 주어가 3인칭 단수이므로 was writing을 쓴다.
해석 (1) **A** 그녀는 무엇을 하고 있니?
B 그녀는 수영장에서 수영하고 있어.
(2) **A** 그는 컴퓨터 게임을 하고 있었니?
B 아니, 그렇지 않았어. 그는 편지를 쓰고 있었어.

서술형 3 (1) 주어가 3인칭 단수이므로 is going to로 바꿔 쓴다.
(2) will의 부정문은 will 뒤에 not을 써서 나타내며 will not은 won't로 줄여 쓸 수 있다.
해석 (1) James는 지붕을 고친다.
→ James는 지붕을 고칠 것이다.
(2) 나는 파티에 보라를 초대할 것이다.
→ 나는 파티에 보라를 초대하지 않을 것이다.

서술형 4 (1) 현재진행형의 의문문은 「Be동사의 현재형+주어+동사원형-ing ~?」의 형태로 쓴다.
(2) 과거진행형의 부정문은 「주어+be동사의 과거형+not+동사원형-ing ~.」의 형태로 쓰며, be동사의 과거형과 not은 줄여 쓸 수 있다.

서술형 5 현재진행형은 「be동사의 현재형+동사원형-ing」의 형태로 쓴다. 주어가 모두 3인칭 단수이므로 be동사는 is를 쓴다.
해석 미나는 TV를 보고 있다. 아빠는 소파에 누워 있다. 엄마는 전화 통화를 하고 있다.

서술형 6 (1) 현재진행형은 「be동사의 현재형+동사원형-ing」의 형태로 쓴다.
(2) 미래 표현은 「will+동사원형」 또는 「be동사+going to+동사원형」으로 나타내는데, be going to로 물었으므로 be going to로 답한다.
해석 |예시| 너는 어제 무엇을 하고 있었니?
→ 나는 숙제를 하고 있었어.
(1) 너는 지금 무엇을 하고 있니?
→ 나는 그림을 그리고 있어.
(2) 너는 내일 무엇을 할 거니?
→ 나는 수영할 거야.

서술형 7 be going to 뒤에는 동사원형을 써야 하므로 is의 원형인 be를 써야 한다.

서술형 8 수진이는 미라의 생일 파티 준비를 하고 있고, 주호는 그녀를 도와 생일 카드를 만들 것이다. 첫 번째 문장은 현재진행형이므로 「be동사의 현재형+동사원형-ing」의 형태로 쓴다. 두 번째 빈칸은 be going to 다음에 나오므로 동사원형을 쓴다.
해석 **A** 수진아, 너는 무엇을 하고 있니?
B 안녕, 주호야. 나는 미라의 생일 파티를 준비하고 있어.
A 오, 오늘이 그녀의 생일이구나. 내가 도와줄까?
B 그래. 생일 카드를 만들래?
A 물론이지. 문제없어.
→ 수진이는 미라의 생일 파티를 준비하고 있다. 주호는 수진이를 도울 것이다. 그는 생일 카드를 만들 것이다.

[서술형 9~10] 해석 나의 삼촌은 지금 중국에 살고 있다. 그는 거기에 큰 농장을 가지고 있다. 나는 다음 달에 그를 방문할 것이다. 나는 만리장성에 갈 것이다. 나는 많은 중국 음식도 먹을 것이다!

서술형 9 ⓐ 앞에 be동사가 있고 문장의 끝에 now가 있으므로 현재진행형이 알맞다.
ⓑ 미래를 나타내는 표현으로 「be동사+going to+동사원형」의 형태가 알맞다.

서술형 10 미래를 나타내는 표현인 「will+동사원형」의 형태로 쓴다.

CHAPTER 04 명사와 수량 표현

Unit 1 셀 수 있는 명사와 셀 수 없는 명사

✔ 바로 개념 확인하기 p.49

A 1 knife, doctor, leaf 2 Seoul, sand, peace
B 1 feet 2 children 3 mice 4 boxes 5 cities
C 1 slice 2 bottle 3 bowls 4 cups

서술형 기본 유형 익히기 pp.49~50

1 puppies, fish
2 milk, apples
3 a pair of shoes
4 has two teeth
5 ate three pieces of cake
6 deers → deer
7 a sugar → sugar
8 womans → women
9 bowl → bowls
10 waters → water
11 He bought two knives and two potatoes.
12 Sam ate three slices of pizza for lunch.
13 He washed three pairs of jeans.
14 Five children played in the snow.
15 Jenny needs two bottles of juice.

Unit 2 명사의 수량 표현, There is/are

✔ 바로 개념 확인하기 p.52

A 1 much 2 a little 3 A few 4 few
B 1 any 2 Some 3 any 4 some
C 1 There is 2 There are 3 There are 4 There is

서술형 기본 유형 익히기 pp.52~53

1 a little milk
2 saw many movies
3 There are three rabbits
4 a few books
5 didn't know any students
6 a little → a few(some)
7 some → any
8 is → are
9 Little → Few
10 is → are
11 Some children
12 There is some cheese
13 a few onions
14 She has a little homework
15 There are two boys and two girls in the gym.

기출에서 뽑은 난이도별 서술형 문제 pp.54~55

01 (1) teeth (2) leaves
02 (1) a little (2) few
03 glass of, pieces of
04 (1) two pairs of jeans (2) three pieces of cake
05 (1) a little → a few(some) (2) few → little
06 (1) There are two benches in the garden.
(2) My uncle is carrying three boxes.
(3) He ate three slices of bread.
07 (1) two eggs (2) a cup of milk
(3) two slices of cheese
08 ⓑ mans → men, ⓔ juices → juice
09 few, many
10 ⓒ → bananas, ⓔ → bottles

함정이 있는 문제

01 is → are
02 I have little money.
03 There is much(a lot of/lots of) sugar

01 각각 앞에 two, many가 있으므로 모두 복수형으로 써야 한다.
(1) tooth는 불규칙 변화하는 명사로 복수형은 teeth이다.
(2) -f로 끝나는 명사는 f를 v로 바꾼 뒤 -es를 붙인다.
해석 (1) 치과의사는 이 두 개를 뽑았다.
(2) 지붕 위에는 많은 나뭇잎들이 있다.

02 (1) '약간, 조금'의 의미로 셀 수 없는 명사 앞에 쓰는 것은 a little이다.
(2) '거의 없는'의 의미로 셀 수 있는 명사 앞에 쓰는 것은 few이다.

03 수량을 표현할 때 우유는 a glass of를 사용하고, 빵은 a piece of를 사용한다. 빵은 두 조각이므로 piece의 복수형을 써야 한다.
해석 나는 아침으로 우유 한 잔과 빵 두 조각을 먹었다.

04 (1) jeans를 셀 때는 단위 명사 pair를 사용한다. 두 벌이므로 two pairs of라고 쓴다.
(2) cake는 셀 수 없는 명사로 '케이크 세 조각'은 three pieces of cake로 표현한다.
해석 |예시| 나는 신발 한 켤레를 살 것이다.
(1) 나는 청바지 두 벌을 살 것이다.
(2) 나는 케이크 세 조각을 살 것이다.

05 (1) '약간, 조금'의 의미로 셀 수 있는 명사 앞에 쓰는 것은 a few이다. 같은 의미로 some도 쓸 수 있다.
(2) honey는 셀 수 없는 명사이므로 few가 아닌 little을 써야 한다.

06 (1) bench의 복수형은 benches이고, There is/are ~ 구문에서 be동사 뒤에 명사의 복수형이 오면 be동사는 are를 써야 한다.
(2) box의 복수형은 boxes이다.

(3) 물질명사를 복수로 나타낼 때는 단위 명사만 복수형으로 바꿔 쓴다.

해석 (1) 정원에 벤치 한 개가 있다.
→ 정원에 벤치 두 개가 있다.
(2) 나의 삼촌은 상자 한 개를 나르고 계신다.
→ 나의 삼촌은 상자 세 개를 나르고 계신다.
(3) 그는 빵 한 조각을 먹었다.
→ 그는 빵 세 조각을 먹었다.

07 (1) 달걀은 셀 수 있는 명사이므로 two eggs로 쓴다.
(2), (3) 우유와 치즈는 셀 수 없는 명사이므로 제시된 단위 명사를 사용하여 쓴다.
해석 나는 오믈렛을 만들 것이다. 나는 달걀 두 개와 우유 한 컵, 그리고 치즈 두 장이 필요하다.

08 ⓑ man의 복수형은 men으로 불규칙 변화한다.
ⓔ juice는 셀 수 없는 명사이므로 복수형으로 쓸 수 없다.
해석 ⓐ 너는 질문이 있니?
ⓒ 연못에 많은 물고기들이 있다.
ⓓ 너무 많은 설탕은 너의 건강에 좋지 않다.

09 대화의 흐름상 첫 번째 빈칸에는 친구가 거의 없다는 의미가 되도록 few가 들어가야 하고, 두 번째 빈칸에는 곧 친구를 많이 사귈 것이라는 의미가 되도록 many가 들어가는 것이 자연스럽다.
해석 **A** 지호야, 너의 새 학교는 어때?
B 모든 것이 아직 나에게 새로워. 그리고 나는 친구가 거의 없어.
A 걱정하지 마. 너는 곧 많은 친구를 사귈 거야.
B 고마워. 나도 그러길 바라.

10 ⓒ some 뒤에 셀 수 있는 명사가 오면 복수형으로 써야 한다.
ⓔ water는 셀 수 없는 명사이므로 복수로 나타낼 때 단위 명사인 bottle을 복수형으로 써야 한다.
해석 오늘 나는 나의 가족들과 동물원에 갔다. 나는 거기에서 많은 동물들을 보았다. 첫 번째로, 나는 원숭이들을 보았다. 그들은 약간의 바나나를 먹고 있었다. 그러고 나서, 나는 양 몇 마리를 보았다. 관람 후에, 나는 매우 목이 말랐다. 그래서 나는 물 두 병을 마셨다.

함정이 있는 문제

01 해석 공원에 많은 여자들이 있다.

시험에 강해지는 실전 TEST pp.56~58

01 ②	02 ②, ③	03 ③	04 ①	05 ④
06 ⑤	07 ①	08 ③	09 ④	10 ②

서술형 1 (1) two cups of tea (2) a pair of sunglasses
서술형 2 (1) There are two babies in the car.
(2) There are a few leaves on the bench.
서술형 3 (1) There is little butter in the refrigerator.
(2) There are a few[some] apples on the tree.
서술형 4 (1) a piece of cake (2) two slices of pizza
(3) a glass of milk
서술형 5 two pairs of shoes
서술형 6 ⓓ → puppies
서술형 7 (1) He brushes his teeth after breakfast.
(2) She drinks three cups of coffee every day.
서술형 8 There is a little cheese on the plate.
서술형 9 there is a desk
서술형 10 There are two pairs of sneakers

01 ② foot은 불규칙 변화하는 명사로 복수형은 feet이다

02 a few(조금)는 셀 수 있는 명사 앞에 쓰이므로 셀 수 없는 명사인 ② milk, ③ meat는 빈칸에 들어갈 수 없다.
해석 냉장고에는 ______이/가 조금 있다.
① 달걀들 ② 우유 ③ 고기 ④ 사과들 ⑤ 토마토들

03 의문문에서는 any를 쓰고 긍정문에서는 some을 쓴다.
해석 **A** 너는 이번 주말에 어떤 계획이 있니?
B 응. 나는 쇼핑하러 가서 옷을 몇 벌 살 거야.

04 우리말을 영어로 옮기면 There are few roses in the garden. 또는 Few roses are in the garden.이 되므로 a가 쓰이지 않는다.

05 '조금'의 의미로 셀 수 있는 명사 앞에 쓰는 것은 a few이고, a few cookies가 복수형이므로 there are가 알맞다.

06 ⑤ 빈칸 뒤에 셀 수 있는 명사의 복수형이 쓰였으므로 are가 들어가야 한다.
해석 ① 마당에 큰 나무 한 그루가 있다.
② 유리잔에 우유가 조금 있다.
③ 접시 위에 약간의 치즈가 있다.
④ 길에 많은 눈이 있다.

07 ① -o로 끝나는 명사는 복수형을 만들 때 -es를 붙이므로 potatoes가 알맞다.
해석 ② 지붕 위의 눈을 봐.
③ 나의 할아버지는 강아지 세 마리를 갖고 있다.
④ 여자들 몇 명이 가게에서 이야기하고 있다.
⑤ 탁자 위에 포크들과 칼들이 있다.

08 ① cheese는 셀 수 없는 명사이므로 수를 표현할 때 단위 명사를 복수로 나타낸다.
② salt는 셀 수 없는 명사이므로 few가 아닌 little로 수식해야 한다.

④ kids는 셀 수 있는 명사이므로 A little이 아닌 A few 또는 Some으로 수식해야 한다.

⑤ women은 셀 수 있는 명사이므로 little이 아닌 few로 수식해야 한다.

09 ④ sugar는 셀 수 없는 명사이므로 many가 아닌 much나 a lot of, lots of로 수식하며, 셀 수 없는 명사가 이어지므로 동사는 is로 써야 한다.

해석 ① 너는 어떤 아이디어가 있니?

② 그 남자아이는 많은 아이스크림을 먹었다.

③ 치즈 케이크 좀 먹을래?

⑤ 상자 안에 피자 두 조각이 있다.

10 ⓐ book은 셀 수 있는 명사이므로 much로 수식할 수 없다.

ⓒ deer는 단수형과 복수형이 같다.

ⓓ 물질명사의 복수는 단위 명사를 복수형으로 써서 나타내므로 bowl이 아니라 bowls가 알맞다.

해석 ⓑ 아이들 몇 명이 마당에 있다.

ⓔ 바구니 안에 빵 한 조각이 있다.

서술형 1 (1) 차의 수량은 cup을 사용하여 표현하며 복수는 단위 명사인 cup을 복수형으로 쓰고 tea는 단수형으로 쓴다.

(2) 선글라스는 짝으로 이루어진 단어이므로 pair를 사용하여 수를 표현한다.

해석 (1) 탁자 위에 차 두 잔이 있다.

(2) 나는 쇼핑몰에서 선글라스 한 개를 샀다.

서술형 2 (1) 「자음+y」로 끝나는 명사는 복수형을 만들 때 y를 i로 바꾼 뒤 -es를 붙인다. 복수형으로 바뀌었으므로 동사도 is에서 are로 바꾼다.

(2) leaf처럼 -f로 끝나는 명사는 복수형으로 만들 때 f를 v로 고친 후 -es를 붙인다. 복수형으로 바뀌었으므로 동사도 is에서 are로 바꾼다.

해석 (1) 차 안에 아기 한 명이 있다.

→ 차 안에 아기 두 명이 있다.

(2) 벤치 위에 나뭇잎 한 장이 있다.

→ 벤치 위에 나뭇잎이 몇 장 있다.

서술형 3 (1) '거의 없는'의 뜻으로 셀 수 없는 명사를 수식하는 말은 little이며, 뒤에 셀 수 없는 명사가 이어지므로 동사는 is를 쓴다.

(2) '조금'의 뜻으로 셀 수 있는 명사를 수식하는 말은 a few 또는 some이며, 뒤에 명사의 복수형이 이어지므로 동사는 are를 쓴다.

서술형 4 (1) 케이크 한 조각이므로 a piece of로 쓴다.

(2) 피자 두 조각이므로 two slices of로 쓴다.

(3) 우유 한 잔이므로 a glass of milk로 쓴다.

해석 (1) Mary는 케이크 한 조각을 먹었다.

(2) Henry는 피자 두 조각을 먹었다.

(3) Susan은 우유 한 잔을 마셨다.

서술형 5 shoes는 짝으로 이루어진 단어이므로 pair로 셀 수 있고 두 켤레이므로 two pairs of shoes로 쓴다.

해석 **A** 너는 많은 신발을 사니?

B 응, 나는 매달 신발 두 켤레를 사.

서술형 6 ⓓ puppy처럼 「자음+y」로 끝나는 명사는 복수형을 만들 때 y를 i로 바꾼 뒤 -es를 붙인다.

해석 나의 할아버지는 큰 농장을 가지고 있다. 그는 농장에 양 열 마리, 소 다섯 마리, 그리고 강아지 세 마리를 가지고 있다. 그는 농장에서 청바지 한 벌, 모자, 그리고 부츠 한 켤레를 신는다. 나는 매년 그를 방문한다.

서술형 7 (1) tooth는 불규칙 변화하는 명사로, 복수형은 teeth이다.

(2) coffee는 셀 수 없는 명사이므로 복수로 나타낼 때 단위 명사를 복수형으로 쓴다.

서술형 8 cheese는 셀 수 없는 명사이므로 a few를 a little로 바꿔 써야 하며, 셀 수 없는 명사가 이어지므로 동사도 is로 바꿔 써야 한다.

해석 접시에 토마토가 조금 있다.

→ 접시에 치즈가 조금 있다.

[서술형 9~10] 해석 이곳은 Brad의 방이다. 그의 방에 침대 한 개가 있다. 침대 옆에 책상이 있다. 벽에 그림 두 개가 있다. 바닥에 운동화 두 켤레가 있다.

서술형 9 '~이 있다'라는 뜻의 There is/are ~ 구문을 사용한다. 책상이 한 개이므로 there is a desk로 쓴다.

서술형 10 운동화 두 켤레가 있으므로 two pairs of sneakers로 쓰고, 복수이므로 There are로 시작한다.

제 1 회 누적 TEST pp.59~60

01 ④ **02** ④ **03** ② **04** ④ **05** ③
06 ④ **07** ③ **08** ③

09 (1) drew a picture (2) am doing my homework
(3) am going to watch a movie

10 (1) Kate goes to school
(2) Kate went to school by bike.
(3) Kate is going to go to school by bike.

11 cleaned, is washing, will(is going to) feed

12 put little salt

13 ⓒ → was, ⓔ → two bowls of cereal

14 pair → pairs

15 I am(I'm) going to borrow goggles

01 첫 번째 문장은 주어가 3인칭 복수이므로 are가 알맞다. 두 번째 문장은 과거를 나타내는 부사구 last summer가 있고

주어가 3인칭 단수이므로 was가 알맞다. 세 번째 문장은 일반동사 현재형의 의문문이고 주어가 you이므로 Do가 알맞다.

해석 • 나의 부모님은 키가 크시다.
• 지난여름은 매우 더웠다.
• 너는 주말마다 등산하러 가니?

02 미래를 나타내는 will은 be going to로 바꿔 쓸 수 있다. 이때 be동사는 주어의 인칭과 수에 일치시킨다.

해석 나는 내일 나의 친구들을 만날 것이다.

03 세 문장 모두 this year, now가 있으므로 현재 또는 현재진행형으로 써야 한다. 첫 번째 빈칸과 두 번째 빈칸은 주어가 복수이므로 are가 들어가고, 세 번째 빈칸은 뒤에 나오는 a lot of flowers가 복수이므로 are가 들어간다.

해석 • 민호와 나는 올해 열 세 살이다.
• 그 아이들은 지금 수영하고 있다.
• 지금 정원에 많은 꽃들이 있다.

04 ④ '조금'의 뜻으로 셀 수 있는 명사를 수식하는 말은 a few이다.

해석 ① 그는 무거운 상자들을 나르고 있다.
② 세미는 안경 한 개가 필요하다.
③ 나는 나의 여행을 위한 계획을 몇 가지 가지고 있다.
⑤ 탁자 위에 케이크 세 조각이 있다.

05 첫 번째 빈칸 뒤에 take의 -ing형인 taking이 있으므로 현재진행형의 의문문이 되어야 하고 주어가 you이므로 첫 번째 빈칸에는 Are가 알맞다. 두 번째 빈칸에는 soon으로 보아 미래를 나타내므로 will이 알맞다.

해석 **A** 너는 요즘에 태권도 강습을 받고 있니?
B 아니, 그렇지 않아. 하지만 나는 곧 태권도를 배울 거야.

06 ④ coffee는 셀 수 없는 명사이므로 단위 명사인 cup을 복수형으로 써서 복수를 나타낸다.

해석 Mary는 점심으로 샌드위치 두 개와 커피 두 잔을 먹을 것이다.

07 ③ like는 상태를 나타내는 동사이므로 진행형으로 쓸 수 없다.

해석 ① 너는 어제 아팠니?
② 우리는 지금 저녁을 먹고 있다.
④ 너는 나와 함께 캠핑하러 갈 거니?
⑤ 나는 그때 샤워를 하고 있었다.

08 ⓑ will 뒤에는 동사원형이 와야 한다.
ⓒ There is/are 뒤에 복수 명사가 이어지므로 be동사 are가 알맞다.
ⓓ be동사 뒤에 동사원형이 올 수 없으므로 sleeping으로 바꿔 과거진행형으로 쓰거나 was를 did로 고쳐 일반동사 과거형의 부정문으로 써야 한다.

해석 ⓐ 너는 그 소식을 들었니?
ⓔ 상자 안에 물 세 병이 있다.

09 (1) 어제 한 일이므로 과거형으로 쓴다.
(2) 현재 하고 있는 일이므로 현재진행형으로 쓴다.
(3) 내일 할 일이고 be going to로 물었으므로 be going to를 사용하여 쓴다.

해석 (1) **A** 너는 어제 무엇을 했니?
B 나는 어제 그림을 그렸어.
(2) **A** 너는 지금 무엇을 하고 있니?
B 나는 지금 숙제를 하고 있어.
(3) **A** 너는 내일 무엇을 할 거니?
B 나는 내일 영화를 볼 거야.

10 (1) 현재를 나타내므로 go의 3인칭 단수 현재형 goes를 사용하여 쓴다.
(2) go의 과거형 went를 사용하여 쓴다.
(3) 주어가 3인칭 단수이므로 is going to를 사용하여 쓴다.

해석 (2) Kate는 자전거를 타고 학교에 갔다.
(3) Kate는 자전거를 타고 학교에 갈 것이다.

11 대화에 따르면, Jerry는 그의 방을 청소했다고 했으므로 과거형으로 쓴다. Mary는 지금 설거지를 하고 있으므로 현재진행형으로 쓰고, 그런 다음 개에게 먹이를 줄 것이라고 했으므로 미래 표현으로 쓴다.

해석 **Mary** Jerry, 너는 네 방을 청소했니?
Jerry 응. 너는 지금 무엇을 하고 있니?
Mary 나는 지금 설거지를 하고 있어. 그 후에 나는 개에게 먹이를 줄 거야.
→ Jerry는 그의 방을 청소했다. Mary는 지금 설거지를 하고 있고, 그 후에 그녀는 개에게 먹이를 줄 것이다.

12 put은 동사원형과 과거형이 같은 동사이다. salt는 셀 수 없는 명사이므로 복수형으로 쓸 수 없고, '거의 없는'의 뜻으로 셀 수 없는 명사를 수식할 때는 little을 써야 한다.

13 ⓒ last night은 과거를 나타내는 부사구이므로 is를 was로 고쳐야 한다.
ⓔ cereal은 셀 수 없는 명사이므로 수량을 나타낼 때 단위 명사의 형태를 바꿔야 하며 셀 수 없는 명사는 항상 단수형으로 쓴다.

해석 ⓐ 너는 어떤 문제가 있니?
ⓑ 그녀는 머리 모양을 바꿨니?
ⓓ 그는 산책을 할 것이다.

[14~15] 해석 **A** 너는 스키 캠프를 위한 짐들을 쌌니?
B 네, 엄마. 저는 재킷과 장갑 두 벌을 쌌어요. 그리고 제 스키 바지도 가져갈 거예요.
A 네 고글은?
B 제 고글은 지금 너무 작아요. 저는 고글을 진수에게 빌릴 거예요.

14 '장갑 두 벌'은 two pairs of gloves로 써야 한다.

15 미래의 계획이고 going이 주어졌으므로 「be동사+going to+동사원형」을 사용하여 쓴다.

CHAPTER 05 조동사

Unit 1 can, may

✔ 바로 개념 확인하기 p.63

A 1 can, 허가 2 Can, 요청 3 can, 능력 4 May, 허가

B 1 만들 수 있다 2 열어 줄래? 3 피곤할지도 모른다 4 타도 된다

C 1 can 2 May 3 is able to

서술형 기본 유형 익히기 pp.63~64

1 can solve 2 may not be
3 was able to buy 4 May(Can) I go
5 will be able to find 6 plays → play
7 doesn't → isn't 8 can → be able to
9 opening → open 10 be → is
11 You may not take this umbrella.
12 Can she dance well?
13 You may stay in this room.
14 This robot is able to do many things.
15 We will be able to see stars in the sky.

Unit 2 must, have to, should

✔ 바로 개념 확인하기 p.66

A 1 의무 2 추측 3 의무 4 충고 5 금지 6 불필요

B 1 해야 한다 2 바쁜 게 틀림없다 3 운동해야 한다 4 뛰면 안 된다 5 주차하면 안 된다 6 갈 필요가 없다

서술형 기본 유형 익히기 pp.66~67

1 must(should) stand 2 must be
3 must(should) not lie 4 don't have to know
5 should not go camping 6 We must be quiet
7 You must not take pictures
8 They will have to leave 9 She had to stay at home
10 We should listen to
11 don't must → must not 12 have → has
13 is → be
14 We have to study for the exam.
15 Sam doesn't have to finish his homework today.

기출에서 뽑은 난이도별 서술형 문제 pp.68~69

01 (1) can (2) should (3) may
02 (1) James has to go to bed
(2) You don't have to worry
03 (1) has to (2) can play
04 (1) may ride your bike
(2) must not take pictures
05 (1) must → had to (2) should → must
06 (1) doesn't have to (2) had to
07 (1) should get enough rest
(2) should take some medicine
(3) should not(shouldn't) drink cold water
08 (1) You must be hungry.
(2) You don't have to eat dinner
09 (1) may come late (2) must be proud
10 ⓑ → Mary may want a teddy bear.
ⓒ → She doesn't have to come early.

함정이 있는 문제

01 My mom can make cakes.
02 had to
03 must not swim

01 (1) '~할 수 있다'는 능력의 표현은 can을 사용한다.
(2) '~하는 게 좋겠다'는 충고의 표현은 should를 사용한다.
(3) '~일지도 모른다'는 약한 추측의 표현은 may를 사용한다.

02 (1) 주어가 3인칭 단수이므로 has to를 사용한다.
(2) '~할 필요가 없다'는 have to의 부정형 don't have to를 사용한다.

03 (1) 의무를 나타내는 must는 have/has to로 바꿔 쓸 수 있다.
(2) 능력을 나타내는 be able to는 can으로 바꿔 쓸 수 있다.

해석 (1) 그는 건강에 좋은 음식을 먹어야 한다.
(2) 우리는 바이올린을 연주할 수 있다.

04 (1) 자전거를 타는 것을 허가하는 표지판이므로 허가를 나타내는 may를 사용한다.
(2) 사진 촬영 금지 표지판이므로 금지를 나타내는 may not이나 must not을 쓸 수 있지만, may는 (1)에서 사용했으므로 must not을 사용한다.
해석 (1) 너는 여기에서 자전거를 타도 된다.
(2) 너는 여기에서 사진을 찍으면 안 된다.

05 (1) '~해야 했다'는 의미의 과거의 의무는 had to를 써야 한다.
(2) '~임에 틀림없다'는 의미의 강한 추측은 must를 써야 한다.

06 (1) '날씨가 시원해서 에어컨을 켤 필요가 없다'는 의미가 자연스러우므로 '~할 필요가 없다'는 뜻의 doesn't have to가 알맞다.
(2) '마지막 버스를 놓쳐서 걸어가야 했다'는 의미로 과거시제가 되어야 하므로 have to의 과거형인 had to가 알맞다.
해석 (1) 오늘은 시원하다. Jake는 에어컨을 켤 필요가 없다.
(2) 나는 어제 마지막 버스를 놓쳤다. 그래서 나는 집까지 걸어가야 했다.

07 해야 할 것은 should로, 하지 말아야 할 것은 should not (shouldn't)으로 나타낸다.
해석 • 충분한 휴식을 취해라.
• 약을 먹어라.
• 차가운 물을 마시지 마라.
(1) 너는 충분한 휴식을 취하는 게 좋겠다.
(2) 너는 약을 먹는 게 좋겠다.
(3) 너는 차가운 물을 마시지 않는 게 좋겠다.

08 (1) '~임에 틀림없다'는 의미의 강한 추측은 조동사 must를 사용해 나타낸다.
(2) '~할 필요가 없다'는 의미의 불필요는 don't have to로 나타낸다.
해석 **아빠** 거의 저녁 시간이네. 너는 배가 고픈 게 틀림없어.
Judy 저는 10분 전에 햄버거 두 개를 먹었어요. 저는 배불러요.
아빠 정말? 그러면 너는 저녁을 먹을 필요가 없네.

09 (1) Jenny가 동아리 모임에 없는 이유를 모르겠다고 했으므로 '늦게 올지도 모른다'는 약한 추측의 말이 알맞다.
(2) 여동생이 노래 경연 대회에서 우승했다고 했으므로 '그녀가 자랑스러운 게 틀림없다'는 강한 추측의 말이 알맞다.
해석 (1) **A** Jenny는 왜 동아리 모임에 없니?
B 나도 몰라. 그녀는 늦게 올지도 몰라.
(2) **A** 내 여동생이 노래 경연 대회에서 우승했어.
B 축하해! 너는 그녀가 자랑스러운 게 틀림없어.

10 ⓑ 조동사 may 뒤에는 동사원형이 오므로 want로 써야 한다.
ⓒ 주어가 3인칭 단수이므로 don't have to가 아니라 doesn't have to로 써야 한다.
해석 ⓐ 그는 수학을 공부해야 한다.
ⓓ 너는 지금 이 건물에 들어가면 안 된다.
ⓔ 나는 시험에 통과할 수 있을 것이다.

함정이 있는 문제

01 해석 나의 엄마는 케이크를 만들 수 있다.
03 해석 너는 여기에서 수영하면 안 된다.

시험에 강해지는 실전 TEST pp.70~72

01 ②	02 ②, ③	03 ②	04 ⑤	05 ⑤
06 ①	07 ④, ⑤	08 ⑤	09 ④	10 ②

서술형 1 (1) must be (2) are able to run
서술형 2 You don't have to wait
서술형 3 (1) You may(can) play computer games.
(2) He had to wear a life vest.
서술형 4 don't have to
서술형 5 (1) She has to return the book.
(2) She doesn't have to return the book.
서술형 6 (1) may (2) must
서술형 7 (1) must not run (2) must wait
(3) must not speak (4) must not take
서술형 8 (1) don't have to → doesn't have to
(2) dances → dance
서술형 9 ⓐ may, ⓑ should
서술형 10 We should not take that bus.

01 be able to는 능력을 나타내므로 can과 바꿔 쓸 수 있다.
해석 그는 3개 국어를 말할 수 있다.

02 셀카봉 사용 금지 표지판이므로 금지를 나타내는 can't나 must not을 사용한 ②와 ③이 알맞다.
해석 ① 셀카봉을 사용해라.
②, ③ 너는 셀카봉을 사용하면 안 된다.
④ 너는 셀카봉을 사용해야 한다.
⑤ 너는 셀카봉을 사용할 필요가 없다.

03 허락과 약한 추측의 의미를 모두 갖는 조동사는 may이다.

04 ⑤의 can은 허가를 나타내고, 나머지는 모두 능력을 나타낸다.
해석 ① Peter는 빨리 달릴 수 있다.
② 그들은 수영을 잘 할 수 있다.

③ 나는 드럼을 칠 수 있다.
④ 나의 어머니는 운전을 할 수 있다.
⑤ 너는 밖에 나가서 놀아도 된다.

05 ⑤ '~할 필요가 없다'는 don't have to로 나타낸다.

06 |보기|와 ①은 강한 추측을 나타내고, 나머지는 모두 의무를 나타낸다.

해석 |보기| 무언가 잘못된 게 틀림없다.
① 그들은 의사임에 틀림없다.
② 우리는 지구를 구해야 한다.
③ 모든 방문객들은 지금 떠나야 한다.
④ 너는 교통 법규를 따라야 한다.
⑤ 우리는 해변에서 조심해야 한다.

07 ④ 조동사 can 뒤에는 동사원형이 와야 하므로 climbs를 climb으로 써야 한다.
⑤ 조동사는 다른 조동사와 나란히 쓸 수 없으므로 must를 have to로 바꿔 will have to로 써야 한다.

해석 ① 너는 최선을 다해야 한다.
② 그녀는 진실을 말해야 했다.
③ 그것은 좋은 생각이 아닐지도 모른다.

08 B가 이미 표를 샀다고 했으므로 빈칸에는 '표를 살 필요가 없다'는 의미의 don't have to가 알맞다.

해석 **A** 내가 영화표를 사야 하니?
B 아니, 그럴 필요 없어. 내가 이미 그 표를 샀어.

09 ⓑ can과 able to는 함께 쓸 수 없다.
ⓔ have to의 부정형은 don't have to로 쓴다.

해석 ⓐ Andrew는 춤을 잘 출 수 없다.
ⓒ 그녀는 진찰을 받으러 가는 것이 좋겠다.
ⓓ 내일은 비가 오지 않을지도 모른다.

10 ② 표지판 내용은 '다이빙하면 안 된다'는 금지의 의미이므로 must not이 알맞다.

해석 ① 너는 뛰면 안 된다.
③ 너는 수영복을 입어야 한다.
④ 너는 음식을 먹으면 안 된다.
⑤ 너는 수영장에 들어가기 전에 샤워를 해야 한다.

서술형 1 (1) '~임에 틀림없다'는 조동사 must로 나타낸다.
(2) 주어가 복수 명사이므로 '~할 수 있다'는 are able to로 나타낸다.

서술형 2 '~할 필요가 없다'는 「don't have to+동사원형」으로 나타낸다.

해석 **A** 나는 영화 보러 가는 게 늦을 거 같아. 너는 나를 기다릴 필요 없어.
B 알았어. 극장 안에서 너를 만날게.

서술형 3 (1) '~해도 된다'는 허가의 의미는 조동사 can 또는 may로 나타낸다.
(2) '~해야 했다'는 의미의 과거의 의무는 had to로 나타낸다.

서술형 4 늦은 상황에서는 택시를 타야 하지만, 늦지 않은 상황에서는 택시를 탈 필요가 없으므로 don't have to를 쓴다.

해석 너는 늦는다. 너는 택시를 타야 한다.
→ 너는 늦지 않는다. 너는 택시를 탈 필요가 없다.

서술형 5 (1) 주어가 3인칭 단수이므로 has to로 바꿔 쓴다.
(2) has to의 부정형인 doesn't have to를 사용하여 쓴다.

해석 (1) 그녀는 그 책을 돌려줘야 한다.
(2) 그녀는 그 책을 돌려줄 필요가 없다.

서술형 6 (1) 확실하지 않은 상황에서 추측하는 것이므로 약한 추측을 나타내는 may가 알맞다.
(2) 아침에 봤던 상황에서 추측하는 것이므로 강한 추측을 나타내는 must가 알맞다.

해석 **A** 이것은 누구의 외투니?
B 모르겠어. Amy의 것일지도 몰라.
A 아니야, 그것은 Ann의 것이 틀림없어. 그녀는 오늘 아침에 이 외투를 입고 있었어.

서술형 7 (1) '에스컬레이터에서 뛰면 안 된다'는 금지 상황이므로 must not을 사용한다.
(2) '줄을 서서 기다려야 한다'는 의무 상황이므로 must를 사용한다.
(3) '크게 말하면 안 된다'는 금지 상황이므로 must not을 사용한다.
(4) '다른 사람의 사진을 찍으면 안 된다'는 금지 상황이므로 must not을 사용한다.

서술형 8 (1) 주어가 3인칭 단수이므로 have to의 부정형은 doesn't have to로 써야 한다.
(2) be able to 뒤에는 동사원형을 써야 한다.

[서술형 9~10] 해석 **A** 벌써 5시야. 우리는 콘서트에 늦을지도 몰라. 서두르자!
B 봐. 버스가 오고 있어. 우리는 버스를 타는 게 좋겠어.
A 기다려, 태호야! 우리는 저 버스를 타지 않는 게 좋겠어.
B 왜?
A 지금은 혼잡 시간이야. 교통 체증이 있을 게 틀림없어.

서술형 9 ⓐ '늦을지도 모른다'는 약한 추측의 말이므로 조동사 may가 알맞다.
ⓑ '버스를 타는 것이 좋겠다'는 충고의 말이므로 조동사 should가 알맞다.

서술형 10 '저 버스를 타지 않는 것이 좋겠다'는 충고의 말이므로 should not을 사용하여 쓴다.

CHAPTER 06 의문사

Unit 1 who, what, which

✔ 바로 개념 확인하기 p.75

A 1 Who 2 What 3 Which

B 1 What 2 Who 3 Whose 4 Which

C 1 Who 2 Whose 3 What 4 Which

서술형 기본 유형 익히기 pp.75~76

1 Who wants
2 Whose pencil
3 What did you have
4 What subject does she
5 Which color does he prefer
6 Who likes science?
7 Whose laptop is this?
8 Whom will you meet tomorrow?
9 What kinds of movies do you prefer?
10 Which did she play, the violin or the cello?
11 know → knows
12 Whom → Who
13 Who → Whose
14 studied → study
15 What → Which

Unit 2 when, where, why, how

✔ 바로 개념 확인하기 p.78

A 1 Where 2 Why 3 many

B 1 How 2 Why 3 How much
4 How long

C 1 Where 2 How old 3 When 4 Why

서술형 기본 유형 익히기 pp.78~79

1 When did, see
2 Why do you like
3 Where did you buy
4 How many students
5 How far is the park
6 When does the class end?
7 How often do you clean your room?
8 Why did the train arrive late?
9 Where will you have dinner today?
10 How much are these flowers?
11 you → do you
12 they are → are they
13 is far → far is
14 much → many
15 does → do

기출에서 뽑은 난이도별 서술형 문제 pp.80~81

01 (1) What (2) How (3) Where
02 (1) How much (2) How old (3) How often
03 How tall is
04 (1) What kind of exercise
(2) How often do you go
05 (1) Whom → Who (2) are → is
06 (1) When is your birthday?
(2) Why do you like the singer?
07 What, Where, How long
08 What is, Where is, How old is, What is
09 ⓑ → Who, ⓓ → How long
10 (1) Who ate the salad?
(2) When did he go to the museum?

함정이 있는 문제

01 Who made this cake?
02 Which dessert do you want
03 How long → How far

01 (1) '무엇'이라는 의미의 의문사는 what이다.
(2) '어떤'이라는 의미의 의문사는 how이다.
(3) '어디에'라는 의미의 의문사는 where이다.

02 (1) 수량으로 답하고 있고 빈칸 뒤에 셀 수 없는 명사가 나오므로 how much가 알맞다.
(2) 나이로 답하고 있으므로 how old가 알맞다.
(3) 횟수로 답하고 있으므로 how often이 알맞다.
해석 (1) A 너는 매일 얼마나 많은 물을 마시니?
B 나는 두 병 정도 마셔.
(2) A 네 남동생은 몇 살이니?
B 그는 열 살이야.
(3) A 너는 네 조부모님을 얼마나 자주 방문하니?

B 나는 한 달에 세 번 그들을 방문해.

03 how tall은 하나의 의문사처럼 문장 맨 앞에 쓴다.

해석 A 손흥민은 키가 얼마나 되니?

B 그는 183cm야.

04 (1) '무슨 종류'라는 의미는 「what kind of+명사」로 표현한다.

(2) '얼마나 자주'라는 의미는 how often으로 표현한다.

05 (1) '누구'라는 의미의 의문사는 who이다. whom은 '누구를'이라는 뜻이다.

(2) 주어인 your phone number가 단수이므로 is가 알맞다.

06 (1) B가 날짜를 말하고 있으므로 의문사 when을 사용하여 쓴다.

(2) B가 because로 대답하고 있으므로 의문사 why를 사용하여 쓴다.

해석 (1) A 네 생일은 언제니?

B 10월 15일이야.

(2) A 너는 왜 그 가수를 좋아하니?

B 그가 잘생겼기 때문이야.

07 무엇인지 물을 때는 what을 쓰고, 장소를 물을 때는 where를, 얼마 동안인지 기간을 물을 때는 how long을 쓴다.

해석 A 당신의 방문 목적이 무엇입니까?

B 휴가 중입니다.

A 당신은 어디에서 머물 예정입니까?

B 저는 Star Hotel에서 머물 예정입니다.

A 당신은 얼마나 오래 머물 예정입니까?

B 저는 일주일 동안 머물 예정입니다.

08 이름이나 좋아하는 과목이 무엇인지 물을 때는 what을 사용하고, 장소를 물을 때는 where를 사용하며, 나이를 물을 때는 how old를 사용한다.

해석 A 그녀의 이름은 무엇이니?

B 그녀의 이름은 Emma Martin이야.

A 그녀는 어디 출신이니?

B 그녀는 프랑스 출신이야.

A 그녀는 몇 살이니?

B 그녀는 열네 살이야.

A 그녀가 가장 좋아하는 과목은 무엇이니?

B 그녀가 가장 좋아하는 과목은 역사야.

09 ⓑ 누가 창문을 깼는지 묻는 말이 되어야 하므로 Who가 알맞다.

ⓓ 얼마 동안 머물지 기간을 물을 때는 How long을 쓴다.

해석 ⓐ 네 학교는 어디에 있니?

ⓒ 너는 몇 시에 일어나니?

ⓔ 너는 자를 몇 개 가지고 있니?

10 (1) 누가 먹었는지 묻는 말이 되어야 하므로 who를 사용하여 쓴다.

(2) 언제 박물관에 갔는지 묻는 말이 되어야 하므로 when을 사용하여 쓴다.

해석 |예시| A 그녀의 책가방은 어디에 있니?

B 그것은 책상 아래에 있어.

(1) A 누가 그 샐러드를 먹었니?

B Jenny가 그 샐러드를 먹었어.

(2) A 그가 언제 박물관에 갔니?

B 그는 어제 박물관에 갔어.

함정이 있는 문제

02 해석 너는 케이크와 과일 중에서 어떤 후식을 원하니?

03 해석 A 너는 지난 토요일에 무엇을 했니?

B 나는 Amy와 함께 K-pop 콘서트에 갔어.

A 그 콘서트는 몇 시에 시작했니?

B 6시에 시작했어.

A 공연장은 얼마나 멀었니?

B 여기에서 멀지 않았어.

시험에 강해지는 실전 TEST pp.82~84

01 ①	02 ②	03 ②, ③	04 ③	05 ②
06 ④	07 ②, ⑤	08 ②	09 ③	10 ①, ④

서술형 1 (1) How much (2) What time

서술형 2 (1) Whose (2) How long

서술형 3 (1) Who feeds (2) When do you have

서술형 4 (1) Who will wash the dishes?

(2) Which color do you prefer, blue or red?

서술형 5 (1) When will you go there?

(2) How often do you brush your teeth?

서술형 6 (1) Where is (2) What time does, start

(3) How much are

서술형 7 How → Why

서술형 8 (1) When do you listen to music?

(2) How many classes are you taking?

서술형 9 What are you going to do this Saturday?

서술형 10 What

01 첫 번째 빈칸에는 '누구'를 뜻하는 who가 알맞고, 두 번째 빈칸에는 '누구를'을 뜻하는 whom이 알맞다. whom 대신 who를 쓸 수 있으므로 공통으로 들어갈 말은 who이다.

해석 • 저 사람들은 누구니?

• 너는 누구를 초대했니?

02 첫 번째 문장은 '얼마나 자주'를 묻는 말이므로 often이 알맞고, 두 번째 문장은 '얼마나 먼'을 묻는 말이므로 far가 알맞다.

해석 • 너는 얼마나 자주 패스트푸드를 먹니?

• 도서관이 여기에서 얼마나 머니?

03 그림에서 여자가 지하철역의 위치를 묻는 상황이므로 ②처럼 지하철역이 어디에 있는지 묻거나 ③처럼 지하철역에 어떻게 가는지 묻는 말이 자연스럽다.

해석 ① 지하철역이 무엇인가요?

② 지하철역은 어디에 있나요?

③ 지하철역에 어떻게 가나요?

④ 당신은 왜 지하철역에 가나요?

⑤ 당신은 언제 지하철역에 가나요?

04 시각을 묻는 what time은 때를 묻는 when과 바꿔 쓸 수 있다.

해석 너는 어젯밤에 몇 시에 자러 갔니?

05 ② 대답에서 장소를 말하고 있으므로 의문사 where를 사용하여 질문한다.

해석 A ____________________

B 나는 그것을 백화점에서 샀어.

① 너의 새 가방은 얼마였니?

② 너는 네 새 가방을 어디에서 샀니?

③ 너는 가방을 몇 개 샀니?

④ 너는 어떻게 백화점에 갔니?

⑤ 너는 백화점에서 무엇을 샀니?

06 ④ how far는 얼마나 먼지 거리를 묻는 말이므로 길이로 대답하는 것은 어색하다. 길이를 묻는 말은 how long이다.

해석 ① A 그녀는 어디에 사니?

B 그녀는 울산에 살아.

② A 네 조부모님은 어떻게 지내시니?

B 그들은 잘 계셔.

③ A 우리는 언제 출발해야 하니?

B 우리는 3시에 출발해야 해.

⑤ A 너는 봄과 가을 중에서 어떤 계절을 더 좋아하니?

B 나는 봄을 더 좋아해.

07 ① 이유를 묻는 말이 되려면 why를 써야 한다.

③ 의문사가 있는 일반동사 의문문은 「의문사+do/does/did+주어+동사원형 ~?」의 형태이므로 동사원형 start가 알맞다.

④ 횟수를 묻는 how often은 하나의 의문사처럼 문장 맨 앞에 쓴다.

해석 ② 네 수학 선생님은 누구시니?

⑤ 너는 우유와 물 중에서 어떤 것을 원하니?

08 누가 기타를 치는지 묻는 말이 되어야 하므로 의문사 who를 사용한다.

해석 A 이 노래를 들어봐. 어떻게 생각해?

B 좋네. 나는 기타 부분이 좋다. 누가 기타를 연주하니?

A James Park야.

09 ⓒ 주어가 you이고 be동사가 필요한 문장이므로 were나 are가 알맞다.

해석 ⓐ 누가 수학을 가르치니?

ⓑ 이것은 누구의 개니?

ⓓ 너는 버터가 얼마나 많이 필요하니?

ⓔ 네 담임 선생님은 누구시니?

10 ⓐ와 ⓒ에는 '누가'를 묻는 who, 개수를 묻는 ⓑ와 방법을 묻는 ⓔ에는 how, '무슨'을 묻는 ⓓ에는 what이 들어간다.

해석 ⓐ A 누가 오늘 꽃에 물을 줄 거야?

B 내가 할게.

ⓑ A 당신은 표가 몇 장 필요한가요?

B 저는 표 두 장이 필요해요.

ⓒ A 누가 이 쿠키들을 만들었니?

B 소라가 그것들을 만들었어.

ⓓ A 너는 무슨 종류의 운동을 하니?

B 나는 요가를 해.

ⓔ A 네 아빠는 회사에 어떻게 가시니?

B 그는 버스를 타고 회사에 가셔.

서술형 1 (1) 가격을 물을 때는 how much를 쓴다.

(2) 시각을 물을 때는 what time을 쓴다.

해석 (1) A 필통은 얼마니?

B 5달러야.

(2) A 그는 몇 시에 학교에 가니?

B 8시야.

서술형 2 (1) B가 나의 어머니의 것이라고 소유를 말하고 있으므로 '누구의'의 의미인 whose를 쓴다.

(2) B가 기간을 말하고 있으므로 '얼마 동안'의 의미인 how long을 쓴다.

해석 (1) A 저것은 누구의 차이니?

B 나의 어머니의 것이야.

(2) A 우리는 얼마 동안 기다려야 하니?

B 우리는 약 한 시간 동안 기다려야 해.

서술형 3 (1) '누가'는 who이고, who가 주어로 쓰였으므로 동사를 3인칭 단수형으로 쓴다.

(2) '언제'는 when이고, 일반동사 의문문이므로 「의문사+do+주어+동사원형 ~?」의 형태로 쓴다.

서술형 4 (1) 의문사 who가 주어이므로 「의문사+will+동사원형 ~?」의 어순으로 쓴다.

(2) 선택을 묻는 일반동사 의문문이므로 「Which+명사+do+주어+동사원형, *A* or *B*?」의 어순으로 쓴다.

서술형 5 (1) 대답에서 때를 말하고 있으므로 when을 사용하여 묻는다.

(2) 대답에서 횟수를 말하고 있으므로 how often을 사용하여 묻는다.

해석 (1) A 너는 언제 거기에 갈 거니?

B 나는 내일 거기에 갈 거야.

(2) A 너는 얼마나 자주 이를 닦니?

B 나는 하루에 세 번 이를 닦아.

서술형 6 장소를 물을 때는 where, 시각을 물을 때는 what time, 가격을 물을 때는 how much를 사용하여 쓴다.

해석 Water Fun 축제

여러분은 물 미끄럼틀과 물총 싸움을 즐길 수 있어요. 놓치지 마세요!

- 장소: 해운대 해변
- 날짜: 7월 15일
- 시간: 오전 10시~오후 6시
- 표 가격: 10달러

(1) A 축제는 어디니?

B 해운대 해변이야.

(2) A 축제는 몇 시에 시작하니?

B 오전 10시에 시작해.

(3) A 표 가격은 얼마니?

B 10달러야.

서술형 7 '왜'를 뜻하는 의문사는 why이다.

서술형 8 (1) '언제'는 when이고, 일반동사 의문문이므로 「의문사+do+주어+동사원형 ~?」의 형태로 쓴다.

(2) '얼마나 많은'의 의미로 셀 수 있는 명사 앞에는 how many를 쓴다. 현재진행형의 의문문이므로 「How many+명사+be동사+주어+동사원형-ing ~?」의 형태로 쓴다.

[서술형 9~10] 해석 A 너는 이번 주 토요일에 무엇을 할 거니?

B 나는 영화를 보러 갈 거야. 너도 나와 함께할래?

A 물론이지. 우리는 몇 시에 만나야 하니?

B 우리는 3시에 만나야 해.

A 좋아.

서술형 9 '무엇'을 뜻하는 의문사는 what이고 be going to를 사용해야 하므로 「의문사+be동사+주어+going to+동사원형 ~?」의 형태로 쓴다.

서술형 10 시각을 물을 때는 what time 또는 when을 쓴다.

CHAPTER 07 to부정사

Unit 1 to부정사의 명사적 용법

✔ 바로 개념 확인하기 p.87

A 1 거짓말하는 것은 2 웹툰 읽기를 3 여기에 머무는 것은 4 한라산에 오르기

B 1 not to use 2 To watch 3 to go 4 It

C 1 to learn 2 to help 3 to exercise 4 to eat

서술형 기본 유형 익히기 pp.87~88

1 is to buy
2 To live, is
3 wants to be
4 It, to make
5 promised not to say
6 My dad planned to buy
7 His goal is to become
8 We chose not to go
9 To travel abroad is
10 are → is
11 to not → not to
12 This → It
13 are → be
14 is important to follow school rules
15 is bad to play computer games too much

Unit 2 to부정사의 형용사적·부사적 용법

✔ 바로 개념 확인하기 p.90

A 1 to drink 2 to buy 3 to wear 4 to sit on

B 1 소풍을 가서 2 너를 도울 3 축구를 하기 위해

C 1 ⓒ 2 ⓐ 3 ⓒ 4 ⓑ

서술형 기본 유형 익히기 pp.90~91

1 an apple to eat
2 the library to study
3 a few photos to show
4 got up early to catch
5 was upset to lose
6 cooked something to eat
7 excited to have a party
8 went there to have dinner
9 glad to hear the news
10 needed a dress to wear
11 see → to see
12 to drink something → something to drink
13 order to → (in order) to
14 finish → to finish
15 for → to

기출에서 뽑은 난이도별 서술형 문제 pp.92~93

01 (1) want to speak (2) important to change
(3) planned to go

02 (1) in order to (2) It, to find

03 a magazine to read

04 (1) are → is (2) am → be

05 (1) to ride my bike (2) to help my mom
(3) to send a package

06 (1) It is [It's] exciting to visit different countries.
(2) It is [It's] important to respect other people.

07 (1) I was happy to hear the news.
(2) Mia came here to see Jane.

08 to not → not to

09 (1) I want to become a chef. (2) It is fun to cook

10 (1) I need a house to live in.
(2) I'm going to the flower shop to buy flowers.

함정이 있는 문제

01 To watch baseball games is exciting.

02 to get a good grade

03 anything to eat

01 (1), (3) want와 plan은 to부정사를 목적어로 취하며, '~하는 것을'이라고 해석한다.
(2) 가주어 It이 쓰인 문장으로 문장의 뒤에 진주어인 to부정사가 오며 '~하는 것은'이라고 해석한다.

02 (1) '~하기 위해'라는 의미로 쓰인 to부정사는 to를 in order to로 바꿔 쓸 수 있다.
(2) 주어로 쓰인 to부정사구는 주어 자리에 It을 쓰고 to부정사구는 문장 뒤로 보낼 수 있다.
해석 (1) Jack은 저녁을 먹기 위해 집에 갔다.
(2) 박물관을 찾는 것은 쉽다.

03 '읽을 잡지'라는 뜻이 되도록 명사를 뒤에서 수식해 주는 형용사적 용법의 to부정사를 쓴다.

04 (1) to부정사가 주어로 쓰인 경우, 3인칭 단수 취급한다.
(2) to부정사는 「to+동사원형」의 형태로 써야 하므로 am의 원형인 be를 써야 한다.
해석 (1) 다른 사람들과 일하는 것은 쉽지 않다.
(2) 나는 유명해지고 싶다.

05 '~하기 위해'라는 뜻의 목적을 나타내는 부사적 용법의 to부정사를 사용한다.
해석 (1) 나는 자전거를 타기 위해 공원에 갈 것이다.
(2) 나는 엄마를 돕기 위해 설거지를 할 것이다.
(3) 나는 소포를 부치기 위해 우체국에 갈 것이다.

06 주어로 쓰인 to부정사구는 주어 자리에 가주어 It을 쓰고 to부정사구는 문장 뒤로 보낼 수 있다.
해석 (1) 다른 나라들을 방문하는 것은 신이 난다.
(2) 다른 사람들을 존중하는 것은 중요하다.

07 (1) 「주어+be동사+감정형용사+to부정사」의 어순으로 쓴다.
(2) 목적을 나타내는 부사적 용법의 to부정사로 쓴다.

08 to부정사의 부정은 「not+to부정사」의 형태로 쓴다.

09 (1) want의 목적어로 쓰인 to부정사구를 사용하여 쓴다.
(2) 5단어로 써야 하므로 가주어 It과 주어로 쓰인 to부정사구를 사용하여 쓴다.
해석 A 나는 요리사가 되기를 원해.
B 너는 요리하는 것을 좋아하니?
A 응. 나는 주말마다 요리해. 다른 사람들을 위해 요리하는 것은 재미있어.
B 우와. 나는 언젠가 네 음식을 먹어 보기를 원해.

10 (1) 앞에 나온 명사를 수식해 주는 형용사적 용법의 to부정사를 사용하여 a house to live in으로 쓴다. 이때, live 뒤에 전치사 in을 빠뜨리지 않도록 한다.
(2) 목적을 나타내는 부사적 용법의 to부정사를 사용하여 to buy flowers로 쓴다.
해석 |예시| 나는 행복했다. 나는 내 친구들을 만났다.
→ 나는 내 친구들을 만나서 행복했다.
(1) 나는 집이 필요하다. 나는 그곳에서 살 것이다.
→ 나는 살 집이 필요하다.
(2) 나는 꽃집에 가고 있다. 나는 꽃들을 살 것이다.
→ 나는 꽃들을 사러 꽃집에 가고 있다.

함정이 있는 문제

02 해석 A 너는 왜 행복했니?
B 내가 좋은 점수를 받았기 때문이야.
→ 나는 좋은 점수를 받아서 행복했다.

03 해석 나는 너무 배가 고프지만, 먹을 무언가를 가지고 있지 않다.

시험에 강해지는 실전 TEST pp.94~96

01 ④ 02 ① 03 ② 04 ② 05 ②, ⑤
06 ⑤ 07 ④ 08 ⑤ 09 ① 10 ⑤

서술형 1 (1) something to drink
(2) lots of work to do

서술형 2 (1) something to wear
(2) surprised to see a spider

서술형 3 (1) It is(It's) important to learn from experience.
(2) It is(It's) exciting to ride a roller coaster.
서술형 4 (1) I called Yuna to ask some questions.
(2) I have some problems to solve.
서술형 5 visit Seoul to learn taekwondo
서술형 6 (1) heard → hear (2) are → is
서술형 7 (1) to go to the beach (2) to watch a movie
서술형 8 ⓑ to not → not to, ⓒ exercise → to exercise
서술형 9 There are many things to do
서술형 10 ⓐ to ride, ⓑ to find, ⓒ visit

01 '만나기 위해'라는 뜻으로 목적을 나타내는 부사적 용법의 to부정사는 「to+동사원형」의 형태가 알맞다.
해석 지나는 그녀의 친구를 만나기 위해 공항에 갔다.

02 주어로 쓰인 to부정사구를 문장의 뒤로 보내면 주어 자리에 가주어 It을 써야 한다.
해석 밤 늦게 외출하는 것은 위험하다.

03 완전한 문장으로 쓰면 I want to be a scientist to help people.이 된다.

04 to부정사의 부정은 to부정사 앞에 not을 써서 나타낸다.

05 우리말을 영어로 옮기면 He went to the bakery to buy bread.가 되므로 쓰이지 않는 단어는 go와 bought이다.

06 ⑤ '~할'이라는 뜻의 형용사적 용법의 to부정사는 수식하는 명사 뒤에 오므로 something to drink가 알맞다.

07 |보기|와 ①, ②, ③, ⑤는 목적을 나타내는 to부정사의 부사적 용법이고, ④는 보어로 쓰인 to부정사의 명사적 용법이다.
해석 |보기| 나는 책을 반납하기 위해 도서관에 갔다.
① 그는 그의 프로젝트를 끝내기 위해 늦게까지 깨어 있었다.
② 나는 사진을 찍기 위해 공원에 갔다.
③ 유미는 시험에 합격하기 위해 최선을 다했다.
④ 나의 남동생의 꿈은 가수가 되는 것이다.
⑤ 소라는 에펠탑을 보기 위해 파리에 갔다.

08 ⑤는 목적을 나타내는 부사적 용법의 to부정사로 쓰여 in order to로 바꿔 쓸 수 있다. ①은 to부정사가 명사를 수식하는 형용사적 용법이고, ②, ③, ④는 to부정사의 명사적 용법이다. (②, ③ 주어 역할, ④ 목적어 역할)
해석 ① 나는 말할 무언가가 있다.
② 일기를 매일 쓰는 것은 쉽지 않다.
③ 중국어를 배우는 것은 어렵다.
④ 그녀는 피아노 연습하는 것을 계획했다.
⑤ Kelly는 축구 경기를 보기 위해 스페인에 갔다.

09 ① 명사를 수식하는 형용사적 용법의 to부정사는 「명사+to부정사」의 어순으로 써야 한다. 따라서 homework to do가 알맞다.
해석 ② 빨리 운전하는 것은 위험하다.
③ 나는 여기서 너를 보는 것을 예상하지 못했다.
④ Linda는 앉을 의자가 필요하다.
⑤ 나는 우주 박물관에 가게 되어 신이 난다.

10 ⑤의 to부정사는 목적을 나타내는 부사적 용법으로 쓰였고, 나머지는 모두 동사의 목적어 역할을 하는 명사적 용법으로 쓰였다.
해석 안녕. 내 이름은 미나야. 오늘 나는 나의 꿈에 관해 이야기하기를 원해. 나의 꿈은 영어 선생님이 되는 거야. 나는 영어 책을 읽는 것을 좋아해. 나는 또한 팝송을 부르는 것도 좋아해. 나는 내년에 캐나다에 가는 것을 계획해. 나는 영어를 공부하기 위해 거기에 갈 거야.

서술형 1 앞에 나온 명사를 수식해 주는 형용사적 용법의 to부정사를 사용하여 쓴다.
해석 |예시| 나는 잠잘 시간이 없었다.
(1) 그 남자아이는 마실 무언가가 필요하다.
(2) 그 남자는 할 일이 많이 있다.

서술형 2 (1) 명사를 수식하는 형용사적 용법의 to부정사를 사용한다.
(2) 감정의 원인을 나타내는 부사적 용법의 to부정사를 사용한다.

서술형 3 to부정사구가 주어로 쓰인 경우 가주어 It을 주어 자리에 쓰고 to부정사구를 문장 뒤로 보낼 수 있다.
해석 (1) 경험으로부터 배우는 것은 중요하다.
(2) 롤러코스터를 타는 것은 신이 난다.

서술형 4 (1) 질문을 하기 위해 전화했다는 의미가 되도록 목적을 나타내는 부사적 용법의 to부정사를 사용한다.
(2) 풀어야 할 문제가 있다는 의미가 되도록 형용사적 용법의 to부정사를 사용한다.
해석 (1) 나는 유나에게 전화했다. 나는 몇몇 질문을 했다.
→ 나는 몇몇 질문을 하기 위해 유나에게 전화했다.
(2) 나는 약간의 문제를 가지고 있다. 나는 그것을 해결할 필요가 있다. → 나는 해결해야 할 약간의 문제가 있다.

서술형 5 목적을 나타내는 부사적 용법의 to부정사를 사용하여 쓴다.
해석 **Tom** 너는 다음 주에 무엇을 할 거니?
Kate 나는 서울을 방문할 거야. 나는 거기에서 태권도를 배울 거야.
→ Kate는 다음 주에 태권도를 배우기 위해 서울을 방문할 것이다.

서술형 6 (1) 감정의 원인을 나타내는 부사적 용법의 to부정사이므로 과거형 heard를 동사원형으로 써야 한다.
(2) to부정사가 주어로 쓰이면 단수 취급한다.
해석 (1) 나는 그 소식을 들어서 매우 기뻤다.
(2) 좋은 성적을 받는 것은 어렵다.

서술형 7 decide와 plan은 to부정사를 목적어로 취하는 동사들이다.
해석 (1) David는 토요일에 해변에 가는 것을 결정했다.
(2) David는 일요일에 영화를 볼 것을 계획했다.

서술형 8 ⓑ to부정사의 부정은 to부정사 앞에 not을 써서 나타낸다.
ⓒ 가주어 It이 있으므로 진주어를 to부정사로 써야 한다.
해석 ⓐ 나는 버스를 타기 위해 뛰었다.
ⓓ 우리는 여기에서 너를 봐서 매우 기쁘다.

[서술형 9~10] 해석 Central 공원에는 많은 할 것들이 있다. 많은 사람들은 거기에서 산책하는 것을 좋아한다. 사람들은 무료로 자전거를 빌릴 수 있어서, 몇몇 사람들은 자전거를 타기 위해 거기에 간다. 일요일마다 공원에 벼룩시장이 선다. 거기에서 아름답고 독특한 물건들을 찾는 것은 쉽다. 너는 언젠가 Central 공원을 방문하는 게 좋겠다!

서술형 9 명사를 수식해 주는 형용사적 용법의 to부정사를 사용하여 many things to do(많은 할 것)로 쓴다.

서술형 10 ⓐ 목적을 나타내는 부사적 용법의 to부정사가 알맞다.
ⓑ 가주어 It이 쓰였으므로 진주어로 to부정사가 들어가는 것이 알맞다.
ⓒ 조동사 should 뒤에는 동사원형이 와야 한다.

CHAPTER 08 동명사

Unit 1 동명사의 형태와 역할

✔ 바로 개념 확인하기 p.99

A 1 Riding 2 is 3 writing 4 watching

B 1 음악을 듣는 것은 2 동전을 모으는 것
3 달리는 것은 4 그림을 그리는 것

C 1 Learning 2 Keeping 3 driving 4 biting

서술형 기본 유형 익히기 pp.99~100

1 Studying
2 taking pictures
3 Playing, is
4 is drawing animals
5 Watching TV all day is
6 Her hobby is singing.
7 Drinking enough water is important.
8 Solving puzzles is difficult.
9 Baking cookies is fun.
10 Swimming is good exercise.
11 Making mistakes is okay.
12 Reading this book is a good idea.
13 Helping each other is important.
14 His job is developing apps.
15 My hobby is reading webtoons.

Unit 2 동명사의 역할·관용 표현

✔ 바로 개념 확인하기 p.102

A 1 swimming 2 to learn
3 going 4 riding

B 1 dancing 2 cleaning 3 speaking 4 playing

C 1 He goes camping
2 is busy washing the dishes
3 don't feel like joining

서술형 기본 유형 익히기 pp.102~103

1 enjoy going
2 finished reading
3 giving hope
4 was worried about missing
5 I am busy practicing
6 People stopped walking on the red light.
7 He kept talking with his friends.
8 David is busy helping his mom.
9 She is interested in joining our club.
10 How about going to the movies tomorrow?
11 to write → writing
12 smoked → smoking
13 play → playing
14 to have → having
15 cook → cooking

기출에서 뽑은 난이도별 서술형 문제 pp.104~105

01 (1) enjoy playing (2) went skiing

02 (1) cleaning (2) taking (3) waking up

03 (1) to open → opening (2) are → is

04 learning[to learn], making

05 having, stop, having

06 (1) I feel like drinking soda.
(2) Sue wants to go swimming.

07 (1) gave up climbing (2) practice speaking

08 ⓓ → lending

09 (1) is good at playing soccer
(2) is worried about making mistakes

10 ⓐ → He is busy making dinner.
ⓒ → I enjoy listening to classical music.

함정이 있는 문제

01 invite → inviting

02 Taking pictures is my hobby.

03 Kate feels like reading a book.

01 (1) enjoy는 동명사를 목적어로 취하는 동사이다.
(2) go -ing는 '~하러 가다'라는 뜻의 표현이다.

02 (1) be busy -ing는 '~하느라 바쁘다'라는 뜻의 표현이다.
(2) 전치사 in 뒤에는 동명사가 와야 한다.
(3) give up은 동명사를 목적어로 취하는 동사이다.
해석 (1) 유진은 그의 방을 청소하느라 바쁘다.
(2) 그녀는 피아노 수업을 받는 것에 관심이 있다.
(3) 나는 아침에 일찍 일어나는 것을 포기했다.

03 (1) mind는 동명사를 목적어로 취하는 동사이다.
(2) 동명사구가 주어로 쓰이면 단수 취급한다.
해석 (1) 창문을 열어도 되겠니?
(2) 좋은 책들을 읽는 것은 중요하다.

04 start와 begin은 둘 다 '시작하다'라는 뜻이며 목적어로 동명사와 to부정사를 쓸 수 있다. '~을 잘하다'라는 뜻은 be good at -ing로 나타낸다.
해석 **Ann** 네 취미는 무엇이니?
Ben 나의 취미는 요리하는 거야. 나는 작년에 요리하는 것을 배우기 시작했어. 나는 파스타를 아주 잘 만들어.
→ Ben은 작년에 요리하는 것을 배우기 시작했다. 그는 파스타 만드는 것을 잘한다.

05 How about -ing ~?는 '~하는 게 어때?'라는 뜻의 표현이다. stop -ing는 '~하는 것을 멈추다'라는 뜻이다.
해석 **Jake** 햄버거를 먹는 게 어때?
미라 또? 너무 많은 패스트푸드는 우리의 건강에 좋지 않아. 너는 매우 많은 패스트푸드를 먹는 것을 멈춰야 해.

06 (1) feel like -ing는 '~하고 싶다'라는 뜻의 표현이다.
(2) want는 to부정사를 목적어로 취하는 동사이고, go -ing는 '~하러 가다'라는 뜻의 표현이다.

07 give up과 practice는 동명사를 목적어로 취하는 동사이다.
해석 (1) **A** 너는 한라산을 오르기를 원하니?
B 아니, 나는 한라산 오르기를 포기했어.
(2) **A** 너 걱정 있어 보인다. 무슨 일이니?
B 나는 내일 말하기 시험이 있어. 나는 말하는 것을 연습할 필요가 있어.

08 ⓓ mind는 동명사를 목적어로 취하는 동사이다.
해석 **A** 너는 "아이들을 위한 과학"을 읽는 것을 끝냈니?
B 응, 끝냈어. 나는 과학 책들을 읽는 것에 관심 있어.
A 잘됐다. 나도 그 책을 읽기를 원해. 그 책을 나에게 빌려줘도 되겠니?
B 물론이야. 내가 그것을 내일 가져올게.
A 정말? 고마워!

09 (1) be good at -ing는 '~을 잘하다'라는 뜻의 표현이다.
(2) be worried about -ing는 '~에 대해 걱정하다'라는 뜻의 표현이다
해석 Jack은 나의 친구이다. 그는 축구를 잘한다. 최근에 그는 경기에서 실수하는 것에 대해 걱정한다. 그래서 나는 그를 격려하기를 원한다.

10 ⓐ be busy -ing는 '~하느라 바쁘다'라는 뜻의 표현이다.
ⓒ enjoy는 동명사를 목적어로 취하는 동사이다.
해석 ⓑ 나는 이번 토요일에 서핑하러 갈 것이다.
ⓓ 오늘 밤에 외출하는 게 어때?
ⓔ 그 남자아이는 만화책 읽는 것을 포기했다.

함정이 있는 문제

01 해석 네 생일 파티에 나를 초대해 줘서 고마워.

시험에 강해지는 실전 TEST pp.106~108

01 ③, ④ 02 ③ 03 ④ 04 ④ 05 ④
06 ③ 07 ⑤ 08 ①, ③ 09 ② 10 ⑤

서술형 1 (1) baking (2) watching (3) listening
서술형 2 (1) was busy washing (2) went shopping
서술형 3 (1) How about taking (2) feel like having
(3) stopped knocking
서술형 4 (1) is busy cooking (2) is good at catching
서술형 5 (1) I gave up knitting.
(2) He was worried about traveling

서술형 6 (1) talking (2) bothering
서술형 7 (1) to meet → meeting (2) talked → talking
서술형 8 (1) practiced dancing
(2) enjoyed playing tennis
(3) was busy cleaning the house
서술형 9 Are you interested in growing plants?
서술형 10 ⓐ working, ⓑ growing

01 주어 자리에는 동명사와 to부정사 둘 다 올 수 있다.
해석 비행사가 되는 것은 힘들다.

02 목적어 자리에 동명사가 왔으므로 to부정사를 목적어로 취하는 동사 want는 들어갈 수 없다.
해석 Nancy는 그림 그리는 것을 ________.
① 좋아한다 ② 아주 좋아한다 ③ 원한다 ④ 연습한다
⑤ 하고 싶다

03 첫 번째 문장에는 빈칸 앞에 be동사가 있고 내용상 보어로 쓰이지 않았으므로 진행형에 쓰이는 「동사원형+-ing」형태인 fixing이 들어가야 한다. 두 번째 문장에는 관용 표현 be busy -ing가 쓰였으므로 동명사 fixing이 들어가야 한다.
해석 • 민수는 그의 자전거를 수리하고 있다.
• 나는 나의 컴퓨터를 고치느라 바쁘다.

04 전치사 뒤에는 목적어로 동명사가 와야 한다.
해석 그는 동물들을 돌보는 것을 잘한다.

05 How about -ing ~?는 '~하는 게 어때?'라는 뜻의 표현이므로 동명사 making이 와야 하며, mind는 동명사를 목적어로 취하므로 동명사 turning이 와야 한다.
해석 • 공부 계획을 세우는 게 어때?
• 에어컨을 꺼도 되겠니?

06 practice는 동명사를 목적어로 취하는 동사이다.

07 ⑤는 진행형에 쓰인 「동사원형+-ing」 형태이고, 나머지는 모두 동명사이다. (①, ②, ④ 동사의 목적어, ③ 보어)
해석 ① 그는 고기를 먹는 것을 포기했다.
② 나는 너를 돕는 것을 꺼리지 않는다.
③ 나의 취미는 꽃을 그리는 것이다.
④ 그들은 벽에 페인트칠하는 것을 끝냈다.
⑤ 진호는 학교 운동장에서 달리고 있다.

08 ① 전치사 for의 목적어로 동명사가 와야 하므로 helping으로 써야 한다.
③ keep -ing는 '계속 ~하다'라는 뜻의 표현이므로 crying으로 써야 한다.
해석 ② 그의 일은 영어를 가르치는 것이다.
④ 나는 다른 사람들의 말을 듣는 것을 잘한다.
⑤ 그녀는 파티를 준비하느라 바쁘다.

09 want(ⓑ)와 need(ⓔ)는 to부정사를 목적어로 취하는 동사이다.
해석 ⓐ 그들은 사진 찍기를 시작했다.
ⓒ 산책을 하는 게 어때?
ⓓ 준호는 샤워를 하고 싶었다.

10 ⓓ enjoy는 동명사를 목적어로 취하는 동사이므로 living으로 써야 한다.
해석 나는 지구를 구하는 것에 관심이 있다. 우리는 그것을 구하기 위해 많은 것을 할 수 있다. 첫 번째로, 우리는 플라스틱 컵을 사용하는 것을 멈춰야 한다. 두 번째로, 우리는 더 많은 나무들을 심는 것을 시작해야 한다. 그러면 우리는 더 좋은 환경에서 사는 것을 즐길 수 있을 것이다.

서술형 1 전치사 뒤에는 목적어로 동명사가 와야 한다.
해석 (1) Jessica는 쿠키를 굽는 것을 잘한다.
(2) Kate는 축구 경기 보는 것에 관심이 있다.
(3) 제 노래를 들어주셔서 고맙습니다.

서술형 2 (1) be busy -ing는 '~하느라 바쁘다'라는 뜻의 표현이다.
(2) go -ing는 '~하러 가다'라는 뜻의 표현이다.
해석 (1) 그는 그의 차를 세차하느라 바빴다.
(2) 그녀는 쇼핑몰에 쇼핑하러 갔다.

서술형 3 (1) How about -ing ~?는 '~하는 게 어때?'라는 뜻의 표현이다.
(2) feel like -ing는 '~하고 싶다'라는 뜻의 표현이다.
(3) stop 뒤에 동명사가 오면 '~하는 것을 멈추다'라는 뜻이다.

서술형 4 (1) be busy -ing는 '~하느라 바쁘다'라는 뜻의 표현이다.
(2) be good at -ing는 '~하는 것을 잘하다'라는 뜻의 표현이다.

서술형 5 (1) give up은 '~하는 것을 포기하다'라는 뜻으로 동명사를 목적어로 취한다.
(2) be worried about -ing는 '~하는 것에 대해 걱정하다'라는 뜻의 표현이다.

서술형 6 (1) 동사 stop 뒤에 동명사가 오면 '~하는 것을 멈추다'라는 뜻이 되므로 talking을 써야 한다.
(2) 전치사 뒤에는 목적어로 동명사가 와야 하므로 bothering으로 써야 한다.
해석 A Jack, 나에게 말하는 것을 그만해. 나 수학을 공부하고 있어.
B 오, 너를 방해해서 미안해.

서술형 7 (1) feel like -ing는 '~을 하고 싶다'라는 뜻의 표현이다.
(2) keep -ing는 '계속 ~하다'라는 뜻의 표현이다.
해석 (1) Linda는 Tim을 만나고 싶지 않았다.
(2) Judy는 그녀의 엄마와 계속 이야기했다.

서술형 8 (1), (2) practice와 enjoy는 동명사를 목적어로 취한다.
(3) be busy -ing는 '~하느라 바쁘다'라는 뜻의 표현이다.

해석 (1) 유나는 지난 주말에 경연 대회를 위해 춤추는 것을 연습했다.
(2) 민호는 지난 주말에 테니스 치는 것을 즐겼다.
(3) 지나는 지난 주말에 집을 청소하느라 바빴다.

[서술형 9~10] 해석 당신은 식물을 키우는 것에 관심이 있나요? 당신은 정원에서 일하는 것을 즐기고, 정보가 필요한가요? 그러면 www.plantlover.com에 방문하세요. 그곳에는 식물 키우는 것에 관한 많은 정보가 있어요. 지금 우리 웹사이트를 방문하고 식물 키우는 것에 관해 더 많이 배우세요.

서술형 9 be interested in -ing는 '~하는 것에 관심이 있다'라는 뜻의 표현이다.

서술형 10 ⓐ enjoy는 동명사를 목적어로 취하는 동사이다.
ⓑ 전치사 뒤에는 목적어로 동명사가 와야 한다.

제 2 회 누적 TEST pp.109~110

01 ③ **02** ④ **03** ④ **04** ④ **05** ②
06 ②, ⑤ **07** ⑤ **08** ③
09 (1) am interested in making
(2) How often do you cook
10 (1) to go swimming (2) to visit my grandparents
(3) learning to play the flute
11 Who, how, How long
12 (1) are → is (2) doing → to do
13 ⓒ → to find
14 I can play the drums.
15 ⓐ → Who wants to go home?
ⓔ → She was glad to see her son again.

01 decide는 to부정사를 목적어로 취하는 동사이고, enjoy는 동명사를 목적어로 취하는 동사이다.
해석 • 수지는 파티에 가기로 결정했다.
• Andy는 등산하는 것을 즐긴다.

02 첫 번째 문장에는 '누가'를 뜻하는 의문사 who가 알맞고, 두 번째 문장에는 '무엇'을 뜻하는 의문사 what이 알맞다.
해석 • 누가 이 메시지를 보냈니?
• 이 단어는 무엇을 의미하니?

03 첫 번째 문장에는 '파란불에 길을 건너야 한다'는 내용이 자연스러우므로 의무를 나타내는 조동사가, 두 번째 문장에는 빈칸 앞에 don't가 있으므로 don't로 부정형을 만들 수 있는 have to가 들어가야 한다. 빈칸에 공통으로 들어갈 수 있는 말은 have to이다.
해석 • 너는 초록불에서 길을 건너야 한다.
• 그들은 오늘 교복을 입을 필요가 없다.

04 B가 아이스크림을 좋아한다고 답하고 있으므로 무슨 종류의 디저트를 좋아하는지 묻는 것이 알맞다.
해석 A ______________
B 나는 아이스크림을 좋아해.
① 누가 후식을 먹었니?
② 너는 왜 후식을 좋아하니?
③ 너는 언제 아이스크림을 먹었니?
④ 너는 무슨 종류의 후식을 좋아하니?
⑤ 너는 케이크와 파이 중에서 어떤 것을 더 좋아하니?

05 ⓑ 내용상 '저녁을 하기 위해'가 되어야 하므로 목적을 나타내는 부사적 용법의 to부정사가 와야 한다.
해석 ⓐ 나는 실수하는 것에 대해 걱정했다.
ⓒ 로봇들을 만드는 것은 나의 취미이다.
ⓓ Harry는 재미있는 농담을 하는 것을 잘한다.
ⓔ 그녀는 새로운 친구들을 사귀는 것을 좋아한다.

06 ② may는 약한 추측을 나타내므로 should로 바꿔 쓸 수 없다.
⑤ don't have to는 '~할 필요가 없다'는 뜻이므로 must not(~하면 안 된다)으로 바꿔 쓸 수 없다.
해석 ① 너는 내 차를 사용해도 된다.
② 내일은 눈이 올지도 모른다.
③ Ann은 스파게티를 만들 수 있다.
④ 너는 집에 일찍 와야 한다.
⑤ 너는 그것에 대해 걱정할 필요가 없다.

07 ⑤ plan은 to부정사를 목적어로 취하는 동사이므로 to have로 써야 한다.
해석 ① 그녀는 샤워하는 것이 필요하다.
② Judy는 공원에서 자전거 타는 것을 좋아한다.
③ 나의 취미는 컴퓨터 게임을 하는 것이다.
④ 나는 길에서 Kate를 봐서 놀랐다.

08 ⓐ want는 to부정사를 목적어로 취하는 동사이므로 studying을 to study로 써야 한다.
ⓓ 시각을 물을 때는 when이나 what time을 쓴다.
ⓔ be busy -ing는 '~하느라 바쁘다'라는 뜻의 동명사 관용 표현이므로 to write를 writing으로 써야 한다.
해석 ⓑ 그녀는 스페인어를 배우는 것을 포기했다.
ⓒ 너는 여기에서 크게 말하면 안 된다.

09 (1) '~에 관심이 있다'라는 뜻의 표현 be interested in -ing를 사용하여 쓴다.
(2) 빈도를 물을 때는 how often을 사용한다.

10 (1), (2) plan과 decide는 to부정사를 목적어로 취한다.
(3) be busy -ing는 '~하느라 바쁘다'라는 뜻의 관용 표현이다.
해석 (1) 나는 6월에 수영하러 갈 계획이다.
(2) 나는 7월에 조부모님을 방문하기로 결정했다.
(3) 나는 8월에 플루트 연주를 배우느라 바쁠 것이다.

11 첫 번째 빈칸에는 '누가'를 의미하는 who가 알맞다. 두 번째 빈칸에는 방법을 묻는 how가 알맞다. 세 번째 빈칸에는 '얼마나 오래'의 의미로 소요 시간을 묻는 how long이 알맞다.

해석 **A** 누가 이 케이크를 만들었니?
B 내가 만들었어.
A 정말? 우와, 너는 그것을 어떻게 만들었니?
B 나는 그냥 이 책의 요리법을 따라 했어.
A 그것을 만드는 데 시간이 얼마나 걸렸니?
B 음, 2시간 정도 걸렸어.

12 (1) 동명사구 주어는 단수 취급한다.
(2) want는 to부정사를 목적어로 취한다.
해석 (1) 다른 사람들의 말을 듣는 것은 중요하다.
(2) 너는 이번 주말에 무엇을 하기를 원하니?

[13~14] 해석 **A** Jason, 너는 기타를 연주할 수 있니?
B 아니, 못 해. 왜?
A 나의 밴드는 새 멤버를 찾는 것이 필요해. 우리는 기타리스트와 드럼 연주자가 필요해.
B 정말? 나는 드럼을 칠 수 있어.
A 잘됐다! 나의 밴드에 가입하는 게 어때?
B 좋아. 나는 네 밴드에 가입하고 싶어.

13 ⓒ need는 to부정사를 목적어로 취한다.

14 be able to는 능력을 나타내는 조동사 can으로 바꿔 쓸 수 있다.

15 ⓐ 의문사 who가 주어이므로 does를 쓰지 않고 바로 뒤에 동사를 써야 한다.
ⓔ '그녀의 아들을 다시 봐서 기쁘다'라는 의미이므로 감정의 원인을 나타내는 to부정사가 와야 한다.
해석 ⓑ 팝송을 듣는 것은 재미있다.
ⓒ Mary는 파티를 하고 싶다.
ⓓ 너는 첼로 연주하는 것을 연습했니?

CHAPTER 09 문장의 구조

Unit 1 목적어가 필요한 문장

✔ 바로 개념 확인하기 p.113

A **1** ask me a question **2** give him pens
3 buy them a ball

B **1** for **2** of **3** to

C **1** for me **2** to me **3** for me

서술형 기본 유형 익히기 pp.113~114

1 gave me these books **2** sent him some toys
3 asked me a few questions
4 lent a pen to Chris
5 bought a shirt for his father
6 us Chinese 또는 Chinese to us
7 to **8** us **9** for them **10** for
11 He will(He'll) send a book to Jane.
12 Kate bought some ice cream for us.
13 Kelly showed her pictures to me.
14 We made sandwiches for them.
15 Can you lend your bike to me?

Unit 2 보어가 필요한 문장

✔ 바로 개념 확인하기 p.116

A **1** beautiful **2** famous **3** fresh

B **1** delicious **2** cold **3** his father

C **1** made, angry **2** calls, Sue
3 found, surprising

서술형 기본 유형 익히기 pp.116~117

1 The plan sounded exciting.

2 She looks like an angel.
3 Her leadership made her popular.
4 This sweater keeps me warm.
5 I found the movie interesting.
6 badly → bad
7 sounds → sounds like
8 health → healthy
9 she → her
10 Barbie the doll → the doll Barbie
11 The soup tastes salty.
12 The room looks clean.
13 I found the box empty.
14 She calls her cat Tom.
15 The song made me happy.

기출에서 뽑은 난이도별 서술형 문제 pp.118~119

01 (1) looks busy (2) tastes, melon
(3) made, happy

02 (1) to his dog (2) for me

03 (1) looks like a bear (2) made us sad

04 (1) strange (2) for me

05 (1) gave Tom flowers (2) gave flowers to Tom

06 (1) keeps the water cool
(2) found the book interesting

07 (1) Jessica showed me the letter.
(2) Jessica showed the letter to me.

08 (1) The music sounded beautiful.
(2) I found Nick brave.

09 (1) different (2) like (3) happy

10 ⓒ sadly → sad, ⓓ for → to

함정이 있는 문제

01 ⓑ → That sounds great.

02 John gave a ring to his wife.

03 call him Joe

01 (1) '~해 보인다'라는 뜻의 감각동사 look은 보어로 형용사를 쓴다.
(2) taste like는 '~ 같은 맛이 나다'라는 뜻의 표현으로 like 뒤에 명사가 온다.
(3) make는 목적격보어로 형용사가 올 수 있으며 「make+목적어+목적격보어」의 형태로 쓴다.

02 「수여동사+간접목적어+직접목적어」는 「수여동사+직접목적어+전치사+간접목적어」로 바꿔 쓸 수 있다. 이때, give는 전치사 to를, make는 for를 쓴다.
해석 (1) 그는 그의 개에게 장난감을 주었다.
(2) Jenny는 나에게 필통을 만들어 주었다.

03 (1) 「look like+명사」의 형태가 되도록 쓴다.
(2) 「make+목적어+목적격보어」의 형태가 되도록 쓴다.

04 (1) 감각동사의 보어로 형용사가 와야 한다.
(2) 수여동사 cook은 간접목적어를 직접목적어 뒤로 보낼 때 간접목적어 앞에 전치사 for를 쓴다.
해석 (1) 그녀의 목소리는 이상하게 들린다.
(2) 나의 아빠는 나에게 스파게티를 요리해 주셨다.

05 give는 수여동사이며 「give+간접목적어+직접목적어」 또는 「give+직접목적어+to+간접목적어」의 형태로 쓸 수 있다.
해석 Jane은 Tom에게 꽃들을 주었다.

06 (1) 「keep+목적어+목적격보어」의 형태가 되도록 쓴다.
(2) 「find+목적어+목적격보어」의 형태가 되도록 쓴다.
해석 (1) 냉장고는 물을 시원하게 유지해 준다.
(2) 그녀는 그 책이 흥미롭다는 것을 알았다.

07 show는 수여동사이며 「show+간접목적어+직접목적어」 또는 「show+직접목적어+to+간접목적어」의 형태로 쓸 수 있다.

08 (1) 「sound+형용사」의 형태로 쓴다.
(2) 「find+목적어+목적격보어(형용사)」의 형태로 쓴다.

09 (1) 감각동사 look은 보어로 형용사를 쓴다.
(2) 감각동사 look 다음에 명사가 오는 경우 look 다음에 like를 써야 한다.
(3) make는 목적격보어로 형용사를 쓸 수 있으나 부사는 쓸 수 없다.
해석 A 우와! 너 오늘 달라 보인다.
B 나는 내 머리 모양을 바꿨어. 나 어때 보여?
A 너는 영화배우처럼 보인다.
B 고마워. 너는 항상 나를 행복하게 만들어 주네.

10 ⓒ make의 목적격보어 자리에 부사를 쓸 수 없으므로 형용사로 써야 한다.
ⓓ 수여동사 teach는 간접목적어를 직접목적어 뒤로 보낼 때 간접목적어 앞에 전치사 to를 써야 한다.
해석 ⓐ 그 장미들은 좋은 향이 난다.
ⓑ 나는 내 책상을 깨끗하게 유지한다.
ⓔ 너는 Mary에게 약간의 돈을 빌려주었니?

함정이 있는 문제

01 해석 ⓐ 그는 따뜻하게 느낀다.
ⓒ 미나는 정말 사랑스러워 보인다.

시험에 강해지는 실전 TEST pp.120~122

01 ⑤ 02 ② 03 ③ 04 ② 05 ①
06 ② 07 ④ 08 ② 09 ⑤ 10 ④

서술형 1 (1) sounds sad (2) him Teddy
서술형 2 (1) The salad looks fresh.
(2) The potato chips taste salty.
서술형 3 (1) My uncle made a chair for me.
(2) He showed his new bike to me.
서술형 4 (1) The cloud looks like a dog.
(2) Dad bought a soccer ball for me. /
Dad bought me a soccer ball.
서술형 5 (1) cooked lunch for
(2) showed her album to
(3) told my secret to
서술형 6 (1) softly → soft (2) for → to
서술형 7 We call it a giraffe.
서술형 8 happily → happy
서술형 9 My father bought a doll for me.
서술형 10 ⓓ → to

01 감각동사 look은 보어로 형용사를 써야 하므로 부사인 busily는 들어갈 수 없다.
해석 선생님은 오늘 ______ 보인다.
① 아파 ② 피곤해 ③ 행복해 ④ 화나 ⑤ 바쁘게

02 첫 번째 빈칸 뒤에 명사가 왔으므로 감각동사 sound 뒤에 like를 써야 한다. 두 번째 빈칸 뒤에는 형용사가 왔으므로 감각동사 sound만 쓴다.
해석 A 이번 주말에 영화 보러 가자.
B 그거 좋은 생각처럼 들린다.
A 새로운 액션 영화를 보는 게 어때?
B 그거 좋겠다.

03 ③ call이 '~을 …라고 부르다'라는 뜻으로 쓰이면 「call+목적어+목적격보어」의 형태로 써야 하므로 Sam him을 him Sam으로 써야 한다.

04 우리말을 영어로 옮기면 He cooked us pasta. 또는 He cooked pasta for us.가 된다. 따라서 to는 쓰이지 않는다.

05 give, lend, tell, show는 간접목적어가 직접목적어 뒤로 갈 때 간접목적어 앞에 전치사 to를 써야 하지만 buy는 for를 쓴다.
해석 ① 나는 너에게 약간의 쿠키들을 사 주었다.
② 그녀는 나에게 약간의 충고를 해 주었다.
③ 나에게 네 책을 빌려줄 수 있니?
④ 그는 우리에게 재미있는 이야기를 해 주었다.
⑤ 나의 할머니는 우리에게 그녀의 개를 보여 주셨다.

06 |보기|와 ②는 「주어+감각동사+보어(형용사)」의 형태이며, ①과 ⑤는 「주어+동사+목적어+목적격보어」, ③과 ④는 「주어+수여동사+간접목적어+직접목적어」의 형태이다.
해석 |보기| 그 빵은 맛있는 냄새가 난다.
① Peter는 그 책이 쉽다는 것을 알았다.
② 그 분홍색 드레스는 아름답게 보인다.
③ 나의 아빠는 나에게 차 한 잔을 만들어 주셨다.
④ 그녀는 부모님께 엽서를 보냈다.
⑤ Wendy는 그를 Jimmy라고 불렀다.

07 ④ 수여동사 give가 쓰인 문장으로 「간접목적어(his wife)+직접목적어(gold)」 또는 「직접목적어(gold)+to+간접목적어(his wife)」의 어순으로 써야 한다.
해석 ① 나는 기분이 좋지 않다.
② 나의 엄마는 나를 Tommy라고 부르신다.
③ 운동하는 것은 너를 건강하게 유지해 준다.
⑤ 그 커피는 초콜릿 같은 향이 난다.

08 ② 수여동사 make는 간접목적어가 직접목적어 뒤로 갈 때 간접목적어 앞에 전치사 for를 쓴다.
해석 ① 아빠는 나에게 기타를 사 주셨다.
③ 김 선생님은 우리에게 체육을 가르쳐 주신다.
④ 나에게 그 파일을 보내 줄래?
⑤ Susan은 그녀의 친구들에게 파스타를 요리해 주었다.

09 ⑤ make의 목적격보어 자리에는 부사가 아닌 형용사가 와야 하므로 crazy가 알맞다.
해석 A 너는 화나 보인다. 무슨 일 있니?
B 나의 엄마가 지난주에 나에게 새 카메라를 사 주셨어. 그런데 내 남동생이 그것을 망가트렸어. 나는 정말 화가 나.
A 오, 정말 안됐다.
B 때때로 그는 나를 정말 화나게 만들어.

10 ⓑ make의 목적격보어 자리이므로 부사 calmly가 아닌 형용사 calm이 알맞다.
ⓒ 수여동사 show는 간접목적어가 직접목적어 뒤로 갈 때 간접목적어 앞에 전치사 to를 써야 한다.
해석 ⓐ 나는 월요일마다 항상 피곤하게 느낀다.
ⓓ 나의 여동생은 아빠를 Papa라고 부른다.
ⓔ 기자들은 그 여배우에게 많은 질문을 했다.

서술형 1 (1) '~하게 들린다'라는 뜻의 감각동사 sound는 보어로 형용사를 쓴다.
(2) '~을 …라고 부르다'라는 뜻의 call은 「call+목적어+목적격보어」의 형태로 쓴다.

서술형 2 감각동사 look과 taste는 보어로 형용사를 쓴다.
해석 |예시| 그 커피는 좋은 냄새가 난다.
(1) 그 샐러드는 신선해 보인다.
(2) 그 감자칩은 짠맛이 난다.

서술형 3 (1) 수여동사 make는 「make+간접목적어+직접목적어」 또는 「make+직접목적어+for+간접목적어」의 어순으로 쓴다.

(2) 수여동사 show는 「show+간접목적어+직접목적어」 또는 「show+직접목적어+to+간접목적어」의 어순으로 쓴다.

해석 (1) 나의 삼촌은 나에게 의자를 만들어 주셨다.
(2) 그는 나에게 그의 새 자전거를 보여 주었다.

서술형 4 (1) 감각동사 look 뒤에 명사를 쓰려면 명사 앞에 like를 추가해서 써야 한다.
(2) 수여동사 buy는 간접목적어가 직접목적어 뒤로 갈 때 간접목적어 앞에 전치사 for를 써야 한다.

해석 (1) 그 구름은 귀여워 보인다.
→ 그 구름은 개처럼 보인다.
(2) 아빠는 나에게 축구공을 주셨다.
→ 아빠는 나에게 축구공을 사 주셨다.

서술형 5 (1) 간접목적어 her family가 문장의 맨 뒤에 있으므로 「cooked+직접목적어+for+간접목적어」의 어순으로 써야 한다.
(2) 간접목적어 Dojun이 문장의 맨 뒤에 있으므로 「showed+직접목적어+to+간접목적어」의 어순으로 써야 한다.
(3) 간접목적어 Mark가 문장의 맨 뒤에 있으므로 「told+직접목적어+to+간접목적어」의 어순으로 써야 한다.

해석 (1) 수지는 그녀의 가족들에게 점심을 요리해 주었다.
(2) 민지는 도준이에게 그녀의 앨범을 보여 주었다.
(3) 나는 Mark에게 나의 비밀을 말해 주었다.

서술형 6 (1) 감각동사 feel은 보어로 부사가 아니라 형용사를 써야 한다.
(2) 수여동사 teach는 간접목적어가 직접목적어 뒤로 갈 때 간접목적어 앞에 전치사 to를 써야 한다.

해석 (1) 그 아기의 피부는 부드럽게 느껴진다.
(2) Sam은 나의 여동생에게 요가를 가르친다.

서술형 7 call이 '~을 …라고 부르다'는 뜻으로 쓰이면 「call+목적어+목적격보어」의 어순으로 쓴다.

해석 A 너희는 긴 목을 가진 키가 큰 동물을 무엇이라고 부르니?
B 우리는 그것을 기린이라고 불러.

서술형 8 make의 목적격보어 자리에 부사를 쓸 수 없으므로 형용사로 고쳐야 한다.

해석 나는 때때로 매우 피곤하게 느낀다. 그래서 나는 초콜릿을 먹는다. 그것은 매우 달콤한 맛이 난다. 초콜릿은 나를 행복하게 만들어 준다.

[서술형 9~10] 해석 어제는 크리스마스였다. 나의 아빠는 나에게 인형을 사 주셨다. 우리는 그것을 Mickey라고 부르기로 결정했다. 나의 엄마는 우리에게 특별한 저녁을 요리해 주셨다. 그것은 정말 훌륭한 맛이 났다. 나는 부모님께 크리스마스카드를 드렸다. 이번 크리스마스는 나를 행복하게 만들어 주었다.

서술형 9 수여동사 buy는 전치사를 써야 하는 경우, 「buy+직접목적어+for+간접목적어」의 어순으로 쓴다.

서술형 10 ⓓ 수여동사 give는 간접목적어가 직접목적어 뒤로 갈 때 간접목적어 앞에 to를 쓴다.

CHAPTER 10 형용사와 부사

Unit 1 형용사와 부사

✔ 바로 개념 확인하기 p.125

A 1 honest 2 well 3 kindly 4 large
B 1 빨리 2 높은 3 열심히 4 늦게
C 1 usually 2 always 3 often

서술형 기본 유형 익히기 pp.125~126

1 is famous
2 something strange
3 got up late
4 is often busy
5 always studies hard
6 was very dirty
7 visited beautiful cities
8 want something special
9 usually walks very fast
10 never skips breakfast
11 easily → easy
12 important something → something important
13 careful → carefully
14 has often → often has
15 always can → can always

Unit 2 비교급과 최상급

✔ 바로 개념 확인하기 p.128

A 1 hotter – hottest 2 shorter – shortest
3 better – best 4 worse – worst
5 easier – easiest
6 more expensive – most expensive

B 1 larger 2 the biggest
3 most famous 4 more beautiful

C 1 better 2 happiest
3 worst 4 more expensive

서술형 기본 유형 익히기 pp.128~129

1 is smaller than Sun 2 is older than Jina
3 is the strongest boy in the class
4 the worst experience of my life
5 the most beautiful voice of the three
6 bigger than 7 more interesting than
8 the youngest child 9 more popular than
10 the most useful book
11 most happy → happiest 12 more hot → hotter
13 him → his idea(his) 14 highest → the highest
15 importanter → important

기출에서 뽑은 난이도별 서술형 문제 pp.130~131

01 (1) a long nose (2) usually eat
(3) something cold
02 (1) bigger than (2) the smallest
03 (1) well (2) fast
04 (1) hardly → hard
(2) interestinger → more interesting
05 (1) older than (2) the heaviest
06 (1) I want to eat something sweet.
(2) It is the tallest building in the world.
07 longest → longer
08 (1) I usually wake up early.
(2) I sometimes eat dinner at home.
09 (1) is the most popular
(2) is more popular than
10 go usually → usually go

함정이 있는 문제

01 lately → late
02 This cake is sweeter than that cake.
03 newer than yours

01 (1) 형용사 long이 명사 nose를 앞에서 수식해 준다.
(2) 빈도부사 usually는 일반동사 앞에 위치한다.
(3) something처럼 -thing으로 끝나는 대명사는 형용사가 뒤에서 수식한다.

02 (1) 멜론이 오렌지보다 더 크므로 big의 비교급 표현 bigger than을 쓴다.
(2) 딸기가 셋 중에서 가장 작은 과일이므로 small의 최상급 표현 the smallest를 쓴다.

03 (1) 그녀가 훌륭한 피아니스트라는 의미의 문장을 부사 well을 사용하여 그녀가 피아노를 잘 친다는 의미의 문장으로 쓸 수 있다.
(2) Sue가 빠른 주자라는 의미의 문장을 부사 fast를 사용하여 Sue가 빨리 달린다는 의미의 문장으로 쓸 수 있다.
해석 |예시| James는 주의 깊은 운전자이다.
→ James는 주의 깊게 운전한다.

04 (1) '열심히'의 의미를 가진 부사는 hard이다. hardly는 '거의 ~ 않다'의 의미이다.
(2) interesting의 비교급은 more interesting이다.

05 (1) 미나가 유라보다 더 나이가 많으므로 older than을 쓴다.
(2) 유라가 셋 중에서 가장 몸무게가 많이 나가는 여자아이이므로 the heaviest를 쓴다.
해석 (1) 미나는 유라보다 더 나이가 많다.
(2) 유라는 셋 중에서 가장 몸무게가 무거운 여자아이이다.

06 (1) something은 형용사가 뒤에서 수식한다.
(2) 「the+최상급+명사+in+비교 범위」의 어순으로 쓴다.

07 than이 있고 둘을 비교하고 있으므로 비교급 longer가 알맞다.
해석 A 너와 네 언니 중에서 누가 머리카락이 더 기니?
B 내 머리카락이 언니의 머리카락보다 더 길어.

08 (1) 6일 중 4일을 일찍 일어나므로 usually를 사용한다.
(2) 6일 중 2일을 집에서 저녁을 먹으므로 sometimes를 사용한다
해석 (1) 나는 보통 일찍 일어난다.
(2) 나는 때때로 집에서 저녁을 먹는다.

09 (1) 축구가 우리 반에서 가장 인기 있는 스포츠이므로 the most popular를 사용한다.
(2) 야구가 농구보다 더 인기 있으므로 more popular를 사용한다.

10 빈도부사는 주로 일반동사 앞에 쓴다.

함정이 있는 문제

02 해석 이 케이크는 저 케이크보다 더 달콤하다.

시험에 강해지는 실전 TEST pp.132~134

01 ② 02 ② 03 ①, ② 04 ② 05 ③
06 ② 07 ③ 08 ① 09 ③ 10 ②

서술형 1 (1) faster than (2) the fastest
서술형 2 (1) easy (2) easily (3) easier
서술형 3 (1) shorter than (2) younger than
서술형 4 (1) always should → should always
(2) important something
→ something important
서술형 5 (1) I sometimes play the cello.
(2) I often read books.
(3) I always take a walk after dinner.
서술형 6 I want to eat something spicy.
서술형 7 It was more expensive than mine.
서술형 8 ⓐ → The hippo is slower than the giraffe.
ⓓ → The cheetah is the fastest animal of the three.
서술형 9 ⓑ → But I woke up late today.
서술형 10 It was the worst day of my life.

01 첫 번째 문장에는 동사 jump를 수식할 수 있는 부사가, 두 번째 문장에는 be동사의 보어 역할을 할 수 있는 형용사가 와야 한다. 부사와 형용사로 모두 쓰일 수 있으며 내용상 알맞은 단어는 high이다.
해석 • 개구리는 높이 뛸 수 있다.
• 이 휴대 전화들의 가격은 매우 높다.

02 뒤에 than이 있고 오늘 기온이 어제보다 높으므로 빈칸에는 hot의 비교급 hotter가 알맞다.
해석 오늘은 섭씨 33도이다. 어제는 섭씨 30도였다.
→ 오늘은 어제보다 더 덥다.

03 앞에 more가 있으므로 빈칸에는 more를 붙여 비교급을 만드는 형용사 useful, popular, expensive가 들어갈 수 있다.
해석 이 카메라는 저 카메라보다 더 ________.
① 크다 ② 싸다 ③ 유용하다 ④ 인기 있다 ⑤ 비싸다

04 빈도부사 always는 조동사 뒤, 일반동사 앞에 쓴다.
해석 너는 항상 방과 후에 나를 방문해도 된다.

05 주어진 말을 배열하여 문장을 쓰면 There is something strange in my room.이 된다.

06 ② '늦게'의 뜻을 가진 부사는 late이며, lately는 '최근에'라는 뜻이다.

07 ③ bad의 비교급은 worse이다.
해석 ① 미라는 지호보다 더 일찍 일어난다.
② Kate는 넷 중에서 가장 똑똑한 학생이다.
④ 오늘은 내 인생에서 가장 신나는 날이다.
⑤ 이 케이크는 저 케이크보다 더 맛있다.

08 B는 수영을 못 한다고 했으므로 never가 알맞고, A는 일주일에 3~4번 수영장에 간다고 했으므로 often이 알맞다.
해석 A 너는 얼마나 자주 수영하러 가니?
B 나는 전혀 수영하러 가지 않아. 나는 수영을 못해. 너는 어때?
A 나는 자주 수영하러 가. 나는 일주일에 3~4번 수영장에 가.

09 ③ -thing으로 끝나는 대명사는 형용사가 뒤에서 수식하므로 something new로 고쳐야 한다.
해석 ① 새 몇 마리가 하늘에서 높이 날고 있다.
② 그 아기는 빨리 걸을 수 있다.
④ 소풍 가기에 완벽한 날이다.
⑤ 우리는 매우 열심히 노래를 연습했다.

10 ⓑ well의 비교급은 better이다.
ⓒ 빈도부사 usually는 일반동사 앞에 써야 한다.
해석 ⓐ 그녀는 매우 화가 났다.
ⓓ 바티칸시국은 세계에서 가장 작은 나라이다.
ⓔ 중국어를 배우는 것은 영어를 배우는 것보다 더 어렵다.

서술형 1 (1) 기차가 버스보다 더 빠르므로 faster than을 쓴다.
(2) Daniel이 넷 중에서 가장 빠른 주자이므로 the fastest를 쓴다.

서술형 2 (1) be동사 뒤에서 주어를 설명하는 보어로 형용사 easy가 알맞다.
(2) 동사 solved를 수식하는 부사 easily가 알맞다.
(3) 뒤에 than이 있으므로 비교급 easier가 알맞다.
해석 (1) 그 시험은 쉬웠다.
(2) 그녀는 그 문제를 쉽게 풀었다.
(3) 이메일을 보내는 것은 편지를 보내는 것보다 더 쉽다.

서술형 3 (1) 'Jim은 Erica보다 키가 더 크다'는 말은 tall의 반의어 short를 사용하여 'Erica는 Jim보다 키가 더 작다'는 말로 바꿔 쓸 수 있다.
(2) 'Julie는 Ben보다 나이가 더 많다'는 말은 old의 반의어 young을 사용하여 'Ben은 Julie보다 나이가 더 어리다'는 말로 바꿔 쓸 수 있다.

서술형 4 (1) 빈도부사 always는 조동사 뒤에 와야 한다.
(2) -thing으로 끝나는 대명사는 형용사가 뒤에서 수식한다.
해석 (1) 우리는 항상 안전 규칙을 따라야 한다.
(2) 너는 오늘 중요한 무언가를 배웠다.

서술형 5 빈도부사는 일반동사 앞에 쓴다.
(1) 첼로 연주를 주 1~2회 하고 있으므로 sometimes를 쓴다.
(2) 독서를 주 4회 하고 있으므로 often을 쓴다.
(3) 산책을 매일 하고 있으므로 always를 쓴다.
해석 (1) 나는 때때로 첼로를 연주한다.
(2) 나는 자주 책을 읽는다.

(3) 나는 항상 저녁 식사 후에 산책을 한다.

서술형 6 -thing으로 끝나는 대명사는 형용사가 뒤에서 수식하므로 '매운 무언가'는 something spicy로 쓴다.
해석 A 너는 점심으로 무엇을 먹고 싶니?
B 나는 매운 무언가를 먹고 싶어.

서술형 7 expensive의 비교급은 more expensive이며, '네 가방이 내 것보다 비싸다'는 내용이 되어야 하므로 than 뒤에 mine을 쓴다.
해석 A 네 책가방은 얼마였니?
B 35달러였어.
A 우와! 내 것보다 더 비쌌네. 내 책가방은 28달러였어.

서술형 8 ⓐ 하마가 기린보다 더 느리므로 slower가 알맞다.
ⓓ 치타가 셋 중에서 가장 빠른 동물이므로 fastest가 알맞다.
해석 ⓑ 기린은 치타보다 더 느리다.
ⓒ 하마는 셋 중에서 가장 무거운 동물이다.
ⓔ 기린은 치타보다 더 무겁다.

[서술형 9~10] 해석 일기장에게,
나는 오늘 좋지 않은 날이었어. 나는 보통 일찍 일어나. 하지만 나는 오늘 늦게 일어났어. 나는 빠르게 뛰었어. 하지만 나는 학교에 늦었어. 집에 가는 길에 비가 내리기 시작했어. 그런데 나는 우산을 가지고 있지 않았어. 나는 젖었어. 오늘은 내 인생에서 최악의 날이었어.

서술형 9 ⓑ '최근에'가 아니라 '늦게'의 뜻이 되어야 하므로 late가 알맞다.

서술형 10 bad의 최상급은 worst이며 '최악의'라는 뜻이다.

CHAPTER 11 여러 가지 문장

Unit 1 명령문, 청유문, 감탄문

✔ 바로 개념 확인하기 p.137

A 1 Listen 2 Be 3 Don't 4 be late
B 1 Let's take 2 Let's eat 3 Let's not go 4 Let's not make
C 1 How 2 What 3 How 4 What

서술형 기본 유형 익히기 pp.137~138

1 Be quiet
2 Don't cross
3 Let's help
4 What a kind boy
5 How delicious
6 Don't play games
7 Let's go swimming this weekend.
8 What an amazing experience it was!
9 Not let's → Let's not
10 Do → Be
11 How → What
12 Get up early tomorrow.
13 Don't be rude to him.
14 What a difficult question it is!
15 How shocking the news is!

Unit 2 부가의문문

✔ 바로 개념 확인하기 p.140

A 1 isn't 2 did 3 don't 4 can 5 they 6 she
B 1 isn't 2 she 3 can't 4 didn't 5 won't 6 did she

서술형 기본 유형 익히기 pp.140~141

1 isn't it 2 does she 3 is it 4 did they

5 didn't he　　6 will come, won't he
7 know him, don't you　　8 can't use this, can we
9 are your friends, aren't they
10 didn't go to the concert, did they
11 do → don't　　12 aren't → don't
13 does → did　　14 doesn't → isn't
15 No → Yes

기출에서 뽑은 난이도별 서술형 문제　pp.142~143

01 (1) Open (2) Don't turn off (3) Let's play
02 (1) How smart (2) What, big
03 (1) What (2) did
04 Yes, is
05 (1) How cute the dog is!
(2) Helen doesn't have a boyfriend, does she?
06 (1) can't she, Yes, she can
(2) does he, No, he doesn't
07 ⓑ → do
08 isn't it, it is, How
09 (1) Put trash (2) Don't pick the flowers.
(3) Don't ride your kick scooter.
10 ⓐ → Let's not, ⓔ → doesn't he

함정이 있는 문제

01 Be quiet in public places.
02 What an expensive car it is!
03 do you, No, I don't

01 (1) '~하라'는 뜻의 긍정 명령문은 동사원형으로 시작한다.
(2) '~하지 마라'는 뜻의 부정 명령문은 「Don't+동사원형 ~.」의 형태로 쓴다.
(3) '~하자'는 뜻의 청유문은 「Let's+동사원형 ~.」으로 나타낸다.

02 (1) 뒤에 주어와 동사가 왔으므로 형용사를 강조하는 How 감탄문을 쓴다.
(2) 뒤에 명사가 왔으므로 명사를 강조하는 What 감탄문을 쓴다.
해석 (1) 그 여자아이는 매우 똑똑하다.
→ 그 여자아이는 정말 똑똑하구나!
(2) 그것은 정말 큰 햄버거이다. → 그것은 정말 큰 햄버거구나!

03 (1) 뒤에 「an+형용사+명사」가 왔으므로 What 감탄문이 알맞다.
(2) 앞 문장의 동사가 과거형이므로 부가의문문의 동사도 과거형으로 써야 한다.
해석 (1) 정말 오래된 휴대 전화구나!
(2) Henry는 밖에 나가지 않았지, 그렇지?

04 부가의문문에 답할 때, 대답의 내용이 긍정이면 Yes로 답한다.
해석 **A** 이것은 너의 책이 아니지, 그렇지?
B 아니, 나의 책이야.

05 (1) How 감탄문은 「How+형용사/부사+주어+동사!」의 형태로 쓴다.
(2) 문장의 끝에 「동사+주어(대명사)?」 형태의 부가의문문을 쓴다.

06 (1) 앞 문장이 조동사 can의 긍정문이고 주어가 3인칭 여성 단수이므로 can't she가 알맞고, 그림으로 보아 긍정의 대답이 알맞다.
(2) 앞 문장이 일반동사 현재형의 부정문이고 주어가 3인칭 남성 단수이므로 does he가 알맞고, 그림으로 보아 부정의 대답이 알맞다.
해석 (1) **A** Jennifer는 바이올린을 연주할 수 있지, 그렇지 않니?
B 응, 연주할 수 있어.
(2) **A** Jason은 학교에 걸어가지 않지, 그렇지?
B 응, 걸어가지 않아.

07 ⓑ 앞 문장이 부정문이므로 긍정의 부가의문문으로 써야 한다.
해석 **수미** 영화를 보지 않을래?
Eric 좋아. 너는 액션 영화를 좋아하지 않지, 그렇지?
수미 응, 좋아하지 않아. 나는 공포 영화를 좋아해.
Eric 알았어. 그럼 공포 영화를 보자.

08 앞 문장이 be동사 현재형의 긍정문이므로 부가의문문은 isn't it이 알맞다. / Yes로 답했으므로 it is가 알맞다. / 뒤에 형용사가 왔으므로 How 감탄문이 알맞다.
해석 **A** Daniel, 이 책을 교실에서 찾았어. 이거 네 거지, 그렇지 않니?
B 응, 맞아. 나는 온종일 그걸 찾고 있었어. 너는 정말 친절하구나! 고마워.
A 천만에.

09 긍정 명령문은 동사원형으로 시작하고, 부정 명령문은 「Don't+동사원형 ~.」의 형태로 쓴다.
(1) 쓰레기통에 쓰레기를 버리라는 내용의 긍정 명령문을 쓴다.
(2) 꽃을 꺾지 말라는 내용의 부정 명령문을 쓴다.
(3) 킥보드를 타지 말라는 내용의 부정 명령문을 쓴다.

10 ⓐ Let's의 부정문은 Let's 뒤에 not을 써서 나타낸다.
ⓔ 앞 문장이 긍정문이므로 부정의 부가의문문을 써야 한다.
해석 ⓑ 정말 멋진 광경이구나!
ⓒ Susan은 오늘 올 수 없지, 그렇지?

ⓓ 그 콘서트는 훌륭하지 않았지, 그렇지?

함정이 있는 문제

02 해석 그것은 정말 비싼 차이다. → 그것은 정말 비싼 차구나!

03 해석 **A** 너는 매운 음식을 좋아하지 않지, 그렇지?
B 응, 좋아하지 않아. 나는 매운 음식을 먹을 수 없어.

시험에 강해지는 실전 TEST pp.144~146

01 ④ **02** ③, ④ **03** ① **04** ③ **05** ④
06 ⑤ **07** ① **08** ④ **09** ① **10** ⑤

서술형 **1** (1) can't you (2) did he (3) don't you
서술형 **2** (1) Don't go into (2) Let's take
서술형 **3** (1) How hard she studied!
(2) What a big shopping mall this is!
서술형 **4** (1) didn't you, No, I didn't
(2) does she, Yes, she does
서술형 **5** (1) How delicious (2) What an interesting
서술형 **6** Yes, they did. → No, they didn't.
서술형 **7** (1) What a pretty
(2) How expensive
서술형 **8** (1) Don't take pictures here.
(2) Take off your jacket and shoes.
(3) Put all your items in the basket.
서술형 **9** What a beautiful day it is!
서술형 **10** ⓒ → going, ⓔ → Don't

01 앞 문장이 조동사 will의 긍정문이므로 will의 부정형으로 부가의문문을 쓴다.
해석 그녀는 은행에 갈 거지, 그렇지 않니?

02 Let's는 제안할 때 쓸 수 있는 표현으로, How about ~?, Why don't we ~? 등의 표현으로 바꿔 쓸 수 있다.
해석 공원에 가자.
① 공원에 가라.
② 우리는 공원에 가니?
③ 공원에 가는 게 어때?
④ 공원에 가지 않을래?
⑤ 우리는 공원에 가지 않을 거지, 그렇지?

03 뒤에 이어지는 말로 보아 '아니, 가입하기를 원해.'라는 대답이 와야 하므로 긍정의 대답을 해야 한다.
해석 **A** 너는 학교 밴드에 가입하는 것을 원하지 않지, 그렇지?
B 아니, 가입하기를 원해. 나는 드럼을 연주하고 싶어.

04 should not이므로 부정 명령문으로 바꿔 쓸 수 있다. 부정 명령문은 「Don't+동사원형 ~.」의 형태로 쓴다.
해석 너는 긴장하면 안 된다.
③ 긴장하지 마라.

05 ① 앞 문장이 긍정문이므로 부정의 부가의문문인 isn't he를 써야 한다.
② 앞 문장이 부정문이므로 긍정의 부가의문문인 do you를 써야 한다.
③ 부가의문문의 주어는 앞 문장의 주어를 대명사로 바꿔 써야 하므로 can she로 쓴다.
⑤ 앞 문장의 동사가 과거형이면 부가의문문의 동사도 과거형으로 써야 하므로 didn't they로 쓴다.
해석 ④ 그 영화는 재미있지 않았지, 그렇지?

06 ⑤에는 What이 들어가고, 나머지에는 모두 How가 들어간다.
해석 ① 너는 정말 빨리 배우는구나!
② 그녀는 정말 놀랍구나!
③ 그 책은 정말 두껍구나!
④ 그 남자아이는 정말 귀엽구나!
⑤ 그것은 정말 비싼 셔츠들이구나!

07 의문문의 어순은 「의문사+동사+주어 ~?」이고, How 감탄문의 어순은 「How+형용사/부사+주어+동사!」이다.
해석 **A** 너는 얼마나 키가 크니?
B 나는 170cm야.
A 우와! 너는 정말 키가 크구나!

08 ⓐ isn't ⓑ is ⓒ didn't ⓓ will ⓔ didn't
해석 ⓐ 그는 화가 났지, 그렇지 않니?
ⓑ 그녀는 바쁘지 않지, 그렇지?
ⓒ Jason은 어제 미소를 만났지, 그렇지 않니?
ⓓ 그들은 영화를 보러 가지 않을 거지, 그렇지?
ⓔ 너는 어젯밤에 쓰레기를 내다 버렸지, 그렇지 않니?

09 ① speak는 일반동사이므로 앞에 Be동사를 쓰지 않는다. (→ Speak slowly.)
해석 ② 그것은 정말 슬픈 이야기구나!
③ 너무 많이 이야기하지 말자.
④ 그는 정말 아름답게 춤추는구나!
⑤ 학교에 걸어가지 않을래?

10 첫 번째 문장은 뒤에 「주어+동사」가 왔으므로 What을 How로 바꿔 How clever the boy is!로 써야 하며, 두 번째 문장은 뒤에 「명사+주어+동사」가 왔으므로 How를 What으로 바꿔 What a nice car he has!로 써야 한다. 어법상 올바른 문장은 아래 세 문장으로 옆의 알파벳인 t, p, e로 만들 수 있는 단어는 pet이다.
해석 그 콘서트는 정말 좋았구나! (t)
그 게임은 정말 지루하구나! (p)
그녀는 정말 비싼 반지를 가졌구나! (e)

서술형 **1** (1) 앞 문장이 조동사 can의 긍정문이므로 can't you가 알맞다.

(2) 앞 문장이 일반동사 과거형의 부정문이고 주어가 3인칭 남성 단수이므로 did he가 알맞다.
(3) 앞 문장이 일반동사 현재형의 긍정문이고 주어가 you이므로 don't you가 알맞다.
해석 (1) 너는 중국어를 말할 수 있지, 그렇지 않니?
(2) Jake는 너에게 전화하지 않았지, 그렇지?
(3) 너는 파티를 하길 원하지, 그렇지 않니?

서술형 2 (1) 부정 명령문은 「Don't+동사원형 ~.」의 형태로 쓴다.
(2) 청유문은 「Let's+동사원형 ~.」의 형태로 쓴다.

서술형 3 (1) How 감탄문은 「How+형용사/부사+주어+동사!」의 어순으로 쓴다.
(2) What 감탄문은 「What+a(n)+형용사+명사+주어+동사!」의 어순으로 쓴다.

서술형 4 (1) 앞 문장이 일반동사 과거형의 긍정문이고 주어가 you이므로 didn't you가 알맞다. 이어지는 내용으로 보아 부정의 대답이 알맞다.
(2) 앞 문장이 일반동사 현재형의 부정문이고 주어가 3인칭 여성 단수이므로 does she가 알맞다. 이어지는 내용으로 보아 긍정의 대답이 알맞다.
해석 (1) **A** 너는 설거지를 했지, 그렇지 않니?
B 아니, 하지 않았어. 나중에 할게.
(2) **A** Tiffany는 애완동물이 없지, 그렇지?
B 아니, 있어. 그녀는 고양이가 있어.

서술형 5 (1) How 감탄문은 「How+형용사/부사+주어+동사!」의 어순으로 쓴다.
(2) What 감탄문은 「What+a(n)+형용사+명사+주어+동사!」의 어순으로 쓴다.
해석 (1) 나는 이 파스타가 정말 좋아. 이것은 정말 맛있구나!
(2) 나는 어제 이 책을 읽었어. 그것은 정말 재미있는 이야기였어!

서술형 6 캠핑하러 가지 않고 낚시하러 갔었다는 내용이므로 부정의 대답을 써야 한다.

서술형 7 (1) 뒤에 명사가 나오므로 What 감탄문이 알맞다.
(2) 뒤에 「주어+동사」가 나오므로 How 감탄문이 알맞다.
해석 **A** 이봐, 이것 좀 봐.
B 우와! 그것은 정말 예쁜 스웨터구나!
A 10만 원이네.
B 그것은 정말 비싸구나!
A 응. 너무 비싸.

서술형 8 (1) 사진을 찍으면 안 된다는 내용이므로 부정 명령문으로 쓴다.
(2) 재킷과 신발을 벗어야 한다는 내용이므로 긍정 명령문으로 쓴다.
(3) 소지품을 바구니에 넣어야 한다는 내용이므로 긍정 명령문으로 쓴다.
해석 (1) 너는 여기서 사진을 찍으면 안 된다.
(2) 너는 네 재킷과 신발을 벗어야 한다.
(3) 너는 바구니에 너의 모든 물건들을 넣어야 한다.

[서술형 9~10] 해석 **A** 봐! 정말 아름다운 날이야.
B 너는 밖에 나가는 걸 원하지, 그렇지 않니?
A 응, 원해!
B 공원에 가는 게 어때?
A 좋아. 지금 당장 가자!
B 오, 기다려! 네 선글라스를 잊지 마라. 해가 강해.

서술형 9 What 감탄문은 「What+a(n)+형용사+명사+주어+동사!」의 어순으로 쓴다.

서술형 10 ⓒ How about 다음에는 동명사가 와야 한다.
ⓔ 부정 명령문은 「Don't+동사원형 ~.」의 형태로 쓴다.

CHAPTER 12 접속사와 전치사

Unit 1 접속사

✔ 바로 개념 확인하기 p.149

A	1 but	2 singing	3 or	
B	1 When	2 that	3 after	4 If
C	1 that	2 before	3 but	4 Because

서술형 기본 유형 익히기 pp.149~150

1 warm but windy
2 spring and winter
3 before the movie started
4 that he is a good player
5 If you are busy
6 was spicy but delicious
7 enjoy traveling and climbing
8 believe that she told the truth
9 Because he is sick
10 When I was ten
11 taking → take
12 that → after
13 if → that 또는 if 삭제
14 That → When
15 will be → is

전치사

✔ 바로 개념 확인하기 p.152

A 1 on 2 at 3 in

B 1 next to 2 in front of 3 on 4 behind 5 in

C 1 in 2 at 3 for 4 on

서술형 기본 유형 익히기 pp.152~153

1 at night
2 in August
3 for ten hours
4 in front of the theater
5 between my uncle and my brother
6 enjoy swimming in summer
7 will meet me on Tuesday
8 visited Germany during summer vacation
9 is in this building
10 wanted to sit next to me
11 on → in 12 at → in 13 during → for
14 in front → in front of 15 or → and

기출에서 뽑은 난이도별 서술형 문제 pp.154~155

01 (1) or (2) and (3) but
02 during, for
03 (1) She said that she didn't go camping.
(2) I believe that he will tell the truth.
04 (1) on → at (2) at → in
05 (1) in front of, under (2) next to, between
06 When I was young, I lived in Seoul.
07 (1) if she doesn't run (2) that Somi is smart
(3) because she wants to buy a laptop
08 (1) next to (2) in front of (3) between, and
09 (1) after he cleaned his room
(2) before he played computer games
10 ⓓ → during, ⓔ → rains

함정이 있는 문제

01 play → playing
02 If I go to France this winter, I'll meet Louise.
03 is on April 15

01 (1) 선택 사항을 연결할 때는 접속사 or를 쓴다.
(2) '~와'는 접속사 and를 쓴다.
(3) 상반되는 내용을 연결할 때는 접속사 but을 쓴다.

02 during과 for는 모두 '~ 동안'의 의미이지만 during은 뒤에 특정 기간을 나타내는 말이 오고, for는 숫자를 포함하는 구체적인 기간이 온다.
해석 A 너는 겨울 방학 동안 무엇을 했니?
B 나는 2주 동안 제주도에 갔어.

03 각각 said와 believe 뒤에 목적어절을 이끄는 접속사 that을 사용하여 두 문장을 연결한다.
해석 (1) 그녀는 캠핑하러 가지 않았다. 그녀는 그것을 말했다.
→ 그녀는 캠핑하러 가지 않았다고 말했다.
(2) 그는 진실을 말할 것이다. 나는 그것을 믿는다.
→ 나는 그가 진실을 말할 것이라고 믿는다.

04 (1) 시각을 나타낼 때는 전치사 at을 쓴다.
(2) '오후'를 나타낼 때는 전치사 in을 사용한다.
해석 (1) 3시에 만나자.
(2) 오후에 날씨가 맑을 것이다.

05 (1) 개가 소파 앞에 있으므로 in front of를 쓴다. 책은 탁자 아래에 있으므로 under를 쓴다.
(2) 개가 소파 옆에 있으므로 next to를 쓴다. 책은 컵과 사과 사이에 있으므로 between을 쓴다.

06 '~할 때'의 의미로 접속사 when을 쓰고, 도시와 같이 넓은 장소 앞에 전치사 in을 쓴다. 부사절 뒤에는 콤마(,)를 쓴다.

07 (1) '~하면'의 의미로 접속사 if를 쓴다.
(2) 접속사 that이 이끄는 절이 문장에서 think의 목적어 역할을 하도록 쓴다.
(3) '~하기 때문에'의 의미로 접속사 because를 쓴다.
해석 (1) 지윤이는 뛰지 않으면 늦을 것이다.
(2) 지윤이는 소미가 똑똑하다고 생각한다.
(3) 지윤이는 노트북을 사는 것을 원하기 때문에 돈을 모으고 있다.

08 (1) 빵집은 우체국 옆에 있으므로 next to를 쓴다.
(2) 버스 정류장은 은행 앞에 있으므로 in front of를 쓴다.
(3) 병원은 식당과 공원 사이에 있으므로 between과 and를 쓴다.

09 해석 (1) 지호는 방 청소를 한 후에 저녁 식사를 했다.
(2) 지호는 컴퓨터 게임을 하기 전에 저녁 식사를 했다.

10 ⓓ 특정 기간 앞에는 for가 아닌 during을 쓴다.
ⓔ 조건의 부사절이 미래를 나타낼 때는 부사절의 동사를 현재형으로 쓴다.

해석 ⓐ 너는 커피를 원하니, 아니면 차를 원하니?

ⓑ 나의 삼촌은 뉴질랜드에 산다.

ⓒ 선생님께서는 Mark가 거짓말을 했다는 것을 아신다.

함정이 있는 문제

01 해석 나의 취미는 노래 부르는 것과 피아노 연주하는 것이다.

시험에 강해지는 실전 TEST pp.156~158

01 ②	02 ③	03 ③	04 ④	05 ①
06 ④	07 ③	08 ⑤	09 ③	10 ③

서술형 1 (1) in front of (2) next to (3) under

서술형 2 (1) before you go to bed
(2) because I was thirsty

서술형 3 on, at, in, in front of

서술형 4 (1) I believe that he is polite.
(2) Because it was raining, she took her umbrella. / She took her umbrella because it was raining.

서술형 5 (1) in (2) on (3) for

서술형 6 will exercise → exercises, 미래, 현재

서술형 7 We think that friends are important.

서술형 8 (1) after she watches TV
(2) before she goes to bed

서술형 9 ⓐ on, ⓑ and

서술형 10 Before her mom came home, she made dinner.

01 시각 앞에는 전치사 at을 쓰고, 요일 앞에는 전치사 on을 쓴다.
해석 • 4시 30분에 만나자.
• 나는 월요일에 수영 강습이 있을 것이다.

02 연도, 계절, 월, 저녁 앞에는 모두 전치사 in을 쓰지만 요일 앞에는 전치사 on을 쓰므로 Sunday는 들어갈 수 없다.
해석 그 축제는 ______에 있을 것이다.
① 2030년 ② 겨울 ③ 일요일 ④ 9월 ⑤ 저녁

03 ⓐ 숫자를 포함한 구체적인 기간 앞에는 for를 쓴다.
ⓑ 전치사 in이 사물이나 장소를 나타내는 말 앞에 쓰이면 '~ 안에'를 뜻한다.
ⓒ 하루의 때 앞에는 at을 쓴다.
ⓓ 연도 앞에는 in을 쓴다.
해석 ⓐ 나는 두 시간 동안 열심히 공부했다.
ⓑ 그 그림들은 상자 안에 있다.
ⓒ 그녀는 정오에 수영하러 갔다.
ⓓ 세종대왕은 1443년에 한글을 창제했다.

04 집에 6시에 와서 7시에 저녁을 먹었으므로 '집에 온 후에 저녁을 먹었다'는 의미의 문장으로 바꿔 쓸 수 있다.

05 ① 등위접속사 and는 앞뒤로 대등한 요소를 연결해야 하므로 rain을 rainy로 고쳐야 한다.
해석 ② 나는 아프기 때문에 학교에 갈 수 없다.
③ 나는 Jake가 친절하고 예의 바르다고 생각한다.
④ 너는 파란색과 빨간색 중에서 어떤 색을 더 좋아하니?
⑤ 만약 네가 도움이 필요하면 내가 도와줄게.

06 ④ 월 앞에는 전치사 in을 쓴다.
해석 ① A 너는 어디에 사니?
B 나는 부산에 살아.
② A 네 교실은 어디에 있니?
B 2층에 있어.
③ A 너는 보통 몇 시에 일어나니?
B 나는 보통 7시에 일어나.
⑤ A 너는 얼마 동안 여기에 머물 거니?
B 나는 여기에 2주 동안 머물 거야.

07 ③ '~ 때문에'라는 뜻의 접속사는 because이므로 before를 because로 써야 한다.

08 ⑤는 동사의 목적어가 있는 완전한 문장이므로 명사절을 이끄는 접속사 that이 들어갈 수 없다.
해석 ① 나는 Sam이 수학을 잘한다고 생각한다.
② 나는 Peter가 정직하다고 믿지 않는다.
③ Kate는 Nick이 그녀에게 화가 난 것을 모른다.
④ 선생님께서 우리가 또 늦으면 안 된다고 말씀하셨다.

09 장난감 가게는 커피숍과 화장실 사이에 있으므로 between이 알맞고, 엘리베이터는 화장실 옆에 있으므로 next to가 알맞다.
해석 A 실례합니다, 장난감 가게는 어디에 있나요?
B 그것은 커피숍과 화장실 사이에 있어요.
A 알겠어요. 그리고 엘리베이터는 어디에 있나요?
B 그것은 화장실 옆에 있어요.

10 ③은 '언제'라는 뜻의 의문사로 쓰였고, 나머지는 모두 '~할 때'라는 뜻의 접속사로 쓰였다.
해석 ① 나는 어렸을 때 키가 크지 않았다.
② 네가 피곤할 때, 너는 쉴 필요가 있다.
③ 너는 언제 이 도시를 떠날 거니?
④ 그들이 그 소식을 들었을 때, 그들은 웃었다.
⑤ 내가 그를 방문했을 때, 그는 책을 읽고 있었다.

서술형 1 (1) 책가방은 책장 앞에 있으므로 in front of를 쓴다.
(2) 책장은 책상 옆에 있으므로 next to를 쓴다.
(3) 축구공은 책상 아래에 있으므로 under를 쓴다.

서술형 2 (1) '~하기 전에'의 의미로 접속사 before를 쓴다.
(2) '~ 때문에'의 의미로 접속사 because를 쓴다.

서술형 3 요일 앞에는 전치사 on을 쓰며, 시각 앞에는 전치사

at을 쓴다. 내용상 쇼핑몰 안에 있는 CGV라고 말해야 자연스러우므로 전치사 in을 쓰며, 매표소 앞에서 만나자고 말해야 자연스러우므로 '~ 앞에'의 뜻인 in front of를 쓴다.

해석 A 금요일에 영화 보러 가자.

B 좋아.

A CGV에서 5시에 만나는 게 어때?

B CGV가 두 개잖아. 어떤 CGV?

A 쇼핑몰 안에 있는 CGV.

B 아, 알겠어. 매표소 앞에서 만나자.

서술형 4 (1) believe 뒤에 목적어절을 이끄는 접속사 that을 사용하여 두 문장을 연결한다.

(2) 이유를 나타내는 문장 앞에 because를 써서 두 문장을 연결한다. 부사절은 주절 앞이나 뒤에 모두 올 수 있다.

해석 (1) 그는 예의 바르다. 나는 그것을 믿는다.

→ 나는 그가 예의 바르다고 믿는다.

(2) 그녀는 우산을 가지고 갔다. 비가 내리고 있었다.

→ 비가 내리고 있었기 때문에, 그녀는 우산을 가지고 갔다.

서술형 5 (1) 도시 앞에는 전치사 in을 쓴다.

(2) 특정한 날짜 앞에는 전치사 on을 쓴다.

(3) 숫자를 포함한 구체적인 기간 앞에는 전치사 for를 쓴다.

해석 부산에서 영화 축제가 있을 것이다. 그 축제는 10월 7일에 시작한다. 그것은 10일 동안 계속된다. 너는 축제 동안 유명한 영화감독들을 만날 수 있다.

서술형 6 조건의 부사절이 미래를 나타내는 경우, 부사절의 동사를 현재형으로 써야 한다.

해석 만약 그녀가 열심히 운동한다면, 그녀는 더 건강할 것이다.

서술형 7 think 뒤에 목적어절을 이끄는 접속사 that을 사용하여 쓴다.

서술형 8 (1) 지나는 TV를 본 후에 요가를 한다.

(2) 지나는 잠자리에 들기 전에 샤워를 한다.

[서술형 9~10] 해석 Olivia는 어머니의 날에 그녀의 엄마를 행복하게 만들기를 원했다. 그녀는 약간의 카네이션을 사고 카드를 만들었다. 그녀의 엄마가 집에 오시기 전에 그녀는 저녁을 만들었다. 그녀의 엄마가 집에 도착하셨을 때, 이 모든 것을 보시고 행복해하셨다. Olivia도 행복했다.

서술형 9 ⓐ 특정한 날 앞에는 전치사 on을 쓴다.

ⓑ 카네이션을 사고 카드를 만들었다는 내용이므로 '그리고'의 의미인 접속사 and가 알맞다.

서술형 10 '~하기 전에'의 의미로 접속사 before를 쓴다.

제 3 회 누적 TEST pp.159~160

01 ⑤ 02 ⑤ 03 ③ 04 ⑤ 05 ⑤

06 ③ 07 ⑤ 08 ①

09 (1) Math is difficult, isn't it?

(2) What a nice picture it is!

(3) My mom bought me a new bike.

10 (1) in front of, next to (2) between, behind

11 ⓓ → How fast

12 (1) It will start at 4 (o'clock).

(2) It will be at(in) the school library.

13 ⓐ → Don't be late.

14 When I'm free, I always watch soccer games.

15 if → that

01 수여동사 make는 간접목적어를 직접목적어 뒤로 보낼 때 간접목적어 앞에 전치사 for를 쓴다. 숫자를 포함한 기간 앞에는 전치사 for를 쓴다.

해석 • Tina는 그녀의 친구들에게 쿠키를 만들어 주었다.

• 나는 10일 동안 캐나다에 갈 것이다.

02 ⑤는 「How+형용사/부사+주어+동사!」 형태의 감탄문이므로 How가 들어가고, 나머지는 「What+(a/an)+형용사+명사+주어+동사!」 형태의 감탄문이므로 What이 들어간다.

해석 ① 정말 큰 풍선이구나!

② 정말 좋은 차구나!

③ 정말 예쁜 신발이구나!

④ 정말 좋은 생각이구나!

⑤ 그녀는 정말 아름답구나!

03 ③ 부가의문문의 주어는 앞 문장의 주어를 대명사로 바꿔 써야 하므로 부가의문문의 Jack을 he로 고쳐야 한다.

04 하루의 때 앞에는 전치사 at을 쓴다. / 요일 앞에는 전치사 on을 쓴다. / 장소의 한 지점 앞에는 전치사 at을 쓴다.

해석 • 나는 보통 정오에 점심을 먹는다.

• Jennifer는 월요일마다 기타 수업을 받는다.

• 많은 학생들이 버스 정류장에서 버스를 기다리고 있다.

05 ⑤ C는 셋 중에서 가장 비싼 노트북이므로 the most expensive로 써야 한다.

해석 ① A는 C보다 더 싸다.

② B는 C보다 더 무겁다.

③ C는 B보다 더 비싸다.

④ A는 셋 중에서 가장 무겁다.

⑤ C는 셋 중에서 가장 싸다.

06 ③ 내용상 Andy와 내가 함께 저녁 식사를 할 것이라는 의미이므로 and가 알맞다.

해석 ① 네가 말하기 전에 두 번 생각해라.
② 나는 한가할 때 음악을 듣는다.
④ 나는 아팠기 때문에 학교에 가지 않았다.
⑤ 네가 비옷을 입는다면 비에 젖지 않을 것이다.

07 |보기|와 ⑤는 '~할 때'라는 뜻의 접속사로 쓰였다. 나머지는 모두 '언제'라는 뜻의 의문사로 쓰였다.
해석 |보기| 네가 밖에 나갈 때 전등을 꺼라.
① 네 생일은 언제니?
② 너는 언제 그 소식을 들었니?
③ 그 콘서트는 언제 시작하니?
④ 너는 보통 언제 수영하러 가니?
⑤ 네가 그녀를 봤을 때 그녀는 책을 읽고 있었니?

08 ⓑ 수여동사 give는 「give+간접목적어+직접목적어」 또는 「give+직접목적어+to+간접목적어」의 어순으로 쓰므로 Mom a birthday card 또는 a birthday card to Mom으로 쓴다.
ⓓ -thing으로 끝나는 대명사는 형용사가 뒤에서 수식한다.
ⓔ 앞 문장이 긍정문이므로 부정의 부가의문문을 써야 한다.
해석 ⓐ 나는 한 달 동안 거기에 머물렀다.
ⓒ 나는 그 영화가 재미있다는 것을 알았다.

09 (1) 앞 문장이 be동사의 긍정문인 경우 be동사의 부정형으로 부가의문문을 쓴다.
(2) What 감탄문은 「What+a(n)+형용사+명사+주어+동사!」의 어순으로 쓴다.
(3) 수여동사 뒤에는 전치사가 없으면 「간접목적어+직접목적어」 순으로 쓴다.

10 (1) 지호는 아빠 앞에 있으므로 in front of를 쓰고, 아빠는 엄마 옆에 있으므로 next to를 쓴다.
(2) 지호는 개와 엄마 사이에 있으므로 between을 쓰고, 아빠는 개 뒤에 있으므로 behind를 쓴다.

11 What 뒤에 부사가 왔으므로 What을 How로 고쳐야 한다. How 감탄문은 「How+형용사/부사+주어+동사!」의 형태로 쓴다.
해석 **A** 세상에서 가장 빠른 동물은 무엇이니? 추측할 수 있니?
B 말이겠지, 그렇지 않니?
A 아니, 그렇지 않아. 치타는 말보다 더 빨라. 그것은 3초에 100미터를 달려.
A 그것은 정말 빨리 달리는구나!

12 동아리 모임은 학교 도서관에서 4시에 있을 예정이다. 시각 앞과 장소의 한 지점 앞에는 전치사 at을 쓰고, 어떤 장소의 내부를 나타낼 때는 전치사 in을 쓴다.
해석 (1) **A** 동아리 모임은 언제 시작할 거니?
B 4시에 시작할 거야.
(2) **A** 동아리 모임은 어디에서 있을 거니?
B 학교 도서관에서 있을 거야.

13 ⓐ 부정 명령문은 「Don't+동사원형 ~.」의 형태로 써야 한다.
해석 학급 규칙
ⓑ 선생님 말씀을 주의 깊게 들어라.
ⓒ 숙제를 해라.
ⓓ 교실을 깨끗하게 유지해라.

[14~15] 해석 나는 축구를 좋아한다. 나는 한가할 때 항상 축구 경기를 본다. 나는 방과 후에 자주 축구를 한다. 나는 축구를 하는 것이 재미있다고 생각한다.

14 접속사 when는 '~할 때'의 의미이며, 빈도부사 always는 '항상'의 의미로 일반동사 앞에 쓴다.

15 think의 목적어 역할을 하는 that절이 와야 하므로 if를 that으로 써야 한다.

WORKBOOK ANSWERS

CHAPTER 01 be동사

Unit 1 be동사의 현재형 p.2

A 1 am 2 are 3 are
4 is 5 is 6 are
7 is 8 are

B 1 I am(I'm) not sleepy now.
2 Your book is not(isn't) on the shelf.
3 Her cats are not(aren't) healthy.
4 Is this Sora's house?
5 Are you hungry?
6 Are Tom and Jack at the park?

Unit 2 be동사의 과거형 p.3

A 1 was 2 was 3 was
4 were 5 was 6 were
7 were 8 were

B 1 The firefighter was tired.
2 Minho and I were at the library.
3 I was not(wasn't) thirsty after jogging.
4 We were not(weren't) in New York last month.
5 Were the problems difficult?
6 Was the clock on the table?

CHAPTER 02 일반동사

Unit 1 일반동사의 현재형 p.4

A 1 has 2 like
3 goes 4 cries
5 studies 6 brushes
7 enjoys 8 take

B 1 I do not(don't) have brown hair.
2 Susan does not(doesn't) practice the guitar.
3 Mary and Jake do not(don't) like horror movies.
4 Does John teach English?
5 Does our winter vacation start in November?
6 Do they need new notebooks?

Unit 2 일반동사의 과거형 p.5

A 1 ran 2 swam 3 taught
4 met 5 lost 6 gave
7 felt 8 took 9 bought
10 did 11 cut 12 won
13 flew 14 found 15 dropped
16 read

B 1 The man drove fast.
2 My brother went to bed late.
3 I did not(didn't) eat spicy food.
4 She did not(didn't) enjoy the rock concert.
5 Did Jake do his homework?
6 Did the students visit the museum last Friday?

CHAPTER 03 진행형과 미래 표현

Unit 1 현재진행형과 과거진행형 p.6

A 1 is sitting
2 are having
3 was studying
4 are taking
5 was listening

B 1 Tony is going to school.
2 It was raining in Seoul.
3 Steve is not(isn't) reading a comic book.
4 The children were not(weren't) playing with their toys.
5 Are they wearing Halloween costumes?
6 Was my dog lying on the bed?

Unit 2 미래를 나타내는 will과 be going to p.7

A 1 will buy
2 are going to watch
3 is going to drive
4 will visit
5 is going to eat

B 1 The show will not(won't) start at 7.
2 My dad is not(isn't) going to take a nap at home.
3 Will you finish the science project soon?
4 Is she going to wear a green dress tonight?
5 I will write my report.
6 Eric and Tom are going to bring their tent.

CHAPTER 04 명사와 수량 표현

Unit 1 셀 수 있는 명사와 셀 수 없는 명사 p.8

A 1 boys 2 teeth 3 leaves
4 classes 5 children 6 ladies
7 potatoes 8 women 9 roofs
10 knives 11 benches 12 pianos
13 babies 14 cows 15 men
16 feet

B 1 five slices of cheese
2 two cups of coffee
3 three bowls of soup
4 two bottles of water
5 a pair of socks
6 three pieces of paper

Unit 2 명사의 수량 표현, There is/are p.9

A 1 little juice
2 some ice cream
3 a few benches
4 many students
5 few friends

B 1 There is little water
2 didn't drink any milk
3 There is a lot of bread
4 My grandma puts a little honey
5 There are some people

CHAPTER 05 조동사

Unit 1 can, may

p.10

A 1 can sing
2 may(can) use
3 can read
4 may have
5 Can, wash
6 May(Can), fly

B 1 You may not touch the paintings.
2 Can the woman drive a bus?
3 You may bring your pet here.
4 He is able to carry heavy boxes alone.
5 We will be able to join the festival.

Unit 2 must, have to, should

p.11

A 1 must be
2 should read
3 have to answer
4 shouldn't drink
5 don't have to wash

B 1 Jessica must not turn on the machine.
2 David doesn't have to wait for his sister.
3 My dad has to work this weekend.
4 You should not(shouldn't) use paper bags.
5 She had to come back home by 10.

CHAPTER 06 의문사

Unit 1 who, what, which

p.12

A 1 Who(m)
2 What color
3 Who
4 Whose pants
5 What
6 Which

B 1 Who invented
2 Whose house
3 What did he buy
4 What song
5 Which do you want

Unit 2 when, where, why, how

p.13

A 1 Where
2 How
3 When
4 Why
5 How long
6 How many

B 1 Where is
2 Why did Betty call
3 When did you watch
4 How did the dog get
5 How often does she meet

CHAPTER 07 to부정사

Unit 1 to부정사의 명사적 용법 p.14

A 1 To cook
2 It, to save
3 is to be
4 want to talk
5 promised to meet
6 decided not to say

B 1 Do you want to borrow my notebook?
2 His goal is to become a vet.
3 It is good to jog in the morning.
4 It is boring to stay at home all day.
5 The boy promised not to run on the stairs.

Unit 2 to부정사의 형용사적·부사적 용법 p.15

A 1 some bread to eat
2 excited to go
3 her glasses to read
4 a good program to watch
5 pleased to meet
6 called Amy to ask

B 1 He exercises every day to stay healthy.
2 She is looking for someone to help her.
3 Jerry jumped in order to catch a ball.
4 I was happy to read his new novel.
5 Sam doesn't have money to buy the camera.

CHAPTER 08 동명사

Unit 1 동명사의 형태와 역할 p.16

A 1 driving a truck
2 painting pictures
3 Drinking a lot of water
4 Hunting bears is
5 Making good friends is

B 1 His hobby is playing online games.
2 Growing vegetables is hard work.
3 His bad habit is sleeping late
4 Studying all night isn't good
5 Drawing flowers is her favorite activity.
6 My job is walking dogs

Unit 2 동명사의 역할·관용 표현 p.17

A 1 gave up losing
2 mind waiting
3 went shopping
4 am interested in writing
5 is busy cleaning

B 1 How about taking the subway?
2 She doesn't feel like going to the party.
3 Mary enjoys singing in her free time.
4 Linda is good at cooking Korean food.
5 He stopped reading the book.

CHAPTER 09 문장의 구조

Unit 1 목적어가 필요한 문장 p.18

A 1 showed the man her ticket
2 buy my friend a pencil case
3 asked his teacher some questions
4 sent some flowers to me
5 made a hat for me
6 told the news to his sister

B 1 I'll lend my umbrella to you.
2 Mike will teach English to Jiho.
3 Namho bought a wallet for his father.
4 Mr. Cruise showed his new house to us.
5 I cooked bulgogi for the guests.

Unit 2 보어가 필요한 문장 p.19

A 1 The tomato sauce tastes sour.
2 The song made me excited.
3 She found the blog useful.
4 People call her Mia.
5 His first movie made him a star.

B 1 looks beautiful
2 sounds terrible
3 call her Ann
4 keep you warm
5 looks like cotton candy

CHAPTER 10 형용사와 부사

Unit 1 형용사와 부사 p.20

A 1 high
2 hard
3 always, carefully
4 usually, late

B 1 a very famous scientist
2 heard something funny
3 usually takes a shower in the morning
4 is always kind to animals
5 should always lock the door
6 will never change her hairstyle

Unit 2 비교급과 최상급 p.21

A 1 sadder, saddest
2 busier, busiest
3 more important, most important
4 nicer, nicest
5 better, best
6 more exciting, most exciting
7 harder, hardest
8 worse, worst

B 1 the oldest building
2 the highest mountain
3 heavier than his backpack
4 faster than Kate
5 the most delicious food
6 more popular than the red bags

CHAPTER 11 여러 가지 문장

Unit 1 명령문, 청유문, 감탄문

p.22

A 1 Close
2 Don't be nervous
3 Let's make
4 Let's not take
5 How boring
6 What a beautiful garden

B 1 Be careful with fire.
2 Don't touch that switch.
3 Let's not play basketball.
4 What a handsome man he is!
5 How pretty the doll is!

Unit 2 부가의문문

p.23

A 1 are they
2 does he
3 doesn't she
4 aren't you
5 wasn't it
6 won't you
7 didn't you
8 did he
9 aren't they
10 can they

B 1 These computers are expensive, aren't they?
2 This chair doesn't look comfortable, does it?
3 Dogs can swim well, can't they?
4 You won't meet him tomorrow, will you?
5 Billy was interested in musicals, wasn't he?

CHAPTER 12 접속사와 전치사

Unit 1 접속사

p.24

A 1 or 2 but 3 that
4 After 5 because 6 when

B 1 Before the sun comes up
2 After I walked my dog
3 If you are free
4 Because it was hot in the room
5 said that the old car was his
6 When you go out

Unit 2 전치사

p.25

A 1 on 2 at 3 for
4 in 5 on 6 during
7 at

B 1 behind the teacher
2 saw your cap under the table
3 the guitar next to the piano
4 a picture in front of the building
5 are sitting on the bench
6 between the park and the bakery

서술형에 더 강해지는 중학 영문법

Answers LEVEL 1

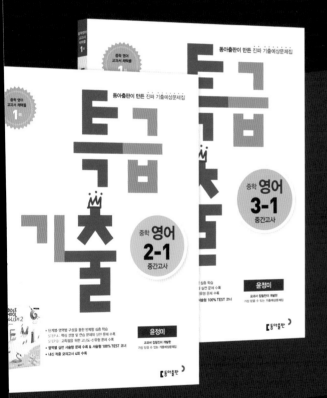

서술형에

더 강해지는

중학 영문법

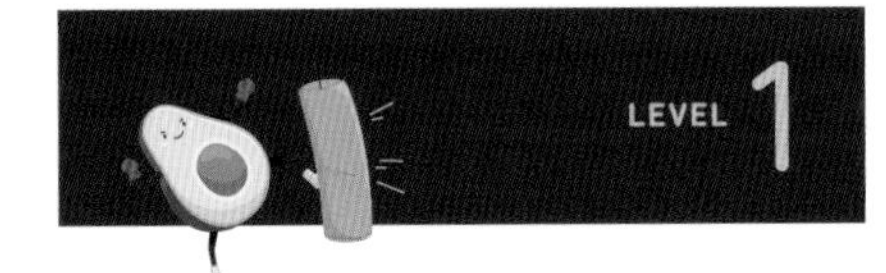

서술형에 더 강해지는 중학 영문법

문장 쓰기 WORKBOOK

LEVEL 1

동아출판

서술형에 더 강해지는 중학 영문법

문장 쓰기
WORKBOOK
LEVEL 1

Unit 1 be동사의 현재형

A am, are, is 중 알맞은 것 쓰기

1 I __________ in the first grade.

2 You __________ a good student.

3 We __________ in a coffee shop.

4 It __________ her English textbook.

5 The tea __________ very hot.

6 The dogs __________ big and strong.

7 Sujin __________ my classmate.

8 Kate and I __________ in the same club.

B be동사 현재형의 부정문과 의문문 써 보기

1 I am sleepy now. (부정문으로 쓸 것)

→ ______________________________

2 Your book is on the shelf. (부정문으로 쓸 것)

→ ______________________________

3 Her cats are healthy. (부정문으로 쓸 것)

→ ______________________________

4 This is Sora's house. (의문문으로 쓸 것)

→ ______________________________

5 You are hungry. (의문문으로 쓸 것)

→ ______________________________

6 Tom and Jack are at the park. (의문문으로 쓸 것)

→ ______________________________

Unit 2 be동사의 과거형

A was, were 중 알맞은 것 쓰기

1 I __________ sick yesterday.

2 The movie __________ interesting.

3 My English teacher __________ kind.

4 My parents __________ busy last week.

5 The restaurant __________ full yesterday.

6 Sue and I __________ 12 years old last year.

7 The children __________ on the playground.

8 Eric and Mark __________ good friends.

B 지시에 맞게 바꿔 쓰기

1 The firefighter is tired. (과거형을 사용할 것)

→ ____

2 I was at the library. (주어를 Minho and I로 바꿔 다시 쓸 것)

→ ____

3 I was thirsty after jogging. (부정문으로 쓸 것)

→ ____

4 We were in New York last month. (부정문으로 쓸 것)

→ ____

5 The problems were difficult. (의문문으로 쓸 것)

→ ____

6 The clock was on the table. (의문문으로 쓸 것)

→ ____

Unit 1 일반동사의 현재형

A 주어진 동사의 현재형 쓰기

1 My uncle __________ a lot of old CDs. (have)

2 My cats __________ cheese and milk. (like)

3 The moon __________ around the earth. (go)

4 My little sister __________ a lot. (cry)

5 Jiho __________ in the library after school. (study)

6 She __________ her hair every morning. (brush)

7 Mr. Park __________ winter sports. (enjoy)

8 Kelly and I __________ cello lessons on Fridays. (take)

B 일반동사의 부정문과 의문문 써 보기

1 I have brown hair. (부정문으로 쓸 것)

→ ______________________________

2 Susan practices the guitar. (부정문으로 쓸 것)

→ ______________________________

3 Mary and Jake like horror movies. (부정문으로 쓸 것)

→ ______________________________

4 John teaches English. (의문문으로 쓸 것)

→ ______________________________

5 Our winter vacation starts in November. (의문문으로 쓸 것)

→ ______________________________

6 They need new notebooks. (의문문으로 쓸 것)

→ ______________________________

Unit 2 일반동사의 과거형

A 일반동사의 과거형 쓰기

1 run – ____________
2 swim – ____________
3 teach – ____________
4 meet – ____________
5 lose – ____________
6 give – ____________
7 feel – ____________
8 take – ____________
9 buy – ____________
10 do – ____________
11 cut – ____________
12 win – ____________
13 fly – ____________
14 find – ____________
15 drop – ____________
16 read – ____________

B 지시에 맞게 바꿔 쓰기

1 The man drives fast. (과거형으로 바꿀 것)
→ ____________________________

2 My brother goes to bed late. (과거형으로 바꿀 것)
→ ____________________________

3 I ate spicy food. (부정문으로 바꿀 것)
→ ____________________________

4 She enjoyed the rock concert. (부정문으로 바꿀 것)
→ ____________________________

5 Jake did his homework. (의문문으로 바꿀 것)
→ ____________________________

6 The students visited the museum last Friday. (의문문으로 바꿀 것)
→ ____________________________

Unit 1 현재진행형과 과거진행형

A 주어진 말 활용하여 진행형 문장 완성하기

1 미소가 내 앞에 앉아 있다. (sit)
→ Miso __________ __________ in front of me.

2 그 남자들이 식당에서 점심을 먹고 있다. (have)
→ The men __________ __________ lunch at the restaurant.

3 그는 1시간 전에 그의 방에서 공부하고 있었다. (study)
→ He __________ __________ in his room an hour ago.

4 Amy와 나는 산책을 하고 있다. (take)
→ Amy and I __________ __________ a walk.

5 나는 어젯밤에 라디오를 듣고 있었다. (listen)
→ I __________ __________ to the radio last night.

B 지시에 맞게 바꿔 쓰기

1 Tony goes to school. (현재진행형으로 쓸 것)
→ ______________________________

2 It rained in Seoul. (과거진행형으로 쓸 것)
→ ______________________________

3 Steve is reading a comic book. (부정문으로 쓸 것)
→ ______________________________

4 The children were playing with their toys. (부정문으로 쓸 것)
→ ______________________________

5 They are wearing Halloween costumes. (의문문으로 쓸 것)
→ ______________________________

6 My dog was lying on the bed. (의문문으로 쓸 것)
→ ______________________________

Unit 2 미래를 나타내는 will과 be going to

A 주어진 말 활용하여 미래를 나타내는 문장 완성하기

1 Janet은 내일 새 운동화를 살 것이다. (buy, will)

→ Janet ________ ________ new sneakers tomorrow.

2 우리는 영화를 볼 것이다. (going to, watch)

→ We ________ ________ ________ ________ a movie.

3 그 남자는 트럭을 운전할 것이다. (drive, going to)

→ The man ________ ________ ________ ________ a truck.

4 나는 할머니댁을 방문할 것이다. (visit, will)

→ I ________ ________ my grandmother.

5 Peter는 샌드위치를 먹을 것이다. (going to, eat)

→ Peter ________ ________ ________ ________ a sandwich.

B 지시에 맞게 바꿔 쓰기

1 The show will start at 7. (부정문으로 쓸 것)

→ ________________________________

2 My dad is going to take a nap at home. (부정문으로 쓸 것)

→ ________________________________

3 You will finish the science project soon. (의문문으로 쓸 것)

→ ________________________________

4 She is going to wear a green dress tonight. (의문문으로 쓸 것)

→ ________________________________

5 I'm going to write my report. (will을 사용하여 의미가 같도록 바꿔 쓸 것)

→ ________________________________

6 Eric and Tom will bring their tent. (be going to를 사용하여 의미가 같도록 바꿔 쓸 것)

→ ________________________________

Unit 1 셀 수 있는 명사와 셀 수 없는 명사

A 명사의 복수형 쓰기

1 boy – ____________

2 tooth – ____________

3 leaf – ____________

4 class – ____________

5 child – ____________

6 lady – ____________

7 potato – ____________

8 woman – ____________

9 roof – ____________

10 knife – ____________

11 bench – ____________

12 piano – ____________

13 baby – ____________

14 cow – ____________

15 man – ____________

16 foot – ____________

B 물질명사의 수량 표현 사용하여 문장 완성하기

1 그들은 치즈 다섯 장을 먹었다. (slice, cheese)
→ They ate ____________________.

2 그녀는 커피 두 잔을 주문했다. (cup, coffee)
→ She ordered ____________________.

3 나는 수프 세 그릇을 만들었다. (bowl, soup)
→ I made ____________________.

4 Brian은 하루에 물 두 병을 마신다. (bottle, water)
→ Brian drinks ____________________ a day.

5 내 남동생은 양말 한 켤레를 바구니에 넣었다. (pair, sock)
→ My brother put ____________________ in the basket.

6 너는 연필 한 자루와 종이 세 장이 필요하다. (piece, paper)
→ You need a pencil and ____________________.

Unit 2 명사의 수량 표현, There is/are

A |보기|에서 알맞은 수량 표현 골라 문장 완성하기 (|보기|의 표현은 한 번씩만 사용할 것)

|보기| many some little few a few

1 병에 주스가 거의 없다. (juice)
→ There is ______________________ in the bottle.

2 너는 아이스크림을 좀 먹을래? (ice cream)
→ Do you want ______________________?

3 그 공원에 몇몇 벤치들이 있다. (bench)
→ There are ______________________ in the park.

4 스쿨버스 안에 많은 학생들이 있다. (student)
→ There are ______________________ on the school bus.

5 그는 학교에서 친구가 거의 없다. (friend)
→ He has ______________________ at school.

B 주어진 말 배열하여 문장 완성하기

1 사막에 물이 거의 없다. (little, is, water, there)
→ ______________________________________ in the desert.

2 그녀는 우유를 전혀 마시지 않았다. (any, drink, milk, didn't)
→ She ______________________________________.

3 쟁반 위에 빵이 많이 있다. (a lot of, is, bread, there)
→ ______________________________________ on the tray.

4 나의 할머니는 차에 꿀을 조금 넣으신다. (a little, puts, honey, my grandma)
→ ______________________________________ in her tea.

5 극장에 몇몇 사람들이 있다. (some, are, people, there)
→ ______________________________________ in the theater.

Unit 1 can, may

A can 또는 may와 주어진 말 사용하여 문장 완성하기

1 그는 몇몇 팝송을 부를 수 있다. (sing)
→ He ___________ ___________ some pop songs.

2 너는 내 테니스 라켓을 사용해도 된다. (use)
→ You ___________ ___________ my tennis racket.

3 Fred는 프랑스어를 읽을 수 있다. (read)
→ Fred ___________ ___________ French.

4 Jenny가 네 모자를 갖고 있을지도 모른다. (have)
→ Jenny ___________ ___________ your cap.

5 설거지 좀 해 줄래? (wash)
→ ___________ you ___________ the dishes?

6 제가 여기에서 드론을 날려도 되나요? (fly)
→ ___________ I ___________ a drone here?

B 지시에 맞게 바꿔 쓰기

1 You may touch the paintings. (부정문으로 쓸 것)
→ ____

2 The woman can drive a bus. (의문문으로 쓸 것)
→ ____

3 You can bring your pet here. (may를 사용하여 의미가 같도록 바꿔 쓸 것)
→ ____

4 He can carry heavy boxes alone. (be able to를 사용하여 의미가 같도록 바꿔 쓸 것)
→ ____

5 We can join the festival. (will을 추가한 미래 표현으로 바꿔 쓸 것)
→ ____

Unit 2 must, have to, should

A |보기|에서 알맞은 조동사 골라 주어진 말 활용하여 문장 완성하기 (|보기|의 표현은 한 번씩만 사용할 것)

|보기| should must have to shouldn't don't have to

1 그 남자는 그 소식에 행복할 게 틀림없다. (be)
→ The man ______________ happy at the news.

2 너는 그 책을 다시 읽는 게 좋겠다. (read)
→ You ______________ the book again.

3 학생들은 질문에 영어로 답해야 한다. (answer)
→ The students ______________ the questions in English.

4 너는 이 우유를 마시면 안 된다. (drink)
→ You ______________ this milk.

5 나는 오늘 빨래를 할 필요가 없다. (wash)
→ I ______________ the clothes today.

B 지시에 맞게 바꿔 쓰기

1 Jessica must turn on the machine. (부정문으로 쓸 것)
→ ______________

2 David has to wait for his sister. (부정문으로 쓸 것)
→ ______________

3 My dad must work this weekend. (have to를 사용하여 의미가 같도록 바꿔 쓸 것)
→ ______________

4 You should use paper bags. (부정문으로 쓸 것)
→ ______________

5 She must come back home by 10. (과거 표현으로 바꿔 쓸 것)
→ ______________

Unit 1 who, what, which

A 의문사 사용하여 밑줄 친 부분을 묻는 의문문 완성하기

1 A ________ did she visit yesterday?
B She visited her uncle.

2 A ________ ________ is your smartphone?
B It is red.

3 A ________ watched the movie?
B Mary watched it.

4 A ________ ________ are those?
B They're Minho's pants.

5 A ________ does she study at the university?
B She studies math.

6 A ________ do you prefer, skiing or snowboarding?
B I prefer snowboarding.

B 의문사와 주어진 말 사용하여 문장 완성하기

1 누가 안경을 발명했니? (invent)
→ ________ ________ glasses?

2 이것은 누구의 집이니? (house)
→ ________ ________ is this?

3 그는 상점에서 무엇을 샀니? (buy)
→ ________ ________ ________ ________ at the store?

4 너는 무슨 노래를 듣고 있니? (song)
→ ________ ________ are you listening to?

5 너는 피자와 스파게티 중에서 어느 것을 원하니? (want)
→ ________ ________ ________ ________, pizza or spaghetti?

Unit 2 when, where, why, how

A 의문사 사용하여 밑줄 친 부분을 묻는 의문문 완성하기

1 A __________ did he plant the tree?
B He planted it in the backyard.

2 A __________ did she get to the airport?
B She took a taxi.

3 A __________ will he go to the hospital?
B He'll go there tomorrow.

4 A __________ are you happy?
B Because I got a present.

5 A __________ __________ did you live in Seoul?
B I lived there for three years.

6 A __________ __________ comic books do you have?
B I have ten comic books.

B 의문사와 주어진 말 활용하여 문장 완성하기

1 네 여동생은 지금 어디에 있니? (be)
→ __________ __________ your sister now?

2 Betty는 왜 너에게 전화를 했니? (call)
→ __________ __________ __________ __________ you?

3 너는 언제 그 영화를 봤니? (watch)
→ __________ __________ __________ __________ the movie?

4 그 개는 어떻게 밖에 나갔니? (the dog, get)
→ __________ __________ __________ __________ __________ outside?

5 그녀는 얼마나 자주 Paul을 만나니? (meet)
→ __________ __________ __________ __________ __________ Paul?

Unit 1 to부정사의 명사적 용법

A to부정사를 사용하여 문장 완성하기

1 라면을 요리하는 것은 쉽다. (cook)

→ __________ __________ ramen is easy.

2 물을 절약하는 것은 중요하다. (save)

→ __________ is important __________ __________ water.

3 나의 꿈은 유명한 음악가가 되는 것이다. (be)

→ My dream __________ __________ __________ a famous musician.

4 나는 그녀에게 이야기하는 것을 원하지 않는다. (want, talk)

→ I don't __________ __________ __________ to her.

5 우리는 서점에서 만나기로 약속했다. (promise, meet) *시제 주의

→ We __________ __________ __________ at the bookstore.

6 재민이는 어떤 것도 말하지 않기로 결정했다. (decide, say) *시제 주의

→ Jaemin __________ __________ __________ __________ anything.

B 주어진 말 배열하여 문장 쓰기

1 너는 내 공책을 빌리는 것을 원하니? (to, my notebook, do, borrow, want, you)

→ ____

2 그의 목표는 수의사가 되는 것이다. (a vet, to, is, become, his goal)

→ ____

3 아침에 조깅하는 것은 좋다. (jog, in the morning, it, to, good, is)

→ ____

4 하루 종일 집에 머무는 것은 지루하다. (is, all day, stay, boring, at home, to, it)

→ ____

5 그 남자아이는 계단에서 뛰지 않겠다고 약속했다. (on the stairs, not, run, promised, to, the boy)

→ ____

Unit 2 to부정사의 형용사적·부사적 용법

A to부정사를 사용하여 문장 완성하기

1 나는 먹을 약간의 빵을 가지고 왔다. (some bread, eat)
→ I brought ____________ ____________ ____________ ____________.

2 우리는 캠핑을 가서 신이 났다. (excited, go)
→ We were ____________ ____________ ____________ camping.

3 나의 할머니는 신문을 읽기 위해 안경을 썼다. (her glasses, read)
→ My grandma wore ____________ ____________ ____________ ____________ the newspaper.

4 오늘 밤에 볼 좋은 프로그램이 있다. (a good program, watch)
→ There is ____________ ____________ ____________ ____________ ____________ tonight.

5 나는 Susan을 만나서 기뻤다. (pleased, meet)
→ I was ____________ ____________ ____________ Susan.

6 Daniel은 질문을 하기 위해 Amy에게 전화를 했다. (call, Amy, ask) *시제 주의
→ Daniel ____________ ____________ ____________ ____________ a question.

B 주어진 말 배열하여 문장 쓰기

1 그는 건강을 유지하지 위해 매일 운동한다. (stay healthy, to, he, every day, exercises)
→ ____

2 그녀는 그녀를 도와줄 누군가를 찾고 있다. (someone, her, help, she, to, looking for, is)
→ ____

3 Jerry는 공을 잡기 위해 점프했다. (order, a ball, jumped, Jerry, to, in, catch)
→ ____

4 나는 그의 새 소설을 읽어서 행복했다. (read, happy, his new novel, I, to, was)
→ ____

5 Sam은 그 카메라를 살 돈이 없다. (to, have, the camera, Sam, money, buy, doesn't)
→ ____

Unit 1 동명사의 형태와 역할

A 동명사를 사용하여 문장 완성하기

1 나의 삼촌의 일은 트럭을 운전하는 것이다. (drive, a truck)

→ My uncle's job is ________ ________ ________.

2 Eric의 취미는 그림을 그리는 것이다. (paint, pictures)

→ Eric's hobby is ________ ________.

3 물을 많이 마시는 것은 좋은 습관이다. (drink, a lot of water)

→ ________ ________ ________ ________ ________ is a good habit.

4 곰을 사냥하는 것은 위험하다. (hunt, bears)

→ ________ ________ ________ dangerous.

5 좋은 친구를 사귀는 것은 어렵다. (make, good friends)

→ ________ ________ ________ ________ difficult.

B 주어진 말 배열하여 문장 완성하기

1 그의 취미는 온라인 게임을 하는 것이다. (playing, is, online games, his hobby)

→ ________________________________

2 채소를 재배하는 것은 힘든 일이다. (is, hard work, vegetables, growing)

→ ________________________________

3 그의 나쁜 습관은 밤에 늦게 자는 것이다. (is, sleeping, late, his bad habit)

→ ________________________________ at night.

4 밤새 공부하는 것은 건강에 좋지 않다. (all night, isn't, studying, good)

→ ________________________________ for your health.

5 꽃을 그리는 것은 그녀가 가장 좋아하는 활동이다. (is, flowers, her favorite activity, drawing)

→ ________________________________

6 나의 일은 오후에 개를 산책시키는 것이다. (is, dogs, walking, my job)

→ ________________________________ in the afternoon.

Unit 2 동명사의 역할·관용 표현

A |보기|에서 알맞은 말 골라 문장 완성하기

|보기|	clean	shop	write	wait	lose

1 소라는 살을 빼는 것을 포기했다. (give up) *시제 주의

→ Sora ________ ________ ________ weight.

2 밖에서 잠시 기다려 주시겠어요? (mind)

→ Would you ________ ________ outside for a moment?

3 내 여동생은 선물을 사기 위해 쇼핑하러 갔다. (go) *시제 주의

→ My sister ________ ________ to buy presents.

4 나는 이야기를 쓰는 것에 관심이 있다. (interested)

→ I ________ ________ ________ ________ stories.

5 그녀는 그녀의 방을 청소하느라 바쁘다. (busy)

→ She ________ ________ ________ her room.

B 동명사와 주어진 말 사용하여 문장 쓰기

1 지하철을 타는 게 어때? (how, take the subway)

→ ____

2 그녀는 파티에 가고 싶지 않다. (feel, go to the party)

→ ____

3 Mary는 여가 시간에 노래하는 것을 즐긴다. (enjoy, sing, in her free time)

→ ____

4 Linda는 한국 음식을 요리하는 것을 잘한다. (good, cook, Korean food)

→ ____

5 그는 그 책을 읽는 것을 멈췄다. (stop, read, the book) *시제 주의

→ ____

Unit 1 목적어가 필요한 문장

A 주어진 말 배열하여 문장 완성하기

1 Alice는 남자에게 표를 보여주었다. (her ticket, showed, the man)

→ Alice ______________________________.

2 나는 내 친구에게 필통을 사 줄 것이다. (my friend, buy, a pencil case)

→ I will ______________________________.

3 그는 그의 선생님께 몇 가지 질문을 했다. (some questions, his teacher, asked)

→ He ______________________________.

4 그녀는 나에게 약간의 꽃들을 보냈다. (me, sent, to, some flowers)

→ She ______________________________.

5 나의 할머니는 나에게 모자를 만들어 주셨다. (for, a hat, me, made)

→ My grandmother ______________________________.

6 그는 그의 여동생에게 그 소식을 말했다. (his sister, told, to, the news)

→ He ______________________________.

B 전치사 to나 for를 사용하여 같은 의미의 문장으로 바꿔 쓰기

1 I'll lend you my umbrella.

→ ______________________________

2 Mike will teach Jiho English.

→ ______________________________

3 Namho bought his father a wallet.

→ ______________________________

4 Mr. Cruise showed us his new house.

→ ______________________________

5 I cooked the guests bulgogi.

→ ______________________________

Unit 2 보어가 필요한 문장

A 주어진 말 배열하여 문장 쓰기

1 그 토마토소스는 신맛이 난다. (sour, tastes, the tomato sauce)
→ ____________________

2 그 노래는 나를 신나게 만들었다. (excited, made, me, the song)
→ ____________________

3 그녀는 그 블로그가 매우 유용하다는 것을 알았다. (useful, the blog, found, she)
→ ____________________

4 사람들은 그녀를 Mia라고 부른다. (Mia, call, people, her)
→ ____________________

5 그의 첫 번째 영화는 그를 스타로 만들었다. (a star, made, his first movie, him)
→ ____________________

B 주어진 말 활용하여 문장 완성하기

1 그 드레스는 아름다워 보인다. (look, beautiful)
→ The dress ____________________.

2 그 사고는 끔찍하게 들린다. (sound, terrible)
→ The accident ____________________.

3 그녀의 친구들은 그녀를 Ann이라고 불렀다. (call, Ann)
→ Her friends ____________________.

4 이 외투는 너를 따뜻하게 유지해 줄 것이다. (keep, warm)
→ This coat will ____________________.

5 그 구름은 솜사탕처럼 보인다. (look, cotton candy)
→ The cloud ____________________.

Unit 1 형용사와 부사

A |보기|에서 알맞은 말 골라 문장 완성하기

|보기|	hard	high	late	carefully	usually	always

1 비행기가 하늘 높이 날아갔다.

→ The plane flew __________ into the sky.

2 달팽이는 딱딱한 껍질을 가지고 있다.

→ Snails have __________ shells.

3 나의 아버지는 항상 조심스럽게 운전하신다.

→ My father __________ drives __________.

4 수미는 대개 늦게 잠자리에 든다.

→ Sumi __________ goes to bed __________.

B 주어진 말 배열하여 문장 완성하기

1 Bill은 매우 유명한 과학자이다. (scientist, a, very, famous)

→ Bill is ____.

2 그녀는 TV 쇼에서 재미있는 무언가를 들었다. (something, heard, funny)

→ She ____________________________________ on the TV show.

3 그는 대개 아침에 샤워를 한다. (takes, usually, in the morning, a shower)

→ He ____.

4 Frank는 동물들에게 항상 친절하다. (to animals, kind, is, always)

→ Frank ____.

5 너는 항상 문을 잠가야 한다. (lock, should, always, the door)

→ You ____.

6 Jessica는 결코 그녀의 머리 모양을 바꾸지 않을 것이다. (never, will, her hairstyle, change)

→ Jessica ____.

Unit 2 비교급과 최상급

A 비교급과 최상급 형태 쓰기

1 sad – ________ – ________

2 busy – ________ – ________

3 important – ________ – ________

4 nice – ________ – ________

5 good – ________ – ________

6 exciting – ________ – ________

7 hard – ________ – ________

8 bad – ________ – ________

B 주어진 말 활용하여 비교급과 최상급 문장 완성하기

1 이 학교는 그 도시에서 가장 오래된 건물이다. (old, building)
→ This school is ________ in the city.

2 한라산은 한국에서 가장 높은 산이다. (high, mountain)
→ Mt. Halla is ________ in Korea.

3 내 책가방이 그의 책가방보다 더 무겁다. (heavy, backpack)
→ My backpack is ________.

4 Judy가 Kate보다 더 빠르게 자전거를 탔다. (fast)
→ Judy rode her bike ________.

5 그 파스타는 이 식당에서 가장 맛있는 음식이다. (delicious, food)
→ The pasta is ________ in this restaurant.

6 이 가게에서 파란 가방들이 빨간 가방들보다 더 인기 있다. (popular, the red bags)
→ The blue bags are ________ in this store.

Unit 1 명령문, 청유문, 감탄문

A 주어진 말 활용하여 명령문, 청유문 또는 감탄문 완성하기

1 창문을 닫아라. (close)

→ ________ the window.

2 무대에서 긴장하지 마라. (nervous)

→ ________ ________ ________ on the stage.

3 함께 피자를 만들자. (make)

→ ________ ________ pizza together.

4 엘리베이터를 타지 말자. (take)

→ ________ ________ ________ the elevator.

5 이 책은 정말 지루하구나! (boring)

→ ________ ________ this book is!

6 그것은 정말 아름다운 정원이구나! (beautiful, garden)

→ ________ ________ ________ ________ it is!

B 지시에 맞게 바꿔 쓰기

1 You should be careful with fire. (명령문으로 바꿀 것)

→ ______________________________

2 You shouldn't touch that switch. (명령문으로 바꿀 것)

→ ______________________________

3 Let's play basketball. (부정문으로 바꿀 것)

→ ______________________________

4 He is a very handsome man. (what을 사용한 감탄문으로 바꿀 것)

→ ______________________________

5 The doll is really pretty. (how를 사용한 감탄문으로 바꿀 것)

→ ______________________________

Unit 2 부가의문문

A 빈칸에 알맞은 부가의문문 쓰기

1 They aren't students, __________ __________?

2 Brian doesn't like fish, __________ __________?

3 Your sister has a fever, __________ __________?

4 You are busy these days, __________ __________?

5 It was very cloudy yesterday, __________ __________?

6 You will go to the dentist, __________ __________?

7 You wrote the letter to him, __________ __________?

8 Harry didn't finish his homework, __________ __________?

9 Mary and Tony are from Canada, __________ __________?

10 Amy and Jack can't join us, __________ __________?

B 주어진 말 배열하여 문장 쓰기

1 이 컴퓨터들은 비싸지, 그렇지 않니? (they, expensive, aren't, are, these computers)

→ ______________________________

2 이 의자는 편안해 보이지 않아, 그렇지? (look, it, this chair, doesn't, comfortable, does)

→ ______________________________

3 개들은 수영을 잘 할 수 있어, 그렇지 않니? (swim, they, can't, dogs, well, can)

→ ______________________________

4 너는 내일 그를 만나지 않을 거지, 그렇지? (you, him, you, tomorrow, meet, won't, will)

→ ______________________________

5 Billy는 뮤지컬에 관심이 있었지, 그렇지 않니? (he, musicals, wasn't, interested, was, in, Billy)

→ ______________________________

Unit 1 접속사

A |보기|에서 알맞은 접속사 골라 문장 완성하기 (한 번씩만 사용할 것)

|보기| when after because that or but

1 Will you watch TV ___________ play games?

2 Clara got up early, ___________ she was late for school.

3 I don't think ___________ he will lie to us.

4 ___________ we had lunch, we took a walk.

5 She will dance at the festival ___________ she dances very well.

6 You should wear a swimming cap ___________ you're swimming in the pool.

B 알맞은 접속사를 추가하여 주어진 말 배열하기

1 그녀의 엄마는 해가 뜨기 전에 일어난다. (comes up, the sun)
→ ______________________________, her mom gets up.

2 나는 개를 산책시킨 후에 개를 씻겨주었다. (my dog, walked, I)
→ ______________________________, I washed it.

3 네가 한가하다면, 우리는 함께 농구를 할 수 있다. (are, free, you)
→ ______________________________, we can play basketball together.

4 방 안이 더웠기 때문에, 나는 창문을 열었다. (hot, was, the room, in, it)
→ ______________________________, I opened the window.

5 그는 그 오래된 차가 그의 것이라고 말했다. (the old car, his, was, said)
→ He ______________________________.

6 네가 외출할 때, 너는 창문을 닫아야 한다. (out, you, go)
→ ______________________________, you should close the windows.

Unit 2 전치사

A |보기|에서 알맞은 전치사 골라 쓰기 (중복 사용 가능)

|보기|	at	in	on	for	during

1 She has four classes __________ Fridays.

2 There are a few people in the park __________ night.

3 John read books __________ three hours.

4 She was a high school student __________ 2015.

5 They opened their store __________ March 15.

6 Don't use your smartphone __________ the meal.

7 Mina met Somi __________ the bus stop.

B 주어진 말 배열하여 문장 완성하기

1 그는 선생님 뒤에 서 있었다. (the teacher, behind)

→ He was standing ______________________________.

2 나는 탁자 아래에서 네 모자를 보았다. (under, your cap, saw, the table)

→ I ______________________________.

3 그녀는 기타를 피아노 옆에 놓았다. (the piano, next to, the guitar)

→ She put ______________________________.

4 우리는 그 건물 앞에서 사진을 찍었다. (the building, a picture, in front of)

→ We took ______________________________.

5 Andy와 Brad는 벤치에 앉아 있다. (the bench, sitting, are, on)

→ Andy and Brad ______________________________.

6 경찰서는 공원과 빵집 사이에 있다. (the bakery, the park, between, and)

→ The police station is ______________________________.

MEMO

MEMO

MEMO

서술형에 더 강해지는 중학 영문법

문장 쓰기
WORKBOOK
LEVEL 1

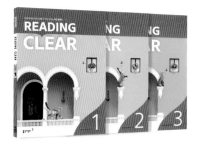